HIGH TOP
정답과 해설

I 화학 반응의 규칙과 에너지 변화

01 물질 변화와 화학 반응식

학습 내용 Check

1권 013쪽	1 물리	2 화학	3 원자
1권 015쪽	1 반응물질, 생성물질	2 원자, 개수	
	3 입자(분자)	4 2, 1, 2	

개념 확인 문제

1권 020쪽~021쪽

01 ⑤ 02 ⑤ 03 ③ 04 ④ 05 ②, ③
06 ② 07 ④ 08 ⑤ 09 ② 10 ④
11 ④ 12 ②

01 ① 종이가 타는 것은 화학 변화이다.
② 물질의 상태 변화는 물리 변화이다.
③ 물이 끓어 기체 상태로 변하는 물리 변화의 경우 기체가 발생한다고 할 수 있지만 물리 변화가 일어날 때 항상 기체가 발생한다고 할 수는 없다. 처음 물질과는 다른 새로운 종류의 기체가 발생하는 반응은 화학 변화이다.
④ 새로운 물질이 생성되는 변화는 화학 변화이다.

02 자료 분석하기

(가) 긴 마그네슘 리본, (나) 구부린 마그네슘 리본, (다) 마그네슘을 태운 재의 외형, 전류가 흐르는지의 여부, 묽은 염산과의 반응 여부를 관찰한 결과는 표와 같다.

구분	(가) 긴 마그네슘 리본	(나) 구부린 마그네슘 리본	(다) 마그네슘을 태운 재
외형	은백색 광택이 나는 금속	은백색 광택이 나는 금속	흰색의 재
전류의 흐름	흐른다.	흐른다.	흐르지 않는다.
묽은 염산과의 반응	녹으면서 기체가 발생한다.	녹으면서 기체가 발생한다.	반응하지 않는다.

①, ④ 마그네슘을 구부리는 것은 물리 변화로, (가)와 (나)의 마그네슘은 성질 변화가 없다. 따라서 (가)와 (나)는 전류가 흐른다.
②, ③ 마그네슘을 태우는 것은 화학 변화로 (가)와 (나)는 묽은 염산과 반응하여 수소 기체가 발생하지만, (다)는 묽은 염산과 반응하지 않는다.
⑤ 마그네슘을 태우면 화학 변화가 일어나 산화 마그네슘이 생성되며, 산화 마그네슘은 마그네슘과 성질이 전혀 다른 물질이다.

03 (나)와 같이 마그네슘의 모양을 변화시키는 물리 변화가 일어나도 (가)와 (나)에서 마그네슘의 성질은 변하지 않으므로 물리 변화가 일어나면 물질의 성질은 변하지 않음을 알 수 있다. 그러나 (다)와 같이 마그네슘을 태우는 화학 변화가 일어나면 (가), (나)의 마그네슘과는 물질의 성질이 달라진다. 즉, 화학 변화가 일어나면 물질의 성질이 변한다는 것을 알 수 있다.

04 ㄱ. 응고 현상(상태 변화)으로 물리 변화이다.
ㄴ. 철이 공기 중의 산소와 결합하여 산화 철이 생성되는 화학 변화이다.
ㄷ. 모양이 변하는 물리 변화이다.
ㄹ. 기화 현상(상태 변화)으로 물리 변화이다.
ㅁ. 설탕을 오래 가열하면 타는 현상은 화학 변화이다.
ㅂ. 고기나 야채가 익는 현상은 화학 변화이다.

05 (가)는 물이 수증기로 기화되는 물리 변화이다. 이때 물 분자의 배열만 달라질 뿐 물 분자 자체는 변하지 않으므로 물질의 성질은 변화가 없다. (나)는 물이 수소와 산소로 분해되는 화학 변화이다. 이때 물 분자를 이루는 원자의 배열이 변하여 수소 분자와 산소 분자가 생성되므로 물질의 성질이 달라진다.
①, ⑤ (나)에서는 분자를 이루는 원자의 배열이 변하여 새로운 물질이 생성되므로 물질의 성질이 달라진다.
④ 분자의 종류가 달라지지 않는 것은 (가)이다.

06 (가)는 공기 중의 수증기가 고체로 되는 승화 현상으로 분자의 배열은 변하지만 분자 자체는 변하지 않기 때문에 물질의 성질이 변하지 않는 물리 변화이다. 이때 분자 자체가 변하지 않으므로 원자의 배열도 변하지 않는다. (나)는 숯의 연소 반응으로 물질을 이루는 원자의 배열이 변하여 성질이 다른 새로운 물질이 생성되는 화학 변화이다.

07 화학 변화가 일어날 때 물질을 이루는 원자의 배열이 변하여 성질이 전혀 다른 새로운 물질이 된다. 그러나 화학 변화 전후에 원자의 종류와 개수는 변하지 않으므로 물질의 총 질량은 변하지 않는다.

08 메테인의 연소 반응은 화학 변화로, 메테인이 산소와 반응하여 이산화 탄소와 물이 생성된다. 이때 반응 전후 원자의 종류와 개수는 변하지 않지만, 원자의 배열이 변하여 새로운 분자(이산화 탄소, 물)가 생성된다.

09 ② 반응물질은 화살표의 왼쪽에, 생성물질은 화살표의 오른쪽에 쓴다.

10 반응물질은 질소와 수소이고, 생성물질은 암모니아로 이들의 화학식은 각각 N_2, H_2, NH_3이다. 반응 전후 원자의 종류와 개수가 같아지도록 계수를 맞추어 화학 반응식을 완성해야 하는데, 계수가 1이면 생략하고 각 계수는 가장 간단한 정수가 되도록 하면 다음과 같다.

$N_2 + 3H_2 \longrightarrow 2NH_3$

11 화살표 양쪽에 있는 각 원자의 종류와 개수가 같아지도록 계수를 맞추면 (가), (나)의 화학 반응식은 다음과 같다.

(가) $2H_2O_2 \longrightarrow 2H_2O + O_2$

(나) $Mg + 2HCl \longrightarrow MgCl_2 + H_2$

따라서 ㉠ 2, ㉡ 2, ㉢ 1, ㉣ 1, ㉤ 1이다.

12 ㄱ. 반응물질은 메테인과 산소이고, 생성물질은 이산화 탄소와 물이다.

ㄴ. 반응 전후에 원자의 종류와 개수는 변하지 않지만 원자의 배열이 바뀌어 새로운 분자가 생성된다.

ㄷ. 화학 반응식에서 계수비는 반응물질과 생성물질의 분자 수의 비와 같다. 메테인 분자 1개와 산소 분자 2개가 반응하면 이산화 탄소 분자 1개와 물 분자 2개가 생성되므로 메테인의 연소 반응에서 반응 전후에 분자의 종류는 변하지만 분자의 총 개수는 변하지 않는다.

ㄹ. 화학 반응식에서 이산화 탄소와 물의 계수비가 1 : 2이므로 생성되는 분자 수비도 1 : 2이다.

실력 강화 문제

1권 022쪽

01 ④ **02** ① **03** ④
04 $Fe_2O_3 + 3CO \longrightarrow 2Fe + 3CO_2$ **05** ②

01 (가)는 질소와 수소로부터 암모니아를 합성하는 반응을 나타낸 것이고, (나)는 에탄올이 물에 녹아 수용액이 되는 현상을 나타낸 것이다. 즉, (가)는 화학 변화이고, (나)는 물리 변화이다.

ㄱ. (가)는 질소와 수소를 이루는 원자의 배열이 변하여 성질이 전혀 다른 새로운 물질인 암모니아가 생성되는 반응으로, 화학 변화이다.

ㄴ. 화학 변화로 생성된 암모니아는 반응물질인 질소와 성질이 다르다.

ㄷ. 에탄올 수용액은 물과 에탄올의 혼합물로 에탄올의 성질은 변하지 않는다.

02 납과 황이 반응하면 황화 납이 생성된다. 이 반응은 화학 변화이므로 이때 원자의 배열이 변하여 새로운 물질이 생성된다. 하지만 원자의 종류와 개수는 변하지 않는다.

03 자료 분석하기

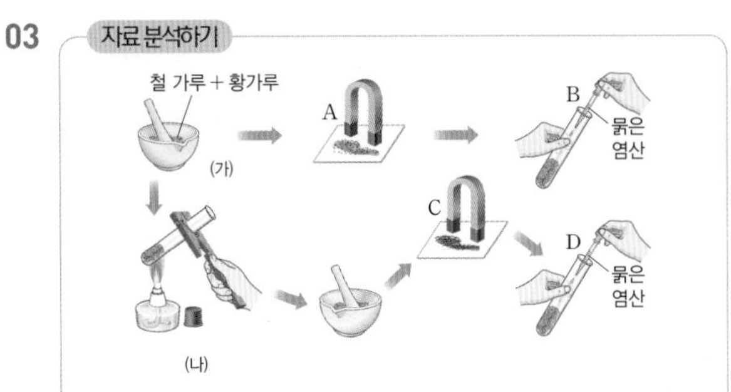

- (가) 철 가루와 황가루를 섞는 것은 물리 변화이다.
- (나) 철 가루와 황가루의 혼합물을 가열하면 철과 황이 반응하여 황화 철이 생성되므로 화학 변화이다.
- A: 혼합물 중 철 가루가 자석에 붙는다.
- B: 혼합물 중 철이 염산과 반응하여 수소 기체가 발생한다.
- C: 새로운 화합물인 황화 철은 자석에 붙지 않는다.
- D: 황화 철과 염산이 반응하면 특유의 냄새가 나는 황화 수소 기체가 발생한다.

① (가) 철 가루와 황가루를 혼합하는 것은 물리 변화이다.

② (나) 철과 황의 혼합물을 가열하면 황화 철이 생성되며, 이는 화학 변화이다.

③ A에서는 혼합물 중 철 가루가 자석에 붙는다.

④ B에서는 철과 염산이 반응하여 수소 기체가 발생하고, D에서는 황화 철과 염산이 반응하여 달걀 썩는 냄새가 나는 황화 수소 기체가 발생한다.

⑤ 황화 철은 철과 성질이 다른 새로운 물질이다. C에서 황화 철은 철과 달리 자석에 붙지 않는다.

04 반응물질은 산화 철(Ⅲ)과 일산화 탄소이고, 생성물질은 철과 이산화 탄소이다. 화학 반응식을 완성하면 다음과 같다.

$Fe_2O_3 + 3CO \longrightarrow 2Fe + 3CO_2$

| 도움이 되는 배경 지식 | 철광석으로부터 철을 얻는 과정

용광로에 철광석, 코크스(C), 석회석을 넣고 뜨거운 공기를 불어 넣으면 다음과 같은 반응이 일어나서 용융 상태의 철을 얻을 수 있다. 석회석은 철광석 중의 이산화 규소와 반응하여 슬래그($CaSiO_3$)로 된다.

$2C + O_2 \longrightarrow 2CO$

$Fe_2O_3 + 3CO \longrightarrow 2Fe + 3CO_2$

$CaCO_3 \longrightarrow CaO + CO_2$

$CaO + SiO_2 \longrightarrow CaSiO_3$

05 화학 반응식 (가), (나), (다)에서 반응 전후 각 원자의 종류와 개수가 같아지도록 계수를 맞추면 다음과 같다.

반응	원자	반응 전	반응 후	계수	$a+b+c$
(가)	P	$4a$	$4c$	$a=c=1$	7
	O	$2b$	$10c$	$b=5c=5$	
(나)	N	$2a$	$2c$	$a=c=1$	4
	H	$2b$	$4c$	$b=2c=2$	
(다)	K	a	b	$a=b=2$	7
	Cl	a	b	$a=b=2$	
	O	$3a$	$2c$	$3a=2c$, $a=2$, $c=3$	

따라서 각 화학 반응식에서 $(a+b+c)$의 크기를 비교하면 (가)=(다)>(나)이다.

서술형 문제

1권 023쪽

1 물질이 변할 때 원자의 배열이 바뀌어 성질이 전혀 다른 새로운 물질이 생기는 변화는 화학 변화이고, 분자의 배열이 바뀌어 물질의 성질이 변하지 않는 변화는 물리 변화이다.

모범 답안 물리 변화는 분자의 배열이 변하므로 물질의 성질이 바뀌지 않는 변화이고, 화학 변화는 원자의 배열이 변하여 새로운 물질이 생성되므로 물질의 성질이 바뀌는 변화이다.

채점 기준	배점
물리 변화와 화학 변화의 차이를 제시된 용어를 모두 사용하여 옳게 설명한 경우	100 %
물리 변화와 화학 변화의 차이를 제시된 용어의 일부만 사용하여 설명한 경우	50 %

2 베이킹파우더의 주성분은 탄산수소 나트륨으로, 탄산수소 나트륨을 가열하면 탄산 나트륨, 이산화 탄소, 물(수증기)로 분해된다. 이때 기체가 발생하므로 반죽이 부풀어 오르면서 기포가 생긴다.

모범 답안 뜨거운 프라이팬에 반죽을 올려놓으면 반죽에 넣어준 베이킹파우더가 분해되어 기체가 발생하는 화학 변화가 일어나므로 반죽이 부풀어 올라 기포가 생긴다.

채점 기준	배점
반죽에 기포가 생기는 까닭을 베이킹파우더가 분해되어 기체가 발생하는 화학 변화와 관련지어 옳게 설명한 경우	100 %
베이킹파우더가 분해되기 때문이라고만 설명한 경우	50 %

3 (가) 물이 수증기로 기화되는 물리 변화이고, (나) 물이 수소와 산소로 분해되는 화학 변화이다. (가) 물리 변화에서는 분자의 배열이 변하고 분자 자체는 변하지 않아서 물질의 성질이 변하지 않는다. (나) 화학 변화에서는 원자의 배열이 변하여 새로운 분자가 생성되므로 물질의 성질이 변한다.

모범 답안 (가)는 물리 변화이고, (나)는 화학 변화이다. (가)에서 분자 자체는 변하지 않고 분자의 배열이 변했기 때문에 물리 변화이고, (나)에서 원자의 배열이 변하여 새로운 분자가 생성되었기 때문에 화학 변화이다.

채점 기준	배점
(가)와 (나)의 변화의 종류를 옳게 쓰고, 그 까닭을 옳게 설명한 경우	100 %
(가)와 (나)의 변화의 종류는 옳게 썼으나, 그 까닭 설명이 미흡한 경우	50 %

4 반응물질은 화살표 왼쪽에, 생성물질은 화살표 오른쪽에 화학식으로 나타내고, 반응 전후에 원자의 종류와 개수가 같아지도록 계수를 맞춘다.

모범 답안 ① 각 모형의 화학식은 는 A_2, 는 B_2, 는 AB이다.
② 반응물질과 생성물질의 화학식을 화살표의 양쪽에 나타내면 $A_2+B_2 \longrightarrow AB$이다.
③ 반응 전후에 원자의 종류와 개수가 같아지도록 화학식 앞의 계수를 맞추면 $A_2+B_2 \longrightarrow 2AB$이다.

채점 기준	배점
모형을 화학 반응식으로 나타내는 과정을 옳게 설명한 경우	100 %
화학 반응식만 옳게 쓴 경우	50 %

5 화학 반응이 일어날 때 원자의 종류와 개수는 변하지 않으므로 화학 반응식에서 화살표 양쪽에 있는 원자의 종류와 개수는 같아야 한다.

① O 원자의 개수를 맞춘다.

$$CO+\frac{1}{2}O_2 \longrightarrow CO_2$$

② 계수를 가장 간단한 정수로 나타내고, 1은 생략한다.

$$2CO+O_2 \longrightarrow 2CO_2$$

모범 답안 (나) $2CO+O_2 \longrightarrow 2CO_2$, 반응 전후 원자의 종류와 개수는 변하지 않기 때문에 반응 전후에 원자의 종류와 개수가 같도록 계수를 맞춰야 한다.

채점 기준	배점
(나)의 화학 반응식을 옳게 고쳐 쓰고, 그 까닭을 옳게 설명한 경우	100 %
(나)의 화학 반응식만 옳게 고쳐 쓴 경우	50 %

02 화학 반응의 규칙

학습 내용 Check

1권 025쪽	1 질량 보존	2 원자
	3 16	
1권 027쪽	1 일정 성분비	2 4 : 1
	3 120	
1권 029쪽	1 기체 반응	2 분자
	3 부피비	

탐구 확인 문제

1권 030쪽

1 (1) × (2) ○ (3) × (4) ○ (5) ○ **2** ㄱ

1 (1), (2) 분필의 주성분은 탄산 칼슘으로, 탄산 칼슘이 염산과 반응하면 이산화 탄소 기체가 발생하며 앙금은 생성되지 않는다.
(3), (4) 과정 ❸에서 질량이 감소하는 것은 병의 뚜껑을 열어 이산화 탄소 기체가 빠져나갔기 때문으로, 감소한 질량은 발생한 이산화 탄소 기체의 질량과 같다. 기체가 발생하는 반응에서도 반응 전후 물질의 총 질량은 보존된다. 즉, 질량 보존 법칙이 성립한다.
(5) 열린 용기에서 반응이 일어나면 물질의 출입이 가능하므로 질량이 감소하거나 증가하는 것처럼 측정되기도 하지만, 이때에도 질량 보존 법칙은 성립한다.

2 묽은 염산과 아연이 반응하면 다음과 같은 반응이 일어나 수소 기체가 발생한다.
$2HCl+Zn \longrightarrow ZnCl_2+H_2$
ㄱ. 염산과 아연이 반응하여 발생하는 기체는 수소이다.
ㄴ. 밀폐 용기에서 기체가 발생하는 반응 전후 (가)와 (나)의 질량은 같지만, 용기의 뚜껑을 열면 기체가 빠져나가므로 질량이 감소한다. 따라서 (다)의 질량은 (가) 또는 (나)의 질량보다 작다.
ㄷ. 화학 변화가 일어날 때 질량 보존 법칙이 성립한다.

탐구 확인 문제

1권 031쪽

1 ⑤ **2** 20 g **3** ③

1 구리 가루를 공기 중에서 가열할 때 반응하는 구리의 양이 증가하여도 구리와 산소가 항상 4 : 1의 질량비로 반응하여 산화 구리(Ⅱ)가 생성된다.

2 구리가 산소와 반응하여 산화 구리(Ⅱ)를 생성하는 반응에서 반응물질과 생성물질의 질량비는 구리 : 산소 : 산화 구리(Ⅱ)=4 : 1 : 5이므로 구리 16 g과 산소 4 g이 반응하여 산화 구리(Ⅱ) 20 g이 생성된다.

3 마그네슘 0.9 g이 연소하면 1.5 g의 산화 마그네슘이 생성된다. 이때 마그네슘과 반응한 산소의 질량은 0.6 g이므로 산화 마그네슘을 이루는 마그네슘과 산소의 질량비는 0.9 g : 0.6 g=3 : 2이다.

탐구 확인 문제

1권 032쪽

1 (1) ㉠ 산소, 3 ㉡ 6 ㉢ 3 ㉣ 3 ㉤ 6 ㉥ 3 (2) 과정 ❷ 6 mL, 과정 ❸ 6 mL **2** 40 mL

1 (1) 과정 ❷, ❸에서 처음 기체의 부피, 남은 기체의 종류와 부피, 반응한 기체의 부피는 다음과 같다.

과정	처음 기체의 부피(mL)		남은 기체의 종류와 부피(mL)	반응한 기체의 부피(mL)	
	수소	산소		수소	산소
❷	6	6	㉠ 산소, 3	㉡ 6	㉢ 3
❸	6	㉣ 3	없음	㉤ 6	㉥ 3

(2) 일정한 온도와 압력에서 수소 기체와 산소 기체가 반응하여 수증기를 생성할 때 부피비는 항상 2 : 1 : 2이므로 과정 ❷와 ❸에서 각각 수증기 6 mL가 생성된다.

2 질소 기체와 수소 기체가 반응하여 암모니아 기체를 생성할 때 각 기체의 부피비는 1 : 3 : 2이므로 질소 기체 60 mL와 수소 기체 60 mL를 혼합하여 완전히 반응시키면 질소 기체 20 mL와 수소 기체 60 mL가 반응하여 암모니아 기체 40 mL가 생성된다.

개념 확인 문제

1권 036쪽~039쪽

01 ㄱ, ㄴ, ㄷ, ㄹ **02** ② **03** ③ **04** ④
05 ⑤ **06** ⑤ **07** ④ **08** ⑤ **09** ④
10 ① **11** ② **12** 수소 18 g, 산소 144 g, 일정 성분비 법칙 **13** 4 : 1 **14** ③ **15** ① **16** ③
17 ⑤ **18** ④ **19** ⑤ **20** ① **21** ⑤
22 ⑤

01 얼음이 녹아 물로 되는 상태 변화가 일어날 때 분자의 배열이 달라지므로 부피가 변한다. 그러나 분자의 종류는 변하지 않으므로 물질의 성질은 변하지 않는다. 또한, 분자의 개수가 변하지 않으므로 물질의 질량도 변하지 않는다. 따라서 ㄱ, ㄴ, ㄷ, ㄹ은 변하지 않는 것이고, ㅁ, ㅂ은 변하는 것이다.

02 염화 나트륨 수용액과 질산 은 수용액이 반응하면 흰색의 염화 은 앙금이 생성되는 반응이 일어난다.

$NaCl + AgNO_3 \longrightarrow AgCl + NaNO_3$

이때 염화 은 앙금과 함께 생성되는 질산 나트륨은 혼합 용액에 녹아 있다. 이와 같이 앙금이 생성되는 반응이 일어나도 반응 전후 물질의 총 질량은 변하지 않으므로 (가)와 (다)의 질량은 같다.

03 염화 나트륨 수용액과 질산 은 수용액의 반응이 일어날 때 반응 전후 원자의 종류와 개수는 변하지 않으므로 물질의 총 질량은 변하지 않는다.

② 원자가 재배열하여 새로운 물질이 생성된다.

③ 반응 모형에서 화살표 양쪽에 있는 각 원자의 종류와 개수가 같으므로 반응 전후 원자의 종류와 개수는 변하지 않는다.

04 탄산 칼슘과 묽은 염산이 반응하면 이산화 탄소 기체가 발생한다.

$CaCO_3 + 2HCl \longrightarrow CaCl_2 + CO_2 + H_2O$

이때 이산화 탄소와 함께 생성되는 물질 중 염화 칼슘은 혼합 용액에 녹아 있다.

ㄱ. (나)에서 발생하는 기포는 이산화 탄소 기체이다.

ㄴ. 밀폐 용기에서 반응이 일어난 (가)와 (나)의 질량은 같고, (다)에서 용기의 뚜껑을 열면 이산화 탄소 기체가 빠져나가므로 (다)의 질량은 (가) 또는 (나)의 질량보다 작다.

ㄷ. 기체가 발생하는 반응에서도 반응물질의 총 질량과 생성물질의 총 질량은 항상 같다. 즉, 질량 보존 법칙이 성립한다.

05 아연과 묽은 염산이 반응하면 수소 기체가 발생한다.

$Zn + 2HCl \longrightarrow ZnCl_2 + H_2$

이때 수소 기체와 함께 생성되는 염화 아연은 혼합 용액에 녹아 있다.

ㄱ. 아연과 묽은 염산이 반응하면 수소 기체가 발생하기 때문에 삼각 플라스크에 씌운 고무풍선이 부풀어 오른다.

ㄴ. 기체가 발생하는 반응에서도 질량이 보존되므로 반응 전후 물질의 총 질량은 같다.

ㄷ. 고무풍선을 빼면 발생한 수소 기체가 빠져나가므로 그만큼 질량이 감소하여 측정된다.

06 자료 분석하기

- 저울 왼쪽은 종이 연소 전 물질이고, 오른쪽은 종이 연소 후 물질이다.
- 반응물질은 종이와 산소이고, 생성물질은 재, 이산화 탄소, 수증기이다.
- 왼쪽에 있는 산소 분자는 3개이고, 오른쪽에 있는 산소 분자는 2개로 반응한 산소 분자는 1개임을 알 수 있다.

ㄱ. 연소 전 산소 분자는 3개, 연소 후 산소 분자는 2개로 밀폐 용기에 들어 있던 산소 분자 3개 중 1개가 반응하였음을 알 수 있다.

ㄴ. 오른쪽 밀폐 용기에 들어 있는 물질 중 산소는 왼쪽에도 들어 있으며 그 수만 왼쪽보다 적으므로 반응하지 않고 남은 물질이다.

ㄷ. 종이가 연소하면 이산화 탄소 기체와 수증기가 발생하므로 이 반응이 열린 용기에서 일어나면 반응 후 발생한 기체의 질량만큼 질량이 감소한다. 따라서 저울이 왼쪽으로 기울어진다.

07 ㄱ. (나)에서 철이 산소와 반응하여 산화 철로 된다.

ㄴ. 공기 중에서 철을 가열하면 산소와 결합하므로 측정된 질량은 (가) < (다)이다.

ㄷ. 강철 솜 대신 숯을 가열하면 이산화 탄소 기체가 발생하므로 저울로 질량을 측정하면 측정된 질량은 (가) > (다)이다.

08 질량 보존 법칙은 물리 변화, 화학 변화 모두에서 성립하며, 이는 물리 변화나 화학 변화가 일어나도 원자의 종류와 개수는 변하지 않기 때문이다. 금속이 산소와 결합하는 반응의 경우에도 반응한 (금속+산소)의 질량과 생성물질의 질량은 항상 같다.

09 화학 변화가 일어나면 반응물질을 이루는 분자와 다른 분자가 생성된다. 이때 원자 사이의 결합이 끊어지고 새로운 결합이 생성되지만 원자의 종류와 개수는 변하지 않으므로 화학 변화 전후에 물질의 총 질량은 보존된다.

10 화합물에서는 일정 성분비 법칙이 성립하지만 혼합물에서는 일정 성분비 법칙이 성립하지 않는다.

ㄱ, ㄹ. 구리를 가열하면 구리와 산소가 반응하여 화합물인 산화 구리(Ⅱ)가 생성되고, 수소와 산소가 반응하면 화합물인 물이 생성된다.

ㄴ, ㄷ. 소금을 물에 녹이거나 철 가루와 황가루를 섞으면 혼합물이 된다.

11 자료 분석하기

실험	혼합한 기체의 질량(g)		반응 후 남은 기체의 질량(g)
	수소	산소	
(가)	0.2	0.8	수소, 0.1
(나)	0.4	㉠	산소, 0.1
(다)	0.6	5.0	㉡

• 실험 (가)로부터 수소와 산소가 1 : 8의 질량비로 반응함을 알 수 있다.
• 실험 (나)에서 수소 0.4 g과 반응하는 산소의 질량은 0.4 g×8=3.2 g이다.
• 실험 (다)에서 수소 0.6 g은 산소 4.8 g과 반응하므로 산소 0.2 g이 남는다.

ㄱ, ㄷ. 실험 (가)에서 수소 0.1 g이 남았으므로 반응한 것은 수소 0.1 g과 산소 0.8 g이다. 따라서 수소와 산소는 1 : 8의 질량비로 반응하여 물을 생성함을 알 수 있다. 실험 (나)에서 수소 0.4 g과 반응하는 산소의 질량은 0.4 g×8=3.2 g이고, 이때 산소 0.1 g이 반응 후 남으므로 처음 혼합한 산소 기체의 질량 ㉠은 3.2+0.1=3.3(g)이다.

ㄴ. 실험 (다)에서 수소 0.6 g은 산소 4.8 g과 반응하므로 반응 후 산소 0.2 g이 남는다.

ㄹ. 물 생성 반응에서 반응물질과 생성물질의 질량비는 수소 : 산소 : 물=1 : 8 : 9이므로 각 실험 결과 생성되는 물은 실험 (가) 0.9 g, 실험 (나) 3.6 g, 실험 (다) 5.4 g이다.

12 물을 이루는 수소와 산소의 질량비는 1 : 8로 일정하므로 물 162 g은 수소 $162\times\frac{1}{9}=18$ (g), 산소 $162\times\frac{8}{9}=144$ (g)으로 이루어져 있다. 한 화합물을 이루는 원소의 질량비는 항상 일정한데, 이를 일정 성분비 법칙이라고 한다.

13 자료 분석하기

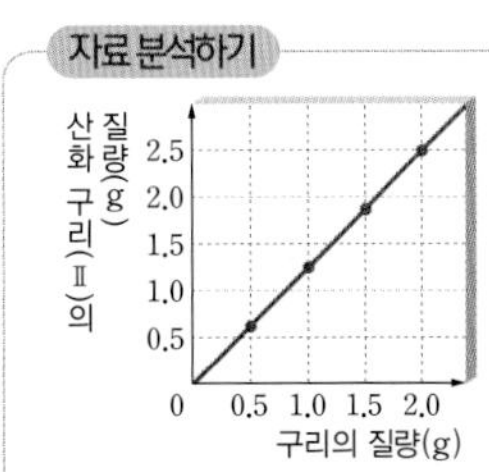

• 산화 구리(Ⅱ)의 질량에서 구리의 질량을 빼면 구리와 결합한 산소의 질량이다.
• 구리 2.0 g과 반응한 산소는 0.5 g이므로 구리와 산소는 4 : 1의 질량비로 반응한다.

구리와 결합한 산소의 양만큼 질량이 증가하므로 구리 2.0 g과 반응한 산소의 양은 0.5 g이다. 따라서 산화 구리(Ⅱ)를 구성하는 구리와 산소의 질량비는 2.0 g : 0.5 g = 4 : 1이다.

14 구리의 질량이 증가하면 반응하는 산소의 질량, 반응하는 (구리+산소)의 질량, 생성되는 산화 구리(Ⅱ)의 질량, 산화 구리(Ⅱ)를 이루는 산소의 질량이 증가하지만 반응하는 구리와 산소의 질량비는 변하지 않는다.

15 ①, ②, ③ 마그네슘을 가열하면 공기 중의 산소와 결합하여 산화 마그네슘이 생성되므로 결합한 산소의 질량만큼 질량이 증가한다. 따라서 생성된 물질의 질량에서 마그네슘의 질량을 뺀 것이 마그네슘과 반응한 산소의 질량이다. 따라서 반응한 마그네슘과 산소의 질량비는 0.3 : 0.2=0.9 : 0.6=1.5 : 1.0=2.1 : 1.4=3 : 2이다.

④ 마그네슘과 산소는 3 : 2의 질량비로 반응하므로 마그네슘 6.0 g을 완전히 연소시키려면 산소가 최소 4.0 g 있어야 한다.

⑤ 반응하는 마그네슘과 산소의 질량비가 일정하므로 반응하는 마그네슘의 질량이 증가하면 반응하는 산소의 질량도 증가한다.

16 물과 과산화 수소처럼 같은 종류의 원소로 이루어진 화합물이라도 구성하는 원자 수의 비가 다르면 구성 원소의 질량비도 다르기 때문에 성질이 전혀 다른 물질이다.

17 볼트와 너트의 질량이 각각 5 g, 1 g이고, 볼트 1개와 너트 2개가 결합하여 BN_2 화합물을 구성하므로 BN_2 화합물을 구성하는 질량비는 볼트 : 너트=1×5 g : 2×1 g=5 : 2이다. 또한, 볼트와 너트는 1 : 2의 개수비로 결합하므로 볼트 20개와 너트 30개가 있으면 볼트 15개와 너트 30개를 이용하여 BN_2 화합물 15개를 만들고, 볼트 5개가 남는다.

18 일정한 온도와 압력에서 질소 기체와 수소 기체가 반응하여 암모니아 기체가 생성될 때 이들 사이의 부피비는 1 : 3 : 2이다. 따라서 암모니아 기체 30 L가 생성되려면 질소 기체 15 L와 수소 기체 45 L가 필요하다.

19 온도와 압력이 일정할 때 모든 기체는 같은 부피 속에 같은 개수의 분자가 들어 있다. (가)~(다)에 들어 있는 기체의 종류는 다르지만 온도와 압력, 부피가 같으므로 각 기체의 분자 수는 같다.

20 ① 수소 분자 2개와 산소 분자 1개가 반응하여 수증기 분자 2개를 생성하므로 반응 후에 분자 수가 감소한다.

② 물 분자 1개는 수소 원자 2개와 산소 원자 1개, 즉 원자 3개로 이루어져 있다.

③ 반응 전후 수소 원자와 산소 원자의 개수는 각각 같다. 따라서 반응물질의 총 질량과 생성물질의 총 질량은 같으므로 질량 보존 법칙이 성립한다.

④ 기체들이 반응하여 기체가 생성되는 반응에서 온도와 압력이 일정할 때 화학 반응식의 계수비는 각 기체의 분자 수의 비, 부피비와 같다. 따라서 각 기체의 부피비는 수소 : 산소 : 수증기=2 : 1 : 2이다.

⑤ 분자 수의 비는 수소 : 산소 : 수증기=2 : 1 : 2이므로 수소 분자 30개와 산소 분자 30개를 반응시키면 수소 분자 30개와 산소 분자 15개가 반응하여 수증기 분자 30개가 생성되고, 산소 분자 15개가 남는다.

21 자료 분석하기

실험	반응 전 기체의 부피(mL)		반응 후 남은 기체의 종류와 부피(mL)	생성된 기체 C의 부피(mL)
	A	B		
(가)	30	10	A, 10	20
(나)	20	20	㉠	20
(다)	40	40	B, 20	㉡

• 실험 (가)로부터 반응한 기체와 생성된 기체의 부피비는 A : B : C=20 mL : 10 mL : 20 mL=2 : 1 : 2임을 알 수 있다.
• 실험 (나)에서 반응한 기체는 A 20 mL, B 10 mL이고, 기체 B 10 mL가 남는다.
• 실험 (다)에서 반응한 기체는 A 40 mL, B 20 mL이고, 기체 C 40 mL가 생성된다.

ㄱ, ㄴ. 실험 (가)의 결과 기체 A 10 mL가 남았으므로 기체 A 20 mL와 기체 B 10 mL가 반응하여 기체 C 20 mL가 생성됨을, 즉 반응한 기체와 생성된 기체의 부피비는 A : B : C=2 : 1 : 2임을 알 수 있다. 따라서 실험 (나)에서는 기체 A 20 mL와 기체 B 10 mL가 반응하여 기체 C 20 mL를 생성하고, 기체 B 10 mL가 남으므로 ㉠은 B, 10(mL)이다. 또한, 실험 (다)에서는 기체 A 40 mL와 기체 B 20 mL가 반응하여 기체 C 40 mL가 생성되므로 ㉡은 40(mL)이다.
ㄷ. 일정한 온도와 압력에서 기체의 부피비는 분자 수의 비와 같으므로 반응하는 기체의 분자 수의 비는 부피비와 같은 A : B=2 : 1이다.
ㄹ. 기체 반응 법칙에 따라 일정한 온도와 압력에서 기체들이 반응하여 새로운 기체를 생성할 때 각 기체는 일정한 부피비로 반응하므로 과량으로 존재하는 기체는 반응하지 않고 남는다.

22 ①, ② 질소 기체와 수소 기체가 반응하여 암모니아 기체가 생성되는 반응의 화학 반응식은 $N_2+3H_2 \longrightarrow 2NH_3$이다. 이와 같은 화학 변화가 일어날 때 항상 질량 보존 법칙이 성립하며, 화학 반응식에서 반응물질과 생성물질의 계수비는 분자 수의 비와 같고, 모든 물질이 기체인 경우 부피비와 같다.
③ 일정한 온도와 압력에서 반응하는 질소 기체, 수소 기체, 생성되는 암모니아 기체의 분자 수의 비와 부피비는 모두 질소 : 수소 : 암모니아=1 : 3 : 2이다. 따라서 질소 분자 20개는 수소 분자 60개와 반응한다.
④ 이 반응에서 각 기체의 부피비는 질소 : 수소 : 암모니아=1 : 3 : 2이므로 질소 기체 3 mL는 수소 기체 9 mL와 반응하여 암모니아 기체 6 mL를 생성한다.
⑤ 질소 기체 20 mL와 수소 기체 30 mL를 반응시키면 질소 기체 10 mL와 수소 기체 30 mL가 반응하여 암모니아 기체 20 mL가 생성된다.

실력 강화 문제

1권 040쪽~041쪽

01 ② **02** ① **03** ④ **04** ③ **05** ⑤
06 ① **07** ⑤ **08** ②

01 ㄱ. 생성물질 중 염화 칼슘은 물에 잘 녹는 물질이고, 이산화 탄소는 기체이므로 앙금 생성 반응이 아니다.
ㄴ. 화살표 양쪽에 있는 각 원자의 종류와 개수가 같으므로 반응 전후 원자의 종류와 개수는 변하지 않는다.
ㄷ. 열린 용기에서 반응이 일어나면 이산화 탄소 기체가 발생하여 빠져나가므로 질량이 감소하는 것으로 측정된다.

02 자료 분석하기

• 아이오딘화 칼륨 수용액과 질산 납 수용액이 반응하면 노란색 아이오딘화 납 앙금이 생성된다.

(가)

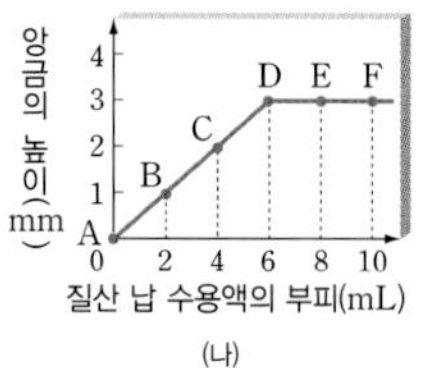

(나)

• B, C, D, E, F에는 노란색 앙금이 생성되어 가라앉는다.
• D부터는 앙금의 높이가 더 이상 증가하지 않는다. 따라서 아이오딘화 칼륨 수용액 6 mL와 완전히 반응하는 질산 납 수용액의 부피는 6 mL이다.

아이오딘화 칼륨 수용액과 질산 납 수용액을 반응시키면 아이오딘화 이온과 납 이온이 2 : 1의 개수비로 반응하여 노란색 앙금인 아이오딘화 납을 생성한다.
$Pb^{2+}+2I^- \longrightarrow PbI_2$
이때 아이오딘화 칼륨 수용액 6 mL와 완전히 반응하는 질산 납 수용액의 부피는 6 mL이므로 두 수용액은 1 : 1의 부피비로 반응한다.
ㄱ. 처음에는 아이오딘화 이온이 충분하므로 시험관 A, B, C에는 아이오딘화 이온이 반응하지 않고 남아 있다.
ㄴ. 기체 반응 법칙은 기체들이 반응하여 새로운 기체가 생성되는 반응에서 성립하는 법칙이다. 일정 부피의 아이오딘화 칼륨 수용액과 질산 납 수용액에는 각각 일정한 개수의 아이오딘화 이온과 납 이온이 들어 있으므로 서로 일정한 개수비로 결합한다. 즉, 이 실험을 통해 아이오딘화 납

을 구성하는 아이오딘과 납 사이에는 일정한 질량비가 성립한다는 것을, 일정 성분비 법칙이 성립한다는 것을 알 수 있다.
ㄷ. 두 수용액은 1 : 1의 부피비로 반응하므로 시험관 E, F에서 아이오딘화 이온은 모두 반응하여 앙금을 생성하고, 납 이온이 반응하지 않고 남아 있다. 따라서 아이오딘화 칼륨 수용액을 더 넣어주면 앙금이 더 생성되지만, 질산 납 수용액을 더 넣어주어도 더 이상 앙금이 생성되지 않는다.

03 ㄱ. 철의 연소 전후 물질의 총 질량은 같으므로 질량 보존 법칙이 성립함을 설명할 수 있다.
ㄴ, ㄷ. 반응 후 반응물질 중 하나인 산소가 남아 있는 것은 일정량의 철과 반응하는 산소의 양이 일정하기 때문으로 이를 통해 일정 성분비 법칙이 성립함을 알 수 있다.
ㄹ. 열린 공간에서 철을 연소시키면 철과 결합한 산소의 양만큼 질량이 증가한다. 따라서 저울은 오른쪽으로 기울어진다.

04 구리와 산소가 반응하여 산화 구리(Ⅱ)를 생성할 때 반응하는 구리와 산소의 질량비는 일정하므로 일정량의 구리와 결합하는 산소의 양도 일정하다. 따라서 산화 구리(Ⅱ)의 질량은 처음에는 증가하다가 구리가 모두 반응한 후에는 일정해진다.

05 자료 분석하기

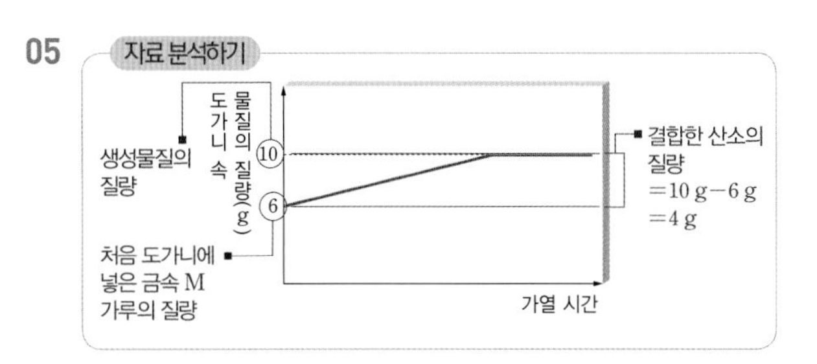

ㄱ. 금속 M 가루 6 g을 도가니에 넣고 충분히 가열하여 완전히 반응시키면 공기 중의 산소와 반응하여 10 g이 되므로, 이때 반응한 산소는 4 g이다. 따라서 반응한 금속 M과 산소의 질량비는 3 : 2이고, 반응한 금속과 생성된 물질의 질량비는 3 : 5이다.
ㄴ. 반응한 금속 M과 산소의 질량비는 3 : 2이므로 금속 M 15 g을 완전히 연소시킬 때 필요한 산소의 질량을 x라고 하면 금속 : 산소=3 : 2=15 g : x이므로 x=10 g이다.
ㄷ. 생성된 물질의 화학식이 MO이면 물질을 이루는 금속 M과 산소의 질량비가 3 : 2이고, 각 원자가 1 : 1의 개수비로 결합한 것이므로 금속 M 원자와 산소 원자의 질량비도 3 : 2이다.

06 자료 분석하기

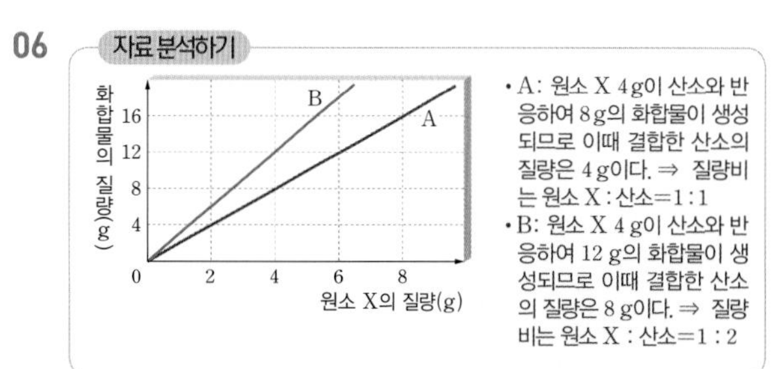

화합물 A는 원소 X 4 g이 산소와 반응할 때 8 g의 화합물이 생성되므로 원소 X 4 g과 결합하는 산소의 질량은 4 g이다. 따라서 화합물 A를 이루는 원소 X와 산소의 질량비는 1 : 1이다. 그런데 화합물 A의 화학식이 X_2O이므로 원자 X 2개의 질량과 산소 원자 1개의 질량이 같은 것을, 즉 원자 X와 O의 상대적 질량비가 1 : 2인 것을 알 수 있다. 화합물 B는 원소 X 4 g이 산소와 반응할 때 12 g의 화합물이 생성되므로 원소 X 4 g과 결합하는 산소의 질량은 8 g이다. 따라서 화합물 B를 이루는 원소 X와 산소의 질량비는 4 : 8=1 : 2이다. 그런데 원자 X와 O의 상대적 질량비가 1 : 2이므로 화합물 B의 화학식은 XO이다.

07 자료 분석하기

남은 기체의 부피를 통해 반응한 기체의 부피를 알 수 있다.

실험	반응 전 기체의 부피(mL)		반응 후 남은 기체의 종류와 부피(mL)	반응 후 기체 전체의 부피(mL)
	A_2	B_2		
(가)	10	30	B_2, 25	35
(나)	30	10	㉠	30

반응 후 기체 전체의 부피는 (생성된 기체+남은 기체)의 부피이므로 생성된 기체의 부피는 반응 후 기체 전체의 부피−남은 기체의 부피로 구한다.

ㄱ. (가)에서 반응한 기체의 부피는 A_2 10 mL, B_2 5 mL이고 생성된 기체의 부피는 (반응 후 기체 전체의 부피−남은 기체의 부피)이므로 35 mL−25 mL=10 mL이다. 따라서 반응하는 기체 A_2와 B_2, 생성된 기체 X의 부피비는 10 mL : 5 mL : 10 mL=2 : 1 : 2이다.
ㄴ. 기체 A_2와 B_2는 2 : 1의 부피비로 반응하므로 기체 A_2 30 mL, B_2 10 mL를 반응시키면 기체 A_2 10 mL가 반응하지 않고 남는다. 따라서 ㉠은 A_2, 10(mL)이다.
ㄷ. 기체 A_2와 B_2가 반응하여 기체 X가 생성되는 반응에서 각 기체의 부피비는 2 : 1 : 2이고, 이는 화학 반응식의 계수비와 같으므로 이 반응의 화학 반응식은 $2A_2+B_2 \longrightarrow 2X$이다. X는 A와 B로 이루어진 물질이고 반응 전 후 원자의 종류와 개수가 같아야 하므로 X의 화학식은 A_2B이다.

08 자료 분석하기

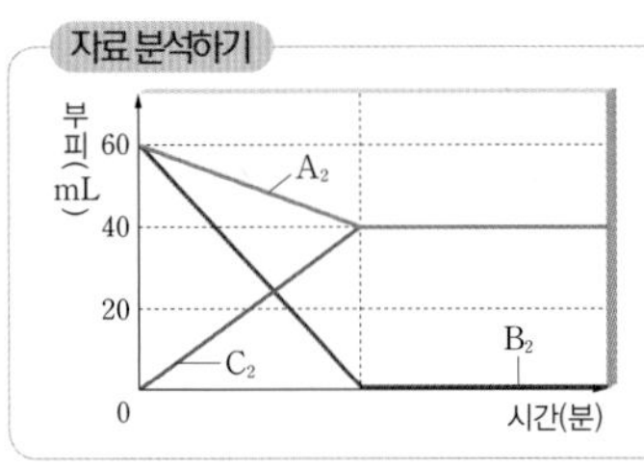

- 처음 혼합한 기체 A_2, B_2의 부피는 각각 60 mL이다.
- 반응하지 않고 남은 A_2의 부피는 40 mL이다.
- 생성된 기체 C_2의 부피는 40 mL이다.
- 기체 B_2는 모두 반응하였다.

ㄱ. 반응이 끝나면 부피가 일정해지므로 기체 A_2 20 mL(= 60 mL−40 mL)와 기체 B_2 60 mL(=60 mL−0 mL)가 반응하여 기체 C_2 40 mL(=40 mL−0 mL)가 생성되고, 기체 A_2 40 mL가 남는다. 따라서 반응한 기체와 생성된 기체의 부피비는 $A_2 : B_2 : C_2 = 1 : 3 : 2$이다.

ㄴ. 기체 사이의 반응에서 화학 반응식의 계수비=기체의 부피비이므로 화학 반응식은 $A_2 + 3B_2 \longrightarrow 2C_2$이다.

ㄷ. 반응한 기체와 생성된 기체의 부피비는 $A_2 : B_2 : C_2 = 1 : 3 : 2$이므로 기체 A_2 30 mL와 기체 B_2 30 mL를 반응시키면 기체 C_2 20 mL가 생성되고 기체 A_2 20 mL가 남는다.

서술형 문제

1권 042쪽~043쪽

1 화학 반응이 일어나면 물질을 이루는 원자의 배열이 변하여 새로운 물질이 생성된다. 그러나 화학 반응 전후 원자의 종류와 개수는 변하지 않으므로 물질의 총 질량은 변하지 않는다.

모범 답안 반응 전후에 원자의 종류와 개수가 변하지 않으므로 질량 보존 법칙이 성립한다.

채점 기준	배점
반응 전후 원자의 종류와 개수가 변하지 않기 때문이라는 것을 옳게 설명한 경우	100 %
반응이 일어날 때 원자는 새로 생기거나 없어지지 않기 때문이라고만 설명한 경우	50 %

2 밀폐 용기에서 탄산 칼슘과 묽은 염산을 반응시키면 이산화 탄소 기체가 발생하고, 이때 발생한 이산화 탄소 기체는 밀폐 용기를 빠져나가지 못하므로 측정된 질량은 변하지 않는다. 그러나 용기의 뚜껑을 열면 생성된 이산화 탄소 기체가 공기 중으로 빠져나가므로 측정된 질량은 감소한다.

모범 답안 (가)=(나)>(다), 탄산 칼슘과 묽은 염산이 반응하면 이산화 탄소 기체가 발생하는데, (나)와 같이 밀폐 용기에서는 반응 전후에 측정된 질량이 변하지 않지만 (다)와 같이 열린 용기에서는 생성된 기체가 공기 중으로 빠져나가기 때문에 측정된 질량이 감소한다.

채점 기준	배점
(가)~(다)의 질량을 옳게 비교하고, 반응 후 (나)에서 측정된 질량이 변화가 없는 까닭과 (다)에서 측정된 질량이 감소한 까닭을 모두 옳게 설명한 경우	100 %
(가)~(다)의 질량을 옳게 비교하고, 반응 후 (나)에서 측정된 질량이 변화가 없는 까닭 또는 (다)에서 측정된 질량이 감소한 까닭 중 하나만 옳게 설명한 경우	50 %
(가)~(다)의 질량만 옳게 비교한 경우	30 %

3 화합물은 각 원자가 일정한 개수비로 결합하여 생성되고, 각 원자는 각각의 일정한 질량이 있으므로 화합물을 이루는 원소 사이에는 일정한 질량비가 성립한다.

모범 답안 물은 수소 원자와 산소 원자가 2 : 1의 개수비로 결합한 물질로, 수소 원자와 산소 원자의 질량비가 일정하므로 물을 이루는 수소와 산소의 질량비가 일정하다. 산화 구리(Ⅱ)는 구리 이온과 산화 이온이 1 : 1의 개수비로 결합한 물질로, 구리 이온과 산화 이온의 질량비가 일정하므로 산화 구리(Ⅱ)를 이루는 구리와 산소의 질량비가 일정하다.

채점 기준	배점
물과 산화 구리(Ⅱ) 각각을 구성하는 입자의 개수비, 각 원자의 질량이 일정함을 언급하여 그 까닭을 옳게 설명한 경우	100 %
물이나 산화 구리(Ⅱ) 중 하나만 구성하는 입자의 개수비, 각 원자의 질량이 일정함을 언급하여 그 까닭을 옳게 설명한 경우	50 %
물이나 산화 구리(Ⅱ)를 이루는 입자의 개수비가 일정하기 때문이라고만 설명한 경우	30 %

4 화합물을 이루는 원소 사이에는 항상 일정한 질량비가 성립하며, 이를 일정 성분비 법칙이라고 한다. 일정 성분비 법칙이 성립하는 것은 물질을 이루는 원자가 일정한 개수비로 결합하여 화합물을 생성하고, 각 원자는 각각 일정한 질량이 있으므로 화합물을 이루는 원소들은 항상 일정한 질량비로 결합하기 때문이다. 따라서 화합물이 생성될 때 어느 한 물질이 모두 반응하여 없어지면 다른 물질이 남아 있어도 더 이상 반응이 일어나지 않는다.

모범 답안 (1) 1 : 1, 화합물을 이루는 A 원자와 B 원자의 개수비는 1 : 2이고, 이때 각 원자의 상대적 질량비는 2 : 1이므로 화합물을 이루는 성분 원소 A와 B의 질량비는 $1 \times 2 : 2 \times 1 = 1 : 1$이다.
(2) 화합물이 생성될 때 일정 성분비 법칙이 성립하기 때문에 물질 A와 B는 일정한 질량비로 반응하여 화합물을 생성하고, 과량으로 존재하는 물질은 남게 된다.

채점 기준		배점
(1)	질량비를 옳게 쓰고, 이를 구하는 과정을 옳게 설명한 경우	50 %
	질량비만 옳게 쓴 경우	20 %
(2)	일정 성분비 법칙을 언급하여 일정한 질량비로 반응한다는 것을 옳게 설명한 경우	50 %
	일정 성분비 법칙이 성립하기 때문이라고만 설명한 경우	20 %

5 (가)와 (나)에서 반응한 수소와 산소의 질량비는 수소 : 산소=2 g : 16 g=3 g : 24 g=1 : 8로 일정하다.

모범 답안 산소 16 g, (가)와 (나)에서 수소와 산소가 반응하여 물을 생성할 때 반응하는 수소와 산소의 질량비는 1 : 8로 일정하므로 수소 6 g과 산소 32 g을 완전히 반응시키면 반응 후 수소 2 g이 남는다. 이때 남은 수소 2 g을 모두 반응시키려면 산소 16 g이 더 필요하다.

채점 기준	배점
필요한 기체의 종류와 질량을 옳게 쓰고, 이를 구하는 과정을 수소와 산소의 질량비를 포함하여 옳게 설명한 경우	100 %
필요한 기체의 종류와 질량만 옳게 쓴 경우	50 %

6 금속 가루를 도가니에 넣고 가열하면 산소와 반응하므로 결합한 산소의 질량만큼 도가니에 들어 있는 물질의 질량이 증가한다.

모범 답안 (1) 금속과 산소는 일정한 질량비로 반응하는데 가열하여도 더 이상 질량이 증가하지 않는 것은 도가니 속 금속 가루가 모두 반응하였기 때문이다.
(2) 금속 : 산소=4 : 1, 금속 1.0 g이 산소와 반응하여 생성되는 물질의 질량이 1.25 g이므로 반응한 산소의 질량은 0.25 g이며, 금속 2.0 g이 산소와 반응하여 생성되는 물질의 질량이 2.5 g이므로 반응한 산소의 질량은 0.5 g이다. 따라서 반응하는 질량비는 금속 : 산소=1.0 g : 0.25 g=2.0 g : 0.5 g=4 : 1이다.

채점 기준		배점
(1)	금속 가루가 모두 반응하였기 때문이라는 것을 옳게 설명한 경우	50 %
	금속과 산소는 일정한 질량비로 반응하기 때문이라고만 설명한 경우	20 %
(2)	반응하는 금속과 산소의 질량비를 옳게 쓰고, 이를 구하는 과정을 옳게 설명한 경우	50 %
	반응하는 금속과 산소의 질량비만 옳게 쓴 경우	20 %

7 일정한 온도와 압력에서 기체들이 반응하여 새로운 기체를 생성할 때 각 기체의 부피 사이에는 일정한 정수비가 성립한다.

모범 답안 20 mL, 질소 기체와 수소 기체가 반응하여 암모니아 기체가 생성될 때 각 기체의 부피비는 1 : 3 : 2이다. 질소 기체 30 mL와 수소 기체 30 mL를 완전히 반응시키면 질소 기체 10 mL, 수소 기체 30 mL가 반응하여 암모니아 기체 20 mL가 생성된다.

채점 기준	배점
암모니아 기체의 부피를 옳게 쓰고, 이를 구하는 과정을 옳게 설명한 경우	100 %
암모니아 기체의 부피만 옳게 쓴 경우	50 %

8 화학 반응식에서 반응물질과 생성물질의 계수비는 분자수의 비와 같으며, 반응물질과 생성물질이 모두 기체인 경우 부피비와도 같다.

모범 답안 (1) ㉠ B, 10(mL) ㉡ 40(mL), 실험 (나)에서 반응한 기체 A, B와 생성된 기체 C의 부피비는 40 mL : 20 mL : 40 mL =2 : 1 : 2이므로 (가)에서 기체 A 20 mL와 기체 B 20 mL를 반응시키면 기체 B 10 mL가 남는다. (다)에서 기체 A 60 mL와 기체 B 20 mL를 반응시키면 기체 A 40 mL와 기체 B 20 mL가 반응하여 기체 C 40 mL가 생성된다.
(2) $2A+B \longrightarrow 2C$, 반응하는 기체 A, B와 생성된 기체 C의 부피비는 2 : 1 : 2이고, 부피비는 화학 반응식에서 계수비와 같기 때문에 화학 반응식은 $2A+B \longrightarrow 2C$로 나타낼 수 있다.

채점 기준		배점
(1)	㉠, ㉡을 모두 옳게 쓰고, 이를 구하는 과정을 옳게 설명한 경우	50 %
	㉠, ㉡ 중 하나만 옳게 쓰고, 이를 구하는 과정을 옳게 설명한 경우	30 %
	㉠, ㉡만 옳게 쓴 경우	20 %
(2)	화학 반응식을 옳게 쓰고, 그 까닭을 옳게 설명한 경우	50 %
	화학 반응식만 옳게 쓴 경우	20 %

03 화학 반응에서의 에너지 출입

학습 내용 Check

1권 045쪽 **1** 발열 반응, 높아 **2** 흡열 반응, 낮아
1권 046쪽 **1** 방출 **2** 방출 **3** 흡수

탐구 확인 문제

1권 047쪽

1 (1) × (2) ○ (3) × (4) ○ **2** (1) × (2) × (3) × (4) ○

1 (1) 손난로를 흔들면 손난로 안에 들어 있는 철 가루와 산소가 반응할 때 열에너지를 방출하므로 따뜻해진다.
(2) 손난로를 만들 때 부직포 주머니에 함께 넣은 질석은 보온재의 역할을 한다.
(3) 온도가 높아지는 것은 열에너지를 방출하는 반응, 즉 발열 반응이 일어났기 때문이다.
(4) 열에너지를 방출하는 반응이 일어났다는 것은 생성물질의 에너지 합이 반응물질의 에너지 합보다 작다는 것을 의미한다.

2 (1) 과정 ❷에서 지퍼 백을 눌러 물과 질산 암모늄을 섞이게 하면 질산 암모늄이 물에 녹는 것을 관찰할 수 있다.
(2) 질산 암모늄이 물에 녹으면서 온도가 낮아졌으므로 이 반응은 열에너지를 흡수하는 반응이라는 것을 알 수 있다.
(3) 산화 칼슘이 물과 반응할 때는 열에너지를 방출하므로, 질산 암모늄이 물에 녹는 반응과는 열에너지 출입의 방향이 반대이다.
(4) 열에너지를 흡수하는 반응이 일어났다는 것은 생성물질의 에너지 합이 반응물질의 에너지 합보다 크다는 것을 의미한다.

개념 확인 문제

1권 050쪽~051쪽

01 ⑤	**02** ⑤	**03** ③	**04** ③	**05** ⑤
06 ⑤	**07** ②	**08** ⑤	**09** ③	**10** ④
11 ㄱ, ㄴ, ㄹ				

01 ①, ④ 화학 반응이 일어날 때 에너지를 방출하는 반응을 발열 반응이라고 한다. 발열 반응이 일어나면 주위의 온도가 높아진다.
② 화학 반응이 일어날 때 반응 전후 물질의 총 질량은 보존된다. 즉, 질량 보존 법칙이 성립한다.
③ 화학 반응은 반응 전과 성질이 전혀 다른 새로운 물질이 생성되는 반응이다.
⑤ 반응이 일어날 때 반응물질과 생성물질의 에너지 차만큼의 에너지가 출입하며, 발열 반응은 생성물질의 에너지 합이 반응물질의 에너지 합보다 작으므로 그 차만큼의 에너지를 방출하는 반응이다.

02 ㄱ. 반응물질의 에너지 합보다 생성물질의 에너지 합이 더 작으므로 반응물질이 생성물질로 될 때 그 차만큼의 에너지를 방출하는 발열 반응의 에너지 변화를 나타낸 것이다.
ㄴ. 반응이 일어날 때 에너지를 방출하는 반응이므로 주위의 온도가 높아진다.
ㄷ. 나무가 연소하는 반응은 에너지를 방출하는 발열 반응이다.

03 (가) 메테인의 연소 반응, (나) 염산과 아연의 반응의 화학 반응식은 다음과 같다.
(가) $CH_4+2O_2 \longrightarrow CO_2+2H_2O$
(나) $2HCl+Zn \longrightarrow ZnCl_2+H_2$
ㄱ. 물이 생성되는 반응은 (가)이다.
ㄴ. (가)에서는 이산화 탄소 기체가 생성되고, (나)에서는 수소 기체가 생성된다.
ㄷ. (가) 메테인의 연소 반응, (나) 염산과 아연의 반응은 모두 에너지를 방출하는 발열 반응으로, 반응이 일어나면 주위의 온도가 높아진다.

04 ㄱ. 묽은 염산과 수산화 나트륨 수용액의 반응은 에너지를 방출하는 발열 반응이다.
ㄴ. 묽은 염산에 수산화 나트륨 수용액을 가하면 발열 반응이 일어나므로 혼합 용액의 온도가 높아진다.
ㄷ. 발열 반응이므로 반응물질의 에너지 합이 생성물질의 에너지 합보다 크다.

05 묽은 염산과 수산화 나트륨 수용액의 반응은 에너지를 방출하는 발열 반응이다. ①, ②, ③, ④에서는 에너지를 방출하고, ⑤에서는 에너지를 흡수한다.

06 ㄱ. 반응이 일어날 때 에너지를 방출하는 (가)는 발열 반응이고, 에너지를 흡수하는 (나)는 흡열 반응이다.
ㄴ. 반응이 일어날 때 주위의 온도가 낮아지는 것은 에너지를 흡수하는 반응, 즉 흡열 반응인 (나)이다.
ㄷ. 발열 반응인 (가)는 생성물질의 에너지 합이 반응물질의 에너지 합보다 작고, 흡열 반응인 (나)는 생성물질의 에너지 합이 반응물질의 에너지 합보다 크다.

07 삼각 플라스크에 수산화 바륨과 염화 암모늄을 넣고 반응시키면 염화 바륨, 암모니아와 물이 생성되면서 열에너지를 흡수하므로 나무판에 묻어 있던 물이 얼어서 삼각 플라스크와 나무판이 달라붙게 된다. 즉, 수산화 바륨과 염화 암모늄의 반응은 흡열 반응이고, 반응물질의 에너지 합보다 생성물질의 에너지 합이 더 크다.

08 생성물질의 에너지 합이 반응물질의 에너지 합보다 더 크므로 그 차에 해당하는 에너지를 흡수하며 반응이 일어나는 흡열 반응을 나타낸 것이다.
ㄱ. 철이 녹스는 것은 발열 반응에 해당한다.
ㄴ. 질산 암모늄이 물에 녹는 것은 흡열 반응에 해당한다.

ㄷ. 식물의 엽록체에서 일어나는 광합성은 흡열 반응에 해당한다.

09 ㉠ 도시가스의 연소 반응은 에너지를 방출하는 반응이고, ㉡ 물이 증발하는 것은 에너지를 흡수하는 반응이다.
ㄱ. ㉠ 도시가스의 연소 반응은 에너지를 방출하는 발열 반응이다.
ㄴ. ㉡ 물이 증발하면서 시원해지는 것은 물이 수증기로 될 때 주위로부터 에너지를 흡수하기 때문이다.
ㄷ. ㉠은 발열 반응이므로 반응물질의 에너지 합이 생성물질의 에너지 합보다 크다.

10 자료 분석하기

탄산수소 나트륨

석회수

• 탄산수소 나트륨을 가열하면 다음과 같은 반응이 일어난다.
$2NaHCO_3 \longrightarrow Na_2CO_3+H_2O+CO_2$

• 이산화 탄소의 확인: 석회수와 반응하여 탄산 칼슘의 흰색 앙금을 생성하므로 석회수가 뿌옇게 흐려진다.
• 물의 확인: 시험관 입구에 생긴 액체에 푸른색 염화 코발트 종이를 대면 붉은색으로 변한다.

ㄱ. 탄산수소 나트륨을 가열하면 탄산 나트륨과 물, 이산화 탄소로 분해된다. 이를 화학 반응식으로 나타내면 $2NaHCO_3 \longrightarrow Na_2CO_3+H_2O+CO_2$이므로 ㉠은 CO_2이다.
ㄴ. 탄산수소 나트륨이 분해되어 생성된 이산화 탄소 기체는 석회수와 반응하여 흰색의 탄산 칼슘 앙금을 생성하므로 석회수가 뿌옇게 흐려진다.
ㄷ. 탄산수소 나트륨의 분해 반응은 반응이 일어날 때 에너지를 흡수하는 흡열 반응이다.

11 발열 반응은 반응이 일어날 때 에너지를 방출하는 반응이다.
ㄱ. 염화 칼슘이 물에 녹을 때 열에너지를 방출하는 것을 이용하여 도로의 눈을 녹인다.
ㄴ. 조리용 발열제의 주성분은 산화 칼슘으로, 산화 칼슘이 물과 반응할 때 열에너지를 방출하는 것을 이용한 것이다.
ㄷ. 냉찜질 주머니에 들어 있는 질산 암모늄이 물에 녹을 때 열에너지를 흡수하는 것을 이용한 것이다.
ㄹ. 자동차의 엔진에서 일어나는 연료의 연소 반응은 열에너지를 방출하는 발열 반응이다.

실력 강화 문제

1권 052쪽

01 ④ **02** ①, ⑤ **03** ④ **04** ④

01 자료 분석하기

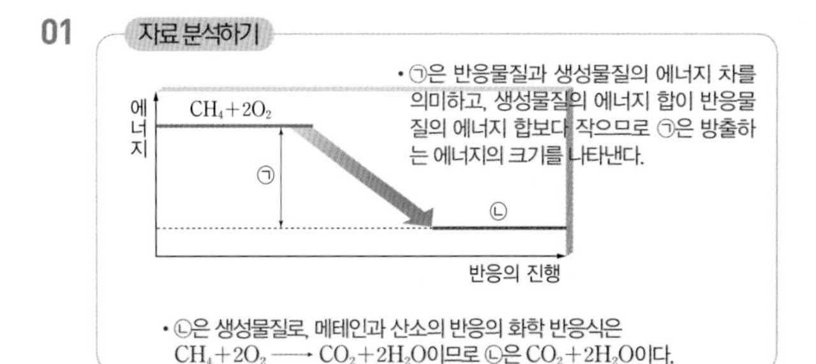

ㄱ. 생성물질의 에너지 합이 반응물질의 에너지 합보다 작으므로 그림은 에너지를 방출하는 발열 반응을 나타낸 것으로, ㉠은 방출하는 에너지의 크기를 나타낸다.
ㄴ. 메테인의 연소 반응의 화학 반응식은 $CH_4+2O_2 \longrightarrow CO_2+2H_2O$이다. 따라서 ㉡은 CO_2+2H_2O이다.
ㄷ. 에너지를 방출하는 발열 반응이므로 반응이 일어나면 주위의 온도가 높아진다.

02 질산 암모늄이 물에 녹는 반응은 흡열 반응으로, 이를 이용하여 냉찜질 주머니를 만들 수 있다.
① 비닐봉지를 터뜨리면 질산 암모늄이 물에 녹으면서 열에너지를 흡수하므로 비닐 주머니가 차가워진다.
② 질산 암모늄이 물에 녹을 때 질량이 보존되므로 비닐 주머니 전체의 질량은 변하지 않는다.
③, ⑤ 질산 암모늄이 물에 녹는 반응은 흡열 반응으로, 반응물질의 에너지 합이 생성물질의 에너지 합보다 작다.
④ 질산 암모늄이 물에 녹을 때 기체가 발생하지 않는다.

03 (가) 염산과 수산화 나트륨의 반응의 화학 반응식은 $HCl+NaOH \longrightarrow NaCl+H_2O$이다.
(나) 수산화 바륨 팔수화물과 염화 암모늄의 반응의 화학 반응식은 $Ba(OH)_2 \cdot 8H_2O+2NH_4Cl \longrightarrow BaCl_2+2NH_3+10H_2O$이다.
① (가)는 발열 반응이고, (나)는 흡열 반응이다.
② ㉠, ㉡은 모두 H_2O이다.
③ 생성물질의 에너지 합이 반응물질의 에너지 합보다 큰 반응은 흡열 반응인 (나)이다.
④ (가)는 발열 반응이므로 반응이 일어날 때 주위의 온도가 높아지고, (나)는 흡열 반응이므로 반응이 일어날 때 주위의 온도가 낮아진다.
⑤ (가), (나)는 모두 화학 반응으로, 화학 반응이 일어나면 반응 전후 물질의 성질이 달라진다.

| 도움이 되는 배경 지식 | 수화물
어떤 화합물에 물이 결합되어 있는 화합물을 수화물이라고 한다. 실험에 사용하는 수산화 바륨($Ba(OH)_2$)은 주로 팔수화물($Ba(OH)_2 \cdot 8H_2O$)의 형태이다.

04 조리용 발열 팩에는 산화 칼슘이 들어 있어 물을 부으면 산화 칼슘과 물이 반응하여 열에너지를 방출하므로 이 열에너지를 이용하여 음식을 조리할 수 있다.
ㄱ. 산화 칼슘과 물의 반응은 열에너지를 방출하는 발열 반응이다.
ㄴ. 산화 칼슘과 물의 반응은 다음과 같이 쓸 수 있다.
$CaO+H_2O \longrightarrow Ca(OH)_2$
ㄷ. 발열 반응이므로 생성물질의 에너지 합이 반응물질의 에너지 합보다 작다. 즉, 에너지 크기를 비교하면 반응물질>생성물질이다.

서술형 문제

1권 053쪽

1 (가) 도시가스의 연소 반응과 (나) 철이 녹스는 반응은 모두 열에너지를 방출하는 발열 반응이다. 도시가스의 연소 반응은 도시가스의 주성분인 메테인이 산소와 빠르게 반응하는 것이고, 철이 녹스는 반응은 철이 산소와 서서히 반응하는 것이라는 차이가 있다.
모범 답안 반응이 일어날 때 에너지를 방출하는 발열 반응이다.

채점 기준	배점
에너지를 방출하는 발열 반응이라는 것을 옳게 설명한 경우	100 %
발열 반응이라고만 설명한 경우	50 %

2 묽은 염산과 아연의 반응 전후 온도를 비교하면 반응 후 온도가 더 높으므로 묽은 염산과 아연의 반응은 에너지를 방출하는 발열 반응이라는 것을 알 수 있다.
모범 답안 발열 반응, 반응이 일어날 때 발생한 열에너지로 인해 용액의 온도가 높아지므로 발열 반응이다.

채점 기준	배점
발열 반응을 쓰고, 반응 후 온도가 높아졌으므로 반응이 일어날 때 열에너지를 방출하는 발열 반응이라는 것을 옳게 설명한 경우	100 %
발열 반응만 쓴 경우	50 %

3 (가) 반응물질의 에너지가 생성물질의 에너지보다 작으므로 반응물질이 생성물질로 될 때 에너지를 흡수한다. (나) 반응물질의 에너지가 생성물질의 에너지보다 크므로 반응물질이 생성물질로 될 때 에너지를 방출한다. 따라서 (가)는 흡열 반응, (나)는 발열 반응의 반응물질과 생성물질의 에너지를 나타낸 것이다.
탄산수소 나트륨이 탄산 나트륨과 물, 이산화 탄소로 분해되는 반응은 반응이 일어날 때 에너지를 흡수하는 흡열 반응이다.
모범 답안 (가), 탄산수소 나트륨이 분해되는 반응은 에너지를 흡수하여 일어나는 흡열 반응으로, 흡열 반응은 생성물질의 에너지 합이 반응물질의 에너지 합보다 더 크므로 (가)가 이에 해당한다.

채점 기준	배점
(가)를 쓰고, 탄산수소 나트륨이 분해되는 반응이 흡열 반응이라는 것과 흡열 반응은 생성물질의 에너지 합이 반응물질의 에너지 합보다 크다는 것을 포함하여 옳게 설명한 경우	100 %
(가)를 쓰고, 탄산수소 나트륨이 분해되는 반응은 흡열 반응이라고만 설명한 경우	50 %

4 (가) 손난로는 철 가루와 산소가 반응할 때 열에너지를 방출하는 것을 이용한 것이고, (나) 냉찜질 주머니는 질산 암모늄이 물에 녹을 때 열에너지를 흡수하는 것을 이용한 것이다.
모범 답안 (가)에서는 철 가루와 산소가 반응할 때 열에너지를 방출하므로 주위의 온도가 높아지고, (나)에서는 질산 암모늄이 물에 녹을 때 열에너지를 흡수하므로 주위의 온도가 낮아진다.

채점 기준	배점
(가)와 (나)에서 일어나는 열에너지 출입 방향과 온도 변화를 옳게 설명한 경우	100 %
(가)와 (나)에서 일어나는 열에너지 출입 방향과 온도 변화 중 한 가지만 옳게 설명한 경우	50 %
(가)와 (나) 중 한 가지만 옳게 설명한 경우	50 %

최상위권 도전 문제

1권 054쪽~057쪽

1 ① **2** ② **3** ③ **4** ⑤ **5** ⑤
6 ④ **7** ④ **8** ②

1 ㄱ. 반응 전 물질은 AB와 B_2이므로 AB의 분자 모형은 ●●이고, B_2의 분자 모형은 ●●이다. 따라서 생성물질 ●●●는 A 원자 1개와 B 원자 2개로 이루어진 AB_2이다.
ㄴ. AB 분자 3개와 B_2 분자 1개가 반응하여 AB_2 분자 2개가 생성되고, AB 분자 1개가 남았으므로 반응한 AB와 B_2의 분자 수의 비는 2 : 1이다. 또한, 이 반응을 화학 반응식으로 나타내면 $2AB+B_2 \longrightarrow 2AB_2$이다.
ㄷ. 질량 보존 법칙이 성립하므로 AB_2 분자 2개의 질량=(AB 분자 2개의 질량)+(B_2 분자 1개의 질량)이다.

2 자료 분석하기

- (다)의 화학식이 XY이므로 (다)를 이루는 X와 Y의 개수비는 1 : 1이고, X 원자와 Y원자의 질량비는 21 : 24이다.
- (가), (나)를 이루는 X와 Y의 질량비를 X 원자와 Y 원자의 질량비로 나누면 각각의 X와 Y의 개수비를 구할 수 있다.

(가)를 이루는 X와 Y의 질량비는 7 : 16이므로 X와 Y의 개수비는 $\frac{7}{21} : \frac{16}{24} = \frac{1}{3} : \frac{2}{3} = 1 : 2$이다. 따라서 (가)의 화학식은 XY_2이다.

(나)를 이루는 X와 Y의 질량비는 14 : 8이므로 X와 Y의 개수비는 $\frac{14}{21} : \frac{8}{24} = \frac{2}{3} : \frac{1}{3} = 2 : 1$이다. 따라서 (나)의 화학식은 X_2Y이다.

3 A_2B_3에서 성분 원자의 개수비가 A : B=2 : 3인 것을 이용하여 각 원자의 상대적 질량을 구하고, 성분 원소의 질량비를 이용하여 생성된 A_2B_3의 질량을 구한다.

ㄱ. 화합물의 화학식이 A_2B_3이므로 결합하는 원자 수비는 A:B=2:3이고, (가)로부터 A_2B_3에서 성분 원소의 질량비는 A:B=7:12임을 알 수 있다. 원자의 상대적 질량비는 성분 원소의 질량비를 원자의 개수비로 나누어 구할 수 있다. 따라서 원자의 상대적 질량비는 $A:B = \frac{7}{2} : \frac{12}{3} = 7:8$이다.

ㄴ. A_2B_3에서 성분 원소의 질량비는 A : B=7 : 12이므로 (나)에서 실제로 반응하는 물질의 질량은 A_2 5.6 g과 B_2 9.6 g이다. 따라서 생성된 A_2B_3의 질량은 5.6 g+9.6 g=15.2 g이다.

ㄷ. A_2B_3 19 g 속에 들어 있는 B 원자의 수가 N개이므로 A_2B_3 15.2 g 속에 들어 있는 B 원자의 수는 $\frac{15.2}{19}N = 0.8\,N$개이다.

4 자료 분석하기

실험	(가)	(나)	(다)
금속 M의 질량(g)	1.00	0.80	1.40
산소(O_2)의 질량(g)	0.15	0.30	0.35
생성된 화합물 MO의 질량(g)	0.75	1.00	1.75

- (가)와 (나)에서 반응물질인 금속 M의 질량+산소의 질량이 생성물질의 총 질량과 같지 않으므로 반응물질 중 반응하지 않고 남은 물질이 있음을 알 수 있다.
- 금속 M과 산소 중 하나가 완전히 없어질 때까지 반응하므로 (가)에서 모두 반응한 물질은 산소이며, 산소 0.15 g과 금속 M 0.6 g이 반응함을 알 수 있다.

ㄱ. 질량 보존 법칙에 의해 반응물질의 총 질량과 생성물질의 총 질량이 같고, 금속 M과 산소 중 하나가 완전히 없어질 때까지 반응하므로 (가)에서는 산소 0.15 g이 금속 M과 반응하여 화합물 MO 0.75 g이 생성된다. 따라서 (가)에서 반응물질 중 남는 물질은 금속 M 0.4 g이다.

ㄴ. (가)에서 금속 M 0.6 g과 산소 0.15 g이 반응하여 화합물 MO 0.75 g이 생성되므로 이때 반응하는 금속 M과 산소의 질량비는 4 : 1이다.

ㄷ. 화합물 MO는 금속 M 원자와 산소 원자가 1 : 1의 개수비로 결합하여 생성된다. 이때 금속 M과 산소의 성분 원소의 질량비가 4 : 1이고, 산소 원자 1개의 상대적 질량이 16이므로 금속 M 원자 1개의 상대적 질량은 16×4=64이다.

5 ㄱ. 반응 전후 원자의 종류와 개수가 같아야 하는데 반응 전후 수소 원자의 개수는 $2a=2b$이고, 산소 원자의 개수 $b=2$이므로 $a=2$이다. 따라서 $a+b=4$이다.

ㄴ. 공기 112 L 중 20 %가 산소 기체이므로 0 ℃, 1기압 공기 112 L 중 산소 기체의 부피는 112 L×20 %=22.4 L이다.

ㄷ. 화학 반응식은 $2H_2(g)+O_2(g) \longrightarrow 2H_2O(g)$이므로 반응하는 수소 기체와 산소 기체의 부피비는 2 : 1이다. 0 ℃, 1기압에서 공기 112 L에 포함된 산소 기체는 22.4 L이므로 공기 112 L로 최대로 연소시킬 수 있는 수소 기체의 부피는 44.8 L이다.

6 A_2와 B_2가 반응하여 C가 생성되는 반응의 화학 반응식을 $aA_2+bB_2 \longrightarrow cC$라고 하면 $a+b$는 c보다 크거나 같아야 한다. 이를 만족하는 계수의 조합을 만들어 실험 (가)~(다)를 만족하는 계수를 찾을 수 있다.

- a, b, c가 각각 1, 1, 1이라면 실험 (나)와 (다)에서 혼합 기체의 부피가 30 mL가 되어야 하므로 맞지 않는다.
- a, b, c가 각각 1, 2, 1인 경우와 1, 2, 2인 경우도 실험 결과와 모두 맞지 않는다.
- a, b, c가 각각 2, 1, 2라면 실험 (가)와 (다)에서 혼합 기체의 부피가 30 mL, 실험 (나)에서 혼합 기체의 부피가 35 mL가 되어야 하므로 맞지 않는다.
- a, b, c가 각각 2, 1, 1이라면 실험 (가), (나), (다)의 결과와 모두 일치한다. 따라서 화학 반응식은 $2A_2+B_2 \longrightarrow C$이다.

ㄱ. 화학 반응식은 $2A_2+B_2 \longrightarrow C$이므로 C는 2개의 A_2와 1개의 B_2가 모두 결합한 A_4B_2이다.

ㄴ. 실험 (다)에서 A_2 20 mL와 B_2 10 mL가 반응하게 되므로 A_2 10 mL가 남는다.

ㄷ. 각 기체의 부피비가 $A_2 : B_2 : C = 2 : 1 : 1$이므로 A_2와 B_2 30 mL씩을 혼합하여 반응시키면 A_2 30 mL와 B_2 15 mL가 반응하여 C 15 mL가 생성된다. 따라서 B_2 15 mL가 반응하지 못하고 남게 되어 반응 후 혼합 기체는 B_2 15 mL와 C 15 mL로, 전체 부피는 30 mL가 된다.

7 ㄱ. 화합물 A를 간이 열량계의 20 ℃ 물 100 g에 넣을 때 온도가 25 ℃로 높아졌으므로 A가 물에 용해되는 것은 열에너지를 방출하는 발열 반응이다. 반대로 화합물 B를 20 ℃ 물 100 g에 넣을 때 온도가 17 ℃로 낮아졌으므로 B가 물에 용해되는 것은 열에너지를 흡수하는 흡열 반응이다.

ㄴ. 화합물 B가 용해되는 반응은 흡열 반응이므로 생성물질의 에너지 합이 반응물질의 에너지 합보다 크다.

ㄷ. 두 물질이 각각 물에 용해될 때 온도 변화가 큰 물질일수록 출입하는 열에너지의 크기가 크므로 A가 물에 녹을 때 출입하는 열에너지의 크기가 더 크다.

| 도움이 되는 배경 지식 | 열량계

열량계는 열량계 안에서 어떤 반응이 일어날 때 출입하는 열에너지의 양을 측정하는 장치로, 이때 출입하는 열에너지를 열량계에 들어 있는 물이나 용액이 방출하거나 흡수하여 변화하는 온도를 측정함으로써 출입하는 열에너지를 측정하는 장치이다. 열량계는 열에너지가 바깥으로 출입하지 못하도록 고안되어 있으며 그 형태는 다양하다. 이 장치로 물의 온도 변화를 측정하고 용기와 액체의 질량과 비열을 알면 출입한 전체 열량을 계산할 수 있다.

열량=물이 얻거나 잃은 열량+열량계가 얻거나 잃은 열량

8 자료 분석하기

에너지
C(다이아몬드)$+O_2$
C(흑연)$+O_2$
(가)
(나)
CO_2

• (가), (나) 모두 생성물질의 에너지 합이 반응물질의 에너지 합보다 작으므로 발열 반응이다.
• C(다이아몬드)$+O_2$와 C(흑연)$+O_2$의 에너지 차는 다이아몬드와 흑연의 에너지 차를 의미한다.

ㄱ. (가), (나) 모두 반응물질의 에너지 합이 생성물질의 에너지 합보다 크므로 반응이 일어날 때 열에너지를 방출하는 반응, 즉 발열 반응이다. (가), (나) 반응이 일어나면 주위로 열에너지를 방출하므로 주위의 온도가 높아진다.

ㄴ. C(다이아몬드)$+O_2$와 C(흑연)$+O_2$의 에너지 차는 다이아몬드와 흑연의 에너지 차를 의미한다. 즉, C(다이아몬드)$+O_2$의 에너지>C(흑연)$+O_2$의 에너지이므로 C(다이아몬드)의 에너지>C(흑연)의 에너지이다. 따라서 흑연이 다이아몬드보다 에너지 면에서 더 안정하다.

ㄷ. C(다이아몬드)의 에너지>C(흑연)의 에너지이므로 흑연이 다이아몬드로 되려면 에너지를 흡수해야 한다. 즉, 흑연이 다이아몬드로 되는 반응은 흡열 반응이다.

창의·사고력 향상 문제

1권 059쪽~061쪽

1 **문제 해결 가이드** 수소가 연소되는 반응의 반응물질과 생성물질을 먼저 생각해 본 후 화학 반응식을 완성한다.

• 수소의 연소 반응을 화학 반응식으로 표현하고 •• 생성물질이 물뿐이므로 환경 오염 물질을 배출하지 않는다는 점을 설명한다.

모범 답안 $2H_2 + O_2 \longrightarrow 2H_2O$, 화석 연료를 연소시키면 이산화 탄소 등 온실 기체가 발생하여 지구 온난화를 비롯한 환경 문제가 발생할 수 있지만, 수소는 연소 후 생성되는 물질이 물뿐이므로 친환경적이다.

채점 기준	배점
화학 반응식을 옳게 쓰고, 수소의 연소 반응 결과 생성물질은 물뿐이므로 화석 연료와 비교하였을 때 환경을 오염시키지 않는다고 옳게 설명한 경우	100 %
화학 반응식을 옳게 썼으나 연소 생성물과 환경과의 관련성을 설명하지 못한 경우	50 %

2 **문제 해결 가이드** 원자의 상대적 질량비를 이용하여 NaN_3과 N_2의 질량비를 구하는 방법을 생각해 본다.

• NaN_3이 분해되어 N_2가 생성될 때 원자의 상대적 질량비를 이용하여 NaN_3과 N_2의 질량비를 구한 후 •• 기체는 같은 부피 속에 같은 분자 수가 포함되어 기체의 부피와 질량은 비례한다는 점을 이용하여 질소 125 L의 질량을 구하고 ••• 앞에서 구한 NaN_3과 N_2의 질량비를 이용하여 필요한 NaN_3의 질량을 구하는 과정을 설명한다.

모범 답안 Na 원자와 N 원자의 상대적 질량비가 23 : 14이므로 아자이드화 나트륨이 나트륨과 질소로 분해될 때 성립하는 질량비는 다음과 같다.

$$2NaN_3 \longrightarrow 2Na + 3N_2$$

질량비$=2\times(23+3\times14) : 2\times23 : 3\times(2\times14)$

$= 65 : 23 : 42$

반응한 NaN_3과 생성된 N_2의 질량비는 65 : 42이고 질소 125 L의 질량은 $28\text{ g}\times\frac{125}{25}=140\text{ g}$이므로, 질소 140 g이 생성될 때 필요한 NaN_3의 질량은 $65 : 42 = x : 140\text{ g}$에서 $x \fallingdotseq 216.7\text{ g}$이다.

채점 기준	배점
필요한 아자이드화 나트륨의 질량을 옳게 구하고, 그 과정을 옳게 설명한 경우	100 %
필요한 아자이드화 나트륨의 질량은 구했으나 그 과정에 대한 설명이 미흡한 경우	50 %

3 문제 해결 가이드 지구에 도착할 때까지 필요한 질량만큼의 물을 얻으려고 할 때 사용해야 하는 산소의 질량은 다음과 같은 과정으로 설명한다.

• 자료를 통해 필요한 물의 질량을 구한 후 •• 물의 생성 반응을 나타낸 화학 반응식과 원자의 상대적 질량비를 이용하여 물을 구성하는 수소와 산소의 질량비를 구하고 ••• 물의 질량과, 산소와 물의 질량비를 이용하여 필요한 산소의 질량을 구하는 과정을 설명한다.

모범 답안 지구에 도착할 때까지 5명에게 필요한 물의 질량은 5×180 g/일$\times$7일$=6300$ g이고, 물의 생성 반응을 나타낸 화학 반응식은 $2H_2+O_2 \longrightarrow 2H_2O$이다. 물 분자를 이루는 수소 원자와 산소 원자의 개수비는 2 : 1이고, 상대적 질량비는 1 : 16이므로 물을 구성하는 수소와 산소의 질량비는 $2\times1:1\times16=2:16=1:8$이다. 즉, 수소와 산소가 반응하여 물이 생성되는 반응의 질량비는 수소 : 산소 : 물=1 : 8 : 9이다. 물 6300 g을 생성하기 위해 사용되는 산소의 질량을 x라고 하면, 산소 : 물=8 : 9=x : 6300 g, $x=5600$ g이다.

채점 기준	배점
필요한 산소의 질량을 옳게 구하고, 화학 반응식과 물질의 질량비로부터 그 과정을 옳게 설명한 경우	100 %
필요한 산소의 질량을 옳게 구했으나 그 과정에 대한 설명이 미흡한 경우	50 %

4 문제 해결 가이드 기체끼리의 반응을 나타낸 화학 반응식에서 온도와 압력이 일정할 때 각 기체의 계수비는 부피비와 같음을 이용하여 반응한 기체의 부피, 생성되는 기체의 부피를 구한다.

• 일산화 질소 기체와 산소 기체가 반응하여 이산화 질소 기체가 생성되는 반응에서 화학 반응식의 계수비 2 : 1 : 2는 각 기체의 부피비라는 점을 이용하여 •• 일산화 질소와 산소 기체 중 어느 한 기체가 모두 소모될 때까지 반응한 기체의 부피와 생성된 기체의 부피, 남는 기체의 부피를 구하고 ••• 용기에 들어 있는 기체는 반응 후 남은 기체와 생성된 기체임을 설명한다.

모범 답안 기체의 반응에서 각 기체의 부피비는 화학 반응식의 계수비와 같으므로 반응하는 일산화 질소 기체와 산소 기체, 생성되는 이산화 질소 기체의 부피비는 2 : 1 : 2이다. 따라서 일산화 질소 기체 100 mL와 산소 기체 50 mL가 반응하여 이산화 질소 기체 100 mL가 생성된다. (나)에는 반응하지 않고 남은 산소 기체 50 mL와 생성된 이산화 질소 기체 100 mL가 들어 있다.

채점 기준	배점
(나)에 들어 있는 기체의 종류와 부피를 각각 옳게 구하고, 그 과정을 옳게 설명한 경우	100 %
(나)에 들어 있는 기체의 종류와 부피를 각각 옳게 구했으나 그 과정에 대한 설명이 미흡한 경우	50 %

5 문제 해결 가이드 같은 양의 메테인, 프로페인, 뷰테인을 각각 연소시켰을 때 발생하는 이산화 탄소의 양과 에너지를 비교한다.

• 지구 온난화의 원인 물질이 이산화 탄소이고 •• 같은 양의 이산화 탄소가 생성되었을 때 발생하는 에너지양이 많을수록 효율적임을 설명한다.

모범 답안 CNG, 이산화 탄소는 지구 온난화의 원인 물질로 연소 후 같은 양의 이산화 탄소가 발생했을 때 에너지 효율이 큰 것이 더 환경 친화적인 연료라고 할 수 있다. 따라서 메테인, 프로페인, 뷰테인의 연소 후 이산화 탄소 1부피가 생성될 때 발생하는 에너지를 비교하면 메테인 : 프로페인 : 뷰테인$=213:\frac{531}{3}:\frac{1376}{8}$ $=213:177:172$이다. 따라서 주성분이 메테인인 CNG가 LPG보다 환경 친화적인 연료임을 알 수 있다.

채점 기준	배점
CNG가 LPG보다 환경 친화적인 연료라고 쓰고, 그 판단 근거를 옳게 설명한 경우	100 %
CNG가 LPG보다 환경 친화적인 연료라고 썼으나 판단 근거에 대한 설명이 미흡한 경우	50 %

6 문제 해결 가이드 화학 반응이 일어날 때 방출하는 열량을 함께 나타낸 화학 반응식을 이용하여 (가), (나)의 반응이 일어날 때 출입하는 열량을 구한다.

• (가)와 (나)가 나타내는 반응의 화학 반응식을 쓴 후 •• $2H_2(g)+O_2(g) \longrightarrow 2H_2O(g)+483.6$ kJ, $2H_2(g)+O_2(g) \longrightarrow 2H_2O(l)+571.6$ kJ의 화학 반응식을 이용하여 (가), (나) 반응에서 출입하는 열량을 구하여 설명한다.

모범 답안 (가), (나)의 반응을 화학 반응식으로 나타내면 다음과 같다.

(가) $H_2O(l) \longrightarrow H_2(g)+\frac{1}{2}O_2(g)$

(나) $H_2(g)+\frac{1}{2}O_2(g) \longrightarrow H_2O(g)$

방출하는 열량을 함께 나타낸 화학 반응식을 다음과 같이 각각 ㉠, ㉡이라고 하면

$2H_2(g)+O_2(g) \longrightarrow 2H_2O(g)+483.6$ kJ …… ㉠

$2H_2(g)+O_2(g) \longrightarrow 2H_2O(l)+571.6$ kJ …… ㉡

(가)의 화학 반응식은 $-\frac{1}{2}\times$㉡, (나)의 화학 반응식은 $\frac{1}{2}\times$㉠이므로 (가)의 반응에서는 열량을 285.8 kJ 흡수하고, (나)의 반응에서는 열량을 241.8 kJ 방출한다. 따라서 (가)와 (나) 중 흡열 반응은 (가)이다.

채점 기준	배점
(가)와 (나) 중 흡열 반응인 것을 쓰고, 그 까닭을 (가)와 (나)의 반응이 일어날 때 출입하는 열량을 포함하여 옳게 설명한 경우	100 %
(가)와 (나) 값을 옳게 쓰고 흡열 반응인 것을 찾았으나 그 과정에 대한 설명이 미흡한 경우	50 %
(가)가 흡열 반응이라고만 쓴 경우	20 %

II 기권과 날씨

01 기권과 복사 평형

학습 내용 Check

1권 067쪽	1 기온 3 대류권	2 대류권, 중간권
1권 068쪽	1 태양 복사 에너지 3 태양, 지구	2 복사 평형
1권 070쪽	1 온실 효과 3 지구 온난화	2 이산화 탄소

탐구 확인 문제

1권 071쪽

1 (1) × (2) ○　　2 ②　　3 ㄱ, ㄷ

1 (1) 처음에는 컵 속의 온도가 점점 높아지다가 14분 이후에는 컵 속의 온도가 일정하게 유지된다.
(2) 물체가 흡수하는 복사 에너지양과 방출하는 복사 에너지양이 같아 온도가 일정하게 유지되는 상태를 복사 평형이라고 한다. 실험에서는 14분 이후에 컵 속의 온도가 34 ℃로 일정하게 유지되고 있다.

2 A 구간에서는 컵이 흡수하는 복사 에너지양(P)이 방출하는 복사 에너지양(Q)보다 많기 때문에 컵 속의 온도가 점점 높아진다. ➡ P>Q
B 구간에서는 컵이 흡수하는 복사 에너지양(P)과 방출하는 복사 에너지양(Q)이 같아서 컵 속의 온도가 일정하게 유지된다. ➡ P=Q

3 ㄱ. 적외선 가열 장치를 켜면 처음에는 컵이 방출하는 에너지양보다 흡수하는 에너지양이 더 많기 때문에 컵 속의 온도가 높아진다.
ㄴ. 복사 평형은 광원으로부터의 거리에 관계없이 일정한 시간이 지나면 이루어진다.
ㄷ. 단위 넓이에 일정 시간 동안 들어오는 복사 에너지양은 광원으로부터의 거리가 가까울수록 많아진다. 따라서 적외선 가열 장치로부터의 거리가 가까운 컵 A가 컵 B보다 복사 평형에 도달하는 온도가 높다.

개념 확인 문제

1권 074쪽~076쪽

01 ③	02 ④	03 ②	04 ②	05 ⑤
06 ⑤	07 ③	08 ③	09 ③	10 ③
11 ②	12 ③	13 ②	14 ④	15 ③
16 ①	17 ④	18 ③		

01 ㄱ. 지구를 둘러싸고 있는 대기가 분포하는 영역을 기권 또는 대기권이라고 한다.
ㄴ. 지구의 대기는 질소, 산소, 아르곤, 이산화 탄소 등 여러 가지 기체가 혼합되어 있는데, 질소와 산소가 대부분(약 99 %)을 차지하고 있다.
ㄷ. 기권은 지표에서부터 높이 약 1000 km까지 분포한다.

02 자료 분석하기

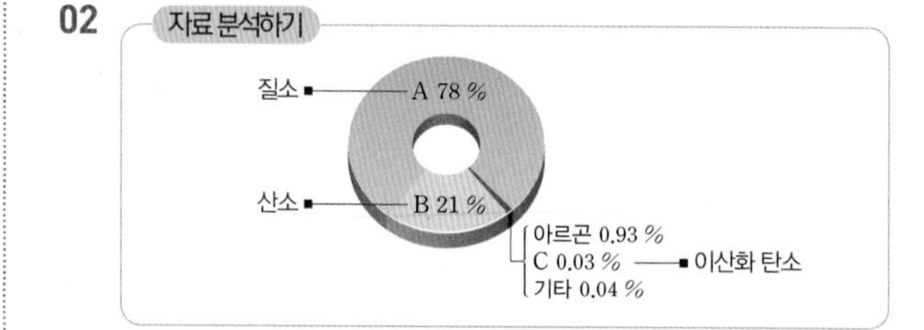

ㄱ. 지구 대기의 약 78 %를 차지하는 기체 A는 생물체의 구성 물질인 질소이다.
ㄴ. 지구 대기의 약 21 %를 차지하는 기체 B는 생물의 호흡에 이용되는 산소이다.
ㄷ. 기체 C는 식물의 광합성에 이용되는 이산화 탄소이다.

03 자료 분석하기

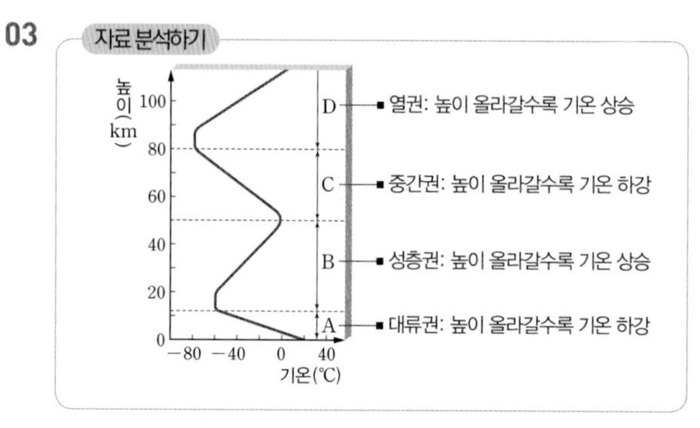

A층은 대류권, B층은 성층권, C층은 중간권, D층은 열권이다. 대류권(A)과 중간권(C)에서는 위로 올라갈수록 기온이 낮아진다. 따라서 위쪽에 무거운 찬 공기가 있고, 아래쪽에 가벼운 따뜻한 공기가 있어서 대류가 잘 일어난다.

04 기권은 높이에 따른 기온 변화를 기준으로 지표면에서부터 대류권(A), 성층권(B), 중간권(C), 열권(D)으로 구분한다.

05 대류권(A)에서는 위로 올라갈수록 지표면에서 방출되는 에너지가 적게 도달하므로 기온이 낮아진다.

06 ① 대류권(A)에서는 대류가 활발하게 일어나고 수증기가 있어서 비나 눈 등의 기상 현상이 나타난다.
② 성층권(B)은 위로 올라갈수록 기온이 높아진다. 따라서 위쪽에 가벼운 따뜻한 공기가 있으므로 대류가 일어나지 않아 매우 안정하다.
③ 기권의 층상 구조에서 각 층의 경계면은 아래층의 이름을 붙여 부른다. 대류권과 성층권 사이의 경계면은 대류권 계면, 성층권(B)과 중간권(C) 사이의 경계면은 성층권 계면, 중간권과 열권 사이의 경계면은 중간권 계면이다.
④ 열권(D)은 공기가 매우 희박하고, 낮과 밤의 기온 차이가 매우 크다.
⑤ 지구의 대기는 지구 중력의 영향으로 대부분 지표 가까운 곳에 분포한다. 따라서 공기 대부분이 모여 있는 곳은 대류권(A)이다.

07 기상 현상이 나타나기 위해서는 대류가 일어나고 수증기가 존재해야 한다. 중간권에서는 대류가 일어나지만 수증기가 거의 존재하지 않아 기상 현상이 나타나지 않는다. 중간권에서는 중간권 계면 부근에서 기권 중 최저 기온이 나타나며, 유성이 관측된다.

08 (가) 오로라는 태양에서 날아온 입자들이 지구 대기로 진입하면서 공기 분자와 반응하여 빛을 내는 현상이다. 오로라는 고위도 지역의 열권에서 관측할 수 있다.
(나) 구름이 발생하고 비가 내리는 등의 기상 현상이 나타나는 곳은 대류권이다.
(다) 성층권 내의 높이 약 20 km~30 km 부근에는 오존이 집중적으로 모여 있는 오존층이 존재한다. 오존층은 태양의 자외선을 흡수하여 지상의 생명체를 보호한다.
(라) 중간권에서는 대류가 일어나지만 수증기가 거의 없어서 기상 현상이 나타나지 않는다.
따라서 지표면에서 가까운 것부터 순서대로 나열하면 (나)−(다)−(라)−(가)이다.

09 ㄱ. 모든 물체는 자신의 온도에 해당하는 에너지를 복사의 형태로 방출하는데, 이러한 에너지를 복사 에너지라고 한다.
ㄴ. 복사 에너지는 온도가 높은 물체일수록 더 많이 방출된다.
ㄷ. 태양은 주로 가시광선 형태로 복사 에너지를 방출하고, 태양보다 온도가 훨씬 낮은 지구는 대부분 적외선 형태로 복사 에너지를 방출한다.

10 ㄱ. 적외선 가열 장치를 켜면 알루미늄 컵 속 공기는 적외선 가열 장치로부터 에너지를 받아 온도가 점차 상승한다. 어느 정도 시간이 지나면 컵은 흡수한 에너지양만큼 에너지를 방출하여 복사 평형 상태가 되므로 온도가 일정하게 유지된다.
ㄴ. 알루미늄 컵은 지구, 적외선 가열 장치는 태양을 의미하며, 지구의 복사 평형을 알아보기 위한 실험이다.
ㄷ. 컵과 적외선 가열 장치 사이의 거리가 가까워지면 컵에 흡수되는 에너지양이 많아지므로, 복사 평형에 이르는 온도는 높아진다.

11 컵 속의 온도는 처음에는 점점 높아지지만, 어느 정도 시간이 지나면 컵에서 방출하는 에너지양과 흡수하는 에너지양이 같아져서 온도가 일정하게 유지된다.

12 처음에는 컵이 흡수하는 에너지양(A)이 방출하는 에너지양(B)보다 많아서 컵 속의 온도가 상승한다. 그러나 어느 정도 시간이 지나면 컵이 흡수하는 복사 에너지양과 방출하는 복사 에너지양이 같아져서 복사 평형을 이루어 컵 속의 온도가 일정해진다.

13 자료 분석하기

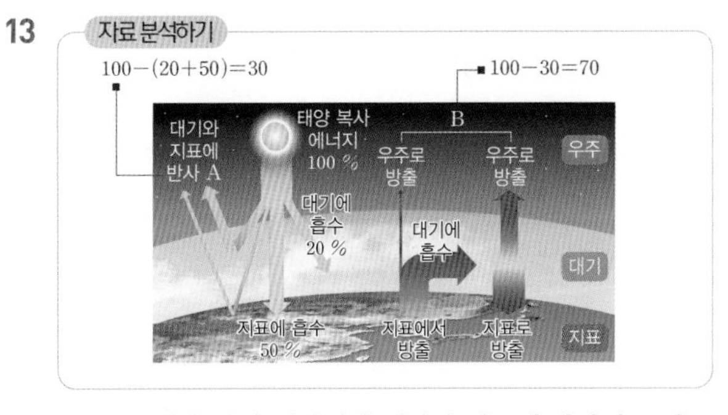

① A는 태양 복사 에너지가 대기와 지표에 반사되는 양으로 30 %이다.
②, ⑤ 지구는 흡수한 태양 복사 에너지양(70 %)만큼 지구 복사 에너지(70 %)를 우주로 방출(B)하여 복사 평형을 이룬다.
③, ④ 지구에 흡수되는 태양 복사 에너지양은 대기에 흡수 20 %, 지표에 흡수 50 %를 합하여 70 %이다.

14 ㄱ. 지구의 대기는 태양 복사 에너지는 잘 통과시키지만, 지구 복사 에너지는 대부분 흡수하였다가 다시 방출한다. 이로 인해 지구의 평균 기온이 높게 유지되는 현상을 온실 효과라고 한다.
ㄴ. 온실 효과를 일으키는 온실 기체로는 수증기, 이산화탄소, 메테인 등이 있다.

ㄷ. 지구는 온실 효과에 의해 평균 기온이 약 15 ℃가 되어 생명체가 살기 적당한 행성이 되었다.

15 ㄱ. 대기가 없으면 온실 효과가 일어나지 않으며, 태양 복사 에너지를 받지 않는 밤에는 온도가 급격히 떨어진다. 따라서 낮과 밤의 온도 차이가 커진다.
ㄴ. 대기가 없으면 밤에 온도가 크게 낮아지므로 지구의 평균 온도는 감소한다.
ㄷ. 지구 온난화는 온실 효과가 강화되어 나타나는 현상이므로 대기가 없으면 지구 온난화가 일어나지 않는다.

16 ㄱ. 지구 온난화는 대기 중의 온실 기체 증가로 온실 효과가 강화됨으로써 지구의 평균 기온이 상승하는 현상이다.
ㄴ. 지구 온난화가 발생하는 주된 요인은 대기 중의 이산화 탄소 농도가 증가하기 때문이다.
ㄷ. 지구는 복사 평형을 이루고 있으며, 지구 온난화가 일어나면 더 높은 온도에서 복사 평형을 이룬다.

17 ㄱ. 대기 중의 이산화 탄소 농도가 증가한 것은 주로 화석 연료의 사용량이 증가하였기 때문이다.
ㄴ. 같은 기간 동안 대기 중의 이산화 탄소 농도가 증가하였으므로 온실 효과가 증가하였을 것이다.
ㄷ. 같은 기간 동안 대기 중의 이산화 탄소 농도가 증가하여 온실 효과가 강화됨으로써 지구의 평균 기온이 상승하였을 것이다.

18 ①, ② 지구 온난화에 의해 지구의 평균 기온이 높아지면 해수의 온도가 상승하여 해수의 열팽창이 일어나고, 극지방과 고산 지대의 빙하가 녹아 바다로 흘러들면서 해수면이 상승한다.
③ 지구의 평균 기온이 높아져서 해수면이 상승하면 해안 저지대가 침수되어 육지의 면적이 감소한다.
④ 지구 온난화가 일어나 지구의 평균 기온이 높아지면 생물의 서식지가 달라진다.
⑤ 지구의 평균 기온이 높아져서 해수의 온도가 상승하면 전 세계적으로 강수량과 증발량이 변하고 폭염, 홍수, 가뭄 등의 기상 이변이 증가한다.

실력 강화 문제

1권 077쪽

01 ④ **02** ⑤ **03** ③ **04** ②

01 A층은 대류권, B층은 중간권이다.
ㄱ. 대류권과 중간권은 모두 위로 올라갈수록 기온이 낮아진다. 따라서 위쪽에는 무거운 찬 공기가 있고, 아래쪽에는 가벼운 따뜻한 공기가 있어서 대류가 일어난다.
ㄴ. 대류권과 중간권 사이에는 오존층이 분포하며, 오존층에서는 태양의 자외선을 흡수한다. 따라서 대류권에 도달하는 자외선의 양은 중간권에 도달하는 자외선의 양보다 적다.
ㄷ. 대류권은 위로 올라갈수록 지표면에서 방출되는 에너지가 적게 도달하므로 기온이 낮아진다. 중간권은 위로 올라갈수록 성층권에서 방출되는 에너지가 적게 도달하므로 기온이 낮아진다.

02 ① A는 B보다 적외선 가열 장치에 더 가까이 있으므로 흡수하는 복사 에너지양이 더 많다.
② A의 온도는 처음~6분까지 점점 높아지다가 6분 이후에는 일정해진다.
③ A는 21 ℃에서 복사 평형에 도달하고, B는 19 ℃에서 복사 평형에 도달한다.
④ A는 실험 시작 후 6분일 때 복사 평형에 도달하고, B는 실험 시작 후 8분일 때 복사 평형에 도달한다.
⑤ 물체가 복사 평형에 도달했을 때 온도가 일정하게 나타나는 것은 물체가 더 이상 복사 에너지를 흡수하지 않는 것이 아니라 흡수하는 에너지양과 방출하는 에너지양이 같기 때문이다.

03 자료 분석하기

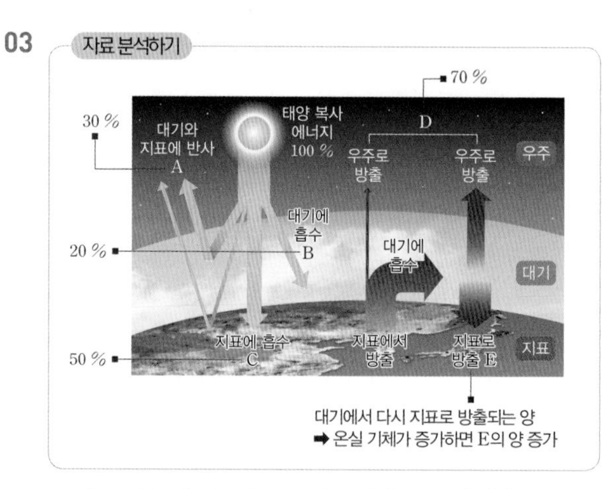

ㄱ. A는 대기와 지표에 반사되는 태양 복사 에너지로, 30 %이다.
ㄴ. 지구는 흡수한 태양 복사 에너지양(B+C=70 %)만큼 지구 복사 에너지를 우주로 방출(D=70 %)하여 복사 평형을 이룬다.

ㄷ. E는 지표에서 방출된 복사 에너지가 대기 중의 온실 기체에 흡수되었다가 다시 지표로 방출되는 양으로, 이로 인해 온실 효과가 나타난다. 대기 중의 온실 기체가 증가하면 온실 효과가 강화되어(E의 양 증가) 지구 온난화가 일어난다.

04 유리판이 지구 대기의 역할을 하므로 유리판으로 상자를 덮은 경우(B)에는 온실 효과가 일어난다. 따라서 유리판을 덮은 경우(B)에는 유리판을 덮지 않는 경우(A)보다 복사 평형에 도달하는 온도가 높다.

서술형 문제

1권 078쪽~079쪽

1 (1) 지표에서부터 위로 올라가면서 기온을 측정하면 기온이 하강 → 상승 → 하강 → 상승하는 구간이 나타난다.
(2) 기상 현상이 나타나기 위해서는 대류가 일어나고 수증기가 존재해야 한다.
(3) 성층권(B)에는 높이 약 20 km~30 km에 태양의 자외선을 흡수하는 오존층이 존재한다.
(4) D층은 높이 약 80 km~1000 km까지의 구간으로 열권이다.

모범 답안 (1) 기권은 높이에 따른 기온 분포를 기준으로 4개 층으로 구분한다.
(2) 대류가 일어나고, 수증기가 있기 때문이다.
(3) 오존층에서 태양의 자외선을 흡수하기 때문이다.
(4) 공기가 매우 희박하고, 기온의 일교차가 매우 크다. 고위도 지역의 열권에서는 오로라가 나타나기도 한다.

	채점 기준	배점
(1)	높이에 따른 기온 분포라고 옳게 설명한 경우	25 %
	기온 변화 때문이라고만 설명한 경우	10 %
(2)	대류가 일어나고, 수증기가 있기 때문이라고 옳게 설명한 경우	25 %
	수증기 때문이라고만 설명한 경우	10 %
(3)	오존층에서(또는 오존이) 자외선을 흡수하기 때문이라고 옳게 설명한 경우	25 %
	오존층(또는 오존)의 언급 없이 자외선이 흡수되기 때문이라고만 설명한 경우	10 %
(4)	열권의 특징 두 가지를 모두 옳게 설명한 경우	25 %
	열권의 특징을 한 가지만 옳게 설명한 경우	10 %

2 지구는 태양 복사 에너지를 계속 받고 있지만 평균 기온이 약 15 ℃로 거의 일정하게 유지되는데, 그 까닭은 지구가 복사 평형 상태이기 때문이다.

모범 답안 지구는 흡수하는 태양 복사 에너지양만큼 지구 복사 에너지를 방출하여 복사 평형을 이루고 있기 때문이다.

채점 기준	배점
태양 복사 에너지, 지구 복사 에너지, 복사 평형을 언급하여 까닭을 옳게 설명한 경우	100 %
'복사 평형'의 용어를 사용하지 않고 설명한 경우	50 %

3

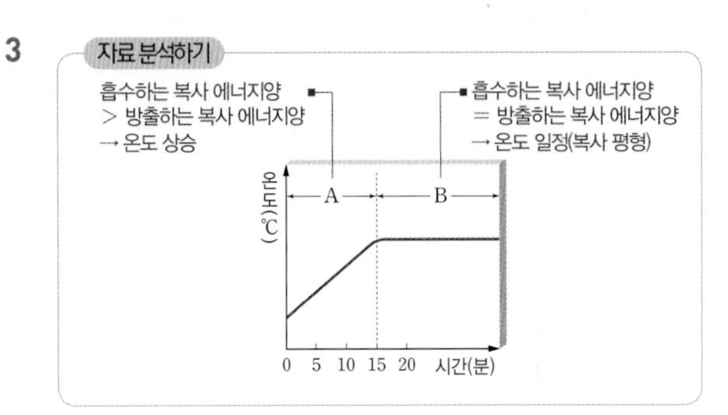

적외선 가열 장치를 켜고 난 직후에는 알루미늄 컵이 방출하는 에너지양보다 적외선 가열 장치로부터 흡수하는 에너지양이 많기 때문에 온도가 상승한다. 일정한 시간이 지나면 알루미늄 컵이 방출하는 에너지양과 흡수하는 에너지양이 같아지는 복사 평형에 도달하기 때문에 온도가 일정하게 유지된다.

모범 답안 (1) 컵이 흡수하는 에너지양이 방출하는 에너지양보다 많기 때문이다.
(2) 컵이 흡수하는 에너지양과 방출하는 에너지양이 같은 복사 평형에 도달했기 때문이다.

	채점 기준	배점
(1)	컵이 흡수하는 에너지양이 방출하는 에너지양보다 많기 때문이라고 옳게 설명한 경우	40 %
	부등호를 이용하여 '방출하는 에너지양<흡수하는 에너지양'이라고 표현한 경우에도 정답 인정	40 %
	그 외의 경우	0 %
(2)	컵이 흡수하는 에너지양과 방출하는 에너지양이 같고, 복사 평형 상태임을 언급하여 옳게 설명한 경우	60 %
	'복사 평형'의 용어를 사용하지 않고 설명한 경우	30 %

4 A는 대기와 지표면에서 방출되는 지구 복사 에너지이며, 지구는 복사 평형을 이루고 있다.

모범 답안 70, 지구는 흡수하는 태양 복사 에너지양과 방출하는 지구 복사 에너지양이 같아서 복사 평형을 이루고 있기 때문이다.

채점 기준	배점
A의 값을 옳게 쓰고, 까닭을 옳게 설명한 경우	100 %
까닭만 옳게 설명한 경우	50 %
A의 값만 옳게 쓴 경우	30 %

5 지구의 대기는 태양 복사 에너지는 잘 통과시키지만, 지구 복사 에너지는 대부분 흡수하였다가 다시 방출한다. 이로 인해 지구의 평균 기온이 대기가 없을 때보다 높게 유지되는 현상을 온실 효과라고 한다.

모범 답안 (나), 대기에 의해 온실 효과가 일어나기 때문이다.

채점 기준	배점
(나)를 고르고, 까닭을 옳게 설명한 경우	100 %
까닭만 옳게 설명한 경우	50 %
(나)만 고른 경우	30 %

6 온실 기체인 이산화 탄소는 주로 석탄, 석유와 같은 화석 연료의 연소에 의해 대기로 방출된다. 19세기 초반부터 산업의 발달과 인구의 증가로 인해 에너지의 수요가 늘면서 화석 연료의 사용량이 증가한 결과 대기 중의 이산화 탄소 농도가 급격히 증가하였다.

모범 답안 산업혁명 이후 화석 연료의 사용량이 증가하였기 때문이다.

채점 기준	배점
산업혁명 이후 화석 연료의 사용량이 증가하였기 때문이라고 옳게 설명한 경우	100 %
화석 연료 때문이라고만 설명한 경우	50 %

7 지구 온난화로 지구의 평균 기온이 상승하면 해수면 상승, 육지 면적 감소, 기상 이변 발생 증가, 생태계 변화 등이 나타난다.

모범 답안 (1) 지구 온난화로 지구의 평균 기온이 상승하면 해수의 온도가 높아져서 해수의 열팽창이 일어나고, 극지방과 고산 지대의 빙하가 녹아 바다로 흘러들면서 해수면이 상승한다.
(2) 지구의 평균 기온이 높아져서 해수면이 상승하면 해안 저지대가 침수되어 육지의 면적이 감소한다.

채점 기준		배점
(1)	해수의 열팽창과 고산 지대 빙하의 해빙을 언급하여 옳게 설명한 경우	60 %
	해수의 열팽창과 고산 지대 빙하의 해빙 중 한 가지만 설명한 경우	30 %
(2)	해수면의 상승으로 해안 저지대가 침수되어 육지 면적이 감소한다고 옳게 설명한 경우	40 %
	근거 제시 없이 육지 면적이 감소한다고만 설명한 경우	20 %

02 대기 중의 물

학습 내용 Check

1권 082쪽 **1** 높 **2** 이슬점 **3** 높, 낮
1권 084쪽 **1** 팽창, 낮아 **2** 팽창, 응결 **3** 적운형, 층운형
1권 085쪽 **1** 물방울 **2** 물방울, 얼음 알갱이(빙정), 얼음 알갱이(빙정)

탐구 확인 문제

1권 086쪽

1 (1) × (2) ○ (3) ○ **2** ㉠ 팽창, ㉡ 낮, ㉢ 응결

1 (1) 간이 가압 장치의 펌프를 누르면 공기의 부피가 압축되면서 페트병 내부의 온도가 높아진다.
(2) 펌프를 여러 번 누른 후 뚜껑을 열면 공기가 빠져나가면서 팽창하는데, 이때 페트병 내부의 온도가 낮아진다. 따라서 포화 수증기량이 감소하여 페트병 내부가 뿌옇게 흐려진다.
(3) 페트병에 향 연기를 넣고 실험하면 넣지 않았을 때보다 더 많이 흐려진다. 이는 향 연기를 구성하는 입자가 수증기의 응결을 도와주는 역할을 하기 때문이다.

2 간이 가압 장치의 뚜껑을 열었을 때 공기가 빠져나가면서 팽창하는 것은 단열 팽창에 해당한다. 공기 덩어리가 상승하면 단열 팽창에 의해 기온이 낮아지고, 기온이 이슬점에 도달하면 수증기가 응결하여 구름이 생성된다.

개념 확인 문제

1권 090쪽~092쪽

01 ④	**02** ⑤	**03** ⑤	**04** ③	**05** ③
06 ⑤	**07** ④	**08** ③	**09** ③	**10** ⑤
11 ③	**12** ③	**13** ④	**14** ③	

01 자료 분석하기

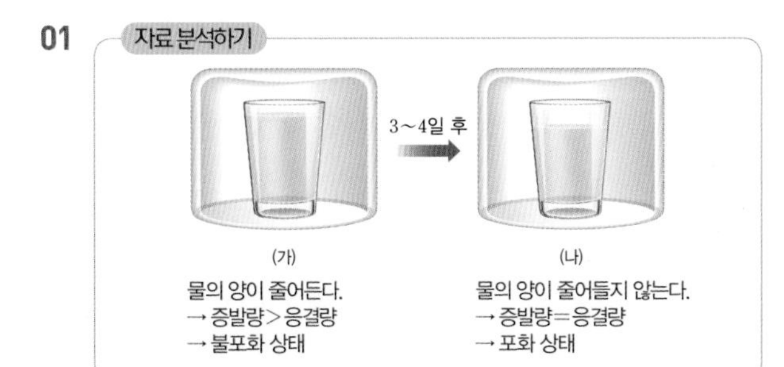

① 3~4일 후 물의 양이 줄어든 것으로 보아 증발이 일어났다.

②, ③ (가)는 증발량이 응결량보다 많은 불포화 상태이고, (나)는 증발량과 응결량이 같은 포화 상태이다.

④ 포화 상태일 때 물의 양이 더 이상 줄어들지 않는 것은 증발이 일어나지 않는 것이 아니라 증발량과 응결량이 같기 때문이다.

⑤ (나)에서 포화 상태가 되었을 때 더 이상 물의 양이 줄어들지 않으므로, 공기 속에 포함되는 수증기량에는 한계가 있음을 알 수 있다.

02 ①, ② 플라스크에 물을 조금 넣고 헤어드라이어로 가열하면 물 분자가 증발하여 공기 중으로 들어가므로 플라스크 속의 수증기량이 증가한다.

③, ④ 가열한 플라스크를 찬물에 담그면 플라스크 속의 수증기가 응결하여 뿌옇게 흐려진다. 따라서 플라스크 속의 수증기량은 감소한다.

⑤ (가)와 같이 가열했을 때는 플라스크 속의 수증기량이 증가하고, (나)와 같이 냉각했을 때는 플라스크 속의 수증기량이 감소한다. 따라서 기온이 높을수록 포화 수증기량이 증가한다는 것을 알 수 있다.

03 ㄱ. 포화 수증기량은 10 ℃일 때 7.6 g/kg이고, 20 ℃일 때 14.7 g/kg이며, 30 ℃일 때 27.1 g/kg이다. 즉, 기온이 높을수록 포화 수증기량은 증가한다.

ㄴ. 포화 상태일 때는 포화 수증기량과 현재 수증기량이 같다. 따라서 20 ℃일 때 포화된 공기 1 kg에는 수증기가 14.7 g 들어 있다.

ㄷ. 포화 상태인 공기의 온도를 높이면 포화 수증기량이 증가하므로 불포화 상태가 된다.

04 수증기가 응결하기 시작할 때의 온도를 이슬점이라고 한다. 실험에서 물의 온도가 20 ℃가 되었을 때 컵의 표면이 뿌옇게 흐려졌다고 하였으므로, 이슬점은 20 ℃이다. 따라서 현재 수증기량은 이슬점에서의 포화 수증기량과 같으므로, 현재 공기 중에 있는 수증기량은 14.7 g/kg이다.

한편, 응결량 = 현재 수증기량 − 냉각된 기온에서의 포화 수증기량 = 14.7 g/kg − 7.6 g/kg = 7.1 g/kg이다.

05 ①, ② 새벽에 안개가 생기고, 풀잎이나 거미줄에 이슬이 맺히는 것은 기온이 이슬점 이하로 낮아져 응결이 일어나기 때문에 생기는 현상이다.

③ 목욕탕 안의 공기가 뿌옇게 흐린 것은 수증기의 공급으로 물방울이 생긴 것이다.

④ 냉장고에서 꺼낸 음료수 캔 표면에 물방울이 맺힌 것은 차가운 캔 주변의 공기가 냉각되어 응결이 일어나기 때문이다.

⑤ 겨울철에 따뜻한 실내로 들어갔을 때 안경알이 뿌옇게 흐려지는 것은 차가운 안경알 주위의 공기가 냉각되어 응결이 일어나기 때문이다.

06 자료 분석하기

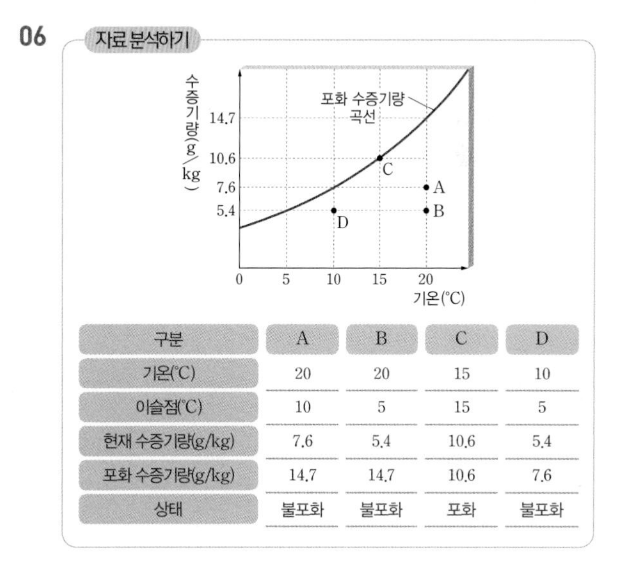

구분	A	B	C	D
기온(℃)	20	20	15	10
이슬점(℃)	10	5	15	5
현재 수증기량(g/kg)	7.6	5.4	10.6	5.4
포화 수증기량(g/kg)	14.7	14.7	10.6	7.6
상태	불포화	불포화	포화	불포화

① A 공기의 현재 수증기량은 7.6 g/kg이다.

② A와 B 공기는 기온이 20 ℃로 같으므로 포화 수증기량도 14.7 g/kg으로 같다.

③ B와 D 공기는 현재 수증기량이 같으므로 이슬점이 5 ℃로 같다.

④ C는 현재 수증기량과 포화 수증기량이 같으므로 포화 상태이다.

⑤ D와 B는 현재 수증기량이 같지만, D는 B보다 포화 수증기량이 작다. 따라서 상대 습도는 D가 B보다 높다.

07 ㄱ. P 공기는 수증기량의 변화 없이 기온만 P′으로 낮아졌다.

ㄴ. 포화 수증기량은 기온이 낮을수록 적다. 따라서 기온이 P′으로 낮아졌으므로 이 공기의 포화 수증기량은 감소하였다.

ㄷ. 현재 수증기량은 일정한데 기온이 낮아져 포화 수증기량이 감소하였으므로 이 공기의 상대 습도는 높아졌다.

08 자료 분석하기

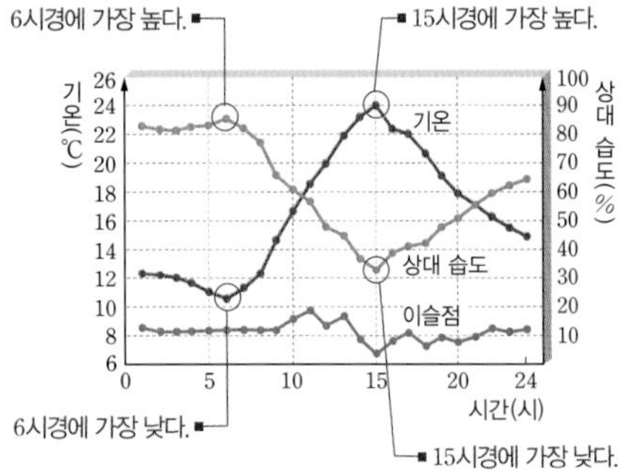

6시경에 가장 높다.
15시경에 가장 높다.
6시경에 가장 낮다.
15시경에 가장 낮다.

ㄱ. 상대 습도는 새벽 6시경에 가장 높고, 오후 3시경에 가장 낮다.
ㄴ. 맑은 날 기온과 상대 습도 변화는 거의 반대로 나타난다.
ㄷ. 이 날은 기온의 일변화가 크고, 기온과 이슬점의 차이가 크므로 맑은 날임을 알 수 있다. 비 오는 날은 기온과 이슬점이 거의 같게 나타난다.

09 ① 공기 덩어리가 상승하면 주변 공기에 의한 압력이 작아지므로 단열 팽창이 일어난다.
② 공기 덩어리가 상승하면 단열 팽창이 일어나 기온이 낮아진다.
③ 상승하는 공기 덩어리의 온도가 점점 낮아져서 이슬점에 도달하면 수증기가 응결하기 시작하여 구름이 생성된다.
④ A 높이에서 공기의 온도와 이슬점이 같아져 포화 상태가 되어 수증기가 응결하기 시작한다.
⑤ 포화 수증기량은 기온이 높을수록 증가한다. 공기 덩어리가 상승하면 기온이 낮아지므로 포화 수증기량은 감소한다.

10 자료 분석하기

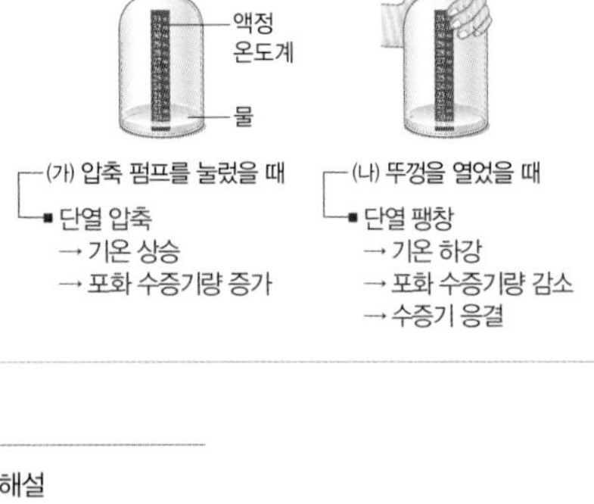

(가) 압축 펌프를 눌렀을 때
단열 압축
→ 기온 상승
→ 포화 수증기량 증가

(나) 뚜껑을 열었을 때
단열 팽창
→ 기온 하강
→ 포화 수증기량 감소
→ 수증기 응결

① (가)는 외부와 열을 주고받지 않고 공기가 압축되는 것이므로 단열 압축에 해당한다.
② (가)에서 단열 압축이 일어나면 페트병 안의 온도는 높아진다.
③, ④ (나)와 같이 뚜껑을 열면 공기가 빠져나가면서 팽창하는데, 이때 페트병 내부 온도가 낮아지고 포화 수증기량이 감소하여 페트병 내부가 뿌옇게 흐려진다. 이것은 공기가 상승하여 구름이 만들어지는 현상에 해당한다.
⑤ 향 연기는 수증기의 응결을 도와주는 응결핵 역할을 하므로, 페트병에 향 연기를 넣고 실험하면 넣지 않았을 때보다 뿌옇게 흐려지는 현상이 더 잘 나타난다.

11 대기 중에서 구름이 생성되기 위해서는 지표의 공기 덩어리가 상승해야 한다. 공기가 자연 상태에서 상승하는 경우는 지표면이 강하게 가열될 때, 공기가 한군데로 모여들 때, 공기가 산을 타고 오를 때, 따뜻한 공기와 찬 공기가 만날 때 등이다.

12 ㄱ. (가)는 위로 솟은 모양의 적운형 구름이고, (나)는 옆으로 넓게 퍼진 모양의 층운형 구름이다.
ㄴ. (가) 적운형 구름은 공기 덩어리가 강하게 상승하는 경우에 만들어진다.
ㄷ. (나) 층운형 구름은 공기 덩어리가 약하게 상승하는 경우에 만들어진다. 공기가 하강할 때는 구름이 만들어지지 않는다.

13 ㄱ. 구름은 공기가 상승할 때 만들어진다.
ㄴ. 온도가 0 ℃보다 높은 곳의 구름 속은 대부분 물방울로만 이루어져 있다. 이러한 구름에서는 크고 작은 물방울들이 서로 충돌하여 점점 커지고 무거워져 비가 되어 내린다.
ㄷ. 그림과 같이 물방울들의 충돌로 생성된 비가 내리는 것은 저위도 지방의 강수 과정을 설명한 것으로, 병합설이라고 한다. 우리나라 여름철에 수직으로 강하게 발달하는 적운형 구름에서 소나기 형태의 비가 내리는 것도 병합설로 설명할 수 있다.

14 ㄱ. A 구간에는 물방울과 얼음 알갱이(빙정)가 섞여 있다. 이곳에서는 물방울에서 증발한 수증기가 얼음 알갱이에 달라붙어 얼음 알갱이가 성장한다.
ㄴ. 성장한 얼음 알갱이가 무거워져 지표면으로 떨어질 때, 그대로 떨어지면 눈이 되고, 도중에 따뜻한 층을 만나 녹으면 비가 된다.
ㄷ. 그림과 같이 얼음 알갱이의 성장으로 눈 또는 비가 내리는 강수 과정을 설명한 것을 빙정설이라고 한다.

실력 강화 문제

1권 093쪽

01 ① **02** ④ **03** ③ **04** ⑤

01 자료 분석하기

포화 수증기량
실제 수증기량
(가) (나)
포화 수증기량: (가)>(나) ➡ 기온: (가)>(나)
실제 수증기량: (가)<(나) ➡ 이슬점: (가)<(나)

ㄱ. (가)는 (나)보다 포화 수증기량이 많으므로 기온이 더 높다.

ㄴ. (가)는 (나)보다 실제 수증기량이 적으므로 이슬점이 더 낮다.

ㄷ. 상대 습도는 현재 기온에서 공기의 포화 수증기량에 대한 실제 포함된 수증기량의 비율이므로, (가)가 (나)보다 상대 습도가 낮다.

02 (가) 방 안에서 난로를 켰으므로 방 안의 기온은 상승한다. 따라서 방 안 공기의 상태 변화는 B → C이다.

(나) 가습기를 틀어서 수증기를 공급하였으므로 방 안의 수증기량은 많아진다. 따라서 방 안 공기의 상태 변화는 C → A이다.

03 ㄱ. 4시~8시 사이에는 기온이 이슬점보다 낮아졌으므로 수증기의 응결이 활발하게 일어났을 것이다.

ㄴ. 이 날은 하루 종일 이슬점 변화가 거의 없으므로 대기 중의 수증기량이 거의 변하지 않았다.

ㄷ. 맑은 날에는 기온과 상대 습도 변화가 거의 반대로 나타난다. 따라서 15시~16시경에 기온이 가장 높으므로, 이때 상대 습도가 가장 낮았을 것이다.

04 ㄱ. A → B 구간에서는 공기 덩어리가 상승하면서 기온이 낮아지므로 포화 수증기량이 감소하여 상대 습도가 증가한다.

ㄴ. B 지점은 구름이 생성되는 높이(상승 응결 고도)로, 공기 덩어리의 온도가 이슬점에 도달하여 포화 상태가 되는 높이이다.

ㄷ. B → C 구간은 포화된 상태에서 공기 덩어리의 온도가 계속 감소하므로 과포화 상태가 된다. 과포화된 수증기는 계속 응결하여 구름이 만들어진다.

서술형 문제

1권 094쪽~095쪽

1 (1) A와 B 공기는 현재 수증기량은 다르지만 기온이 30 ℃로 같다.

(2) 상대 습도는 현재 기온에서 공기의 포화 수증기량에 대한 실제 포함된 수증기량의 비율(%)이다.

모범 답안 (1) A의 현재 수증기량은 14.7 g/kg이고, B의 현재 수증기량은 7.6 g/kg이므로, 현재 수증기량은 A가 B보다 많다. 포화 수증기량은 A와 B가 27.1 g/kg으로 같다. A의 이슬점은 20 ℃이고, B의 이슬점은 10 ℃이므로, 이슬점은 A가 B보다 높다.
(2) A, A와 B는 포화 수증기량이 같지만, A가 B보다 현재 수증기량이 더 많으므로 상대 습도가 더 높다.

	채점 기준	배점
(1)	현재 수증기량, 포화 수증기량, 이슬점을 모두 옳게 비교한 경우	50 %
	현재 수증기량, 포화 수증기량, 이슬점 중 두 가지만 옳게 비교한 경우	30 %
	현재 수증기량, 포화 수증기량, 이슬점 중 한 가지만 옳게 비교한 경우	10 %
(2)	상대 습도가 더 높은 공기를 고르고, 그 까닭을 옳게 설명한 경우	50 %
	상대 습도가 더 높은 공기만 고른 경우	10 %

2 A 공기가 포화 상태가 되려면 온도가 낮아지거나 수증기량이 증가하여 포화 수증기량 곡선과 만나야 한다.

모범 답안 기온을 15 ℃로 낮춘다, 수증기 9.4 g/kg을 공급한다.

채점 기준	배점
두 가지 방법을 구체적인 값을 제시하여 옳게 설명한 경우	100 %
두 가지 방법 중 한 가지만 구체적인 값을 제시하여 옳게 설명한 경우	50 %
구체적인 값을 제시하지 않고 설명한 경우	30 %

3 (1) 방 안 공기 1 kg에 들어 있는 현재 수증기량은 10.6 g이다.

(2) 응결량=현재 수증기량−냉각된 온도에서의 포화 수증기량

모범 답안 (1) 15 ℃, 현재 수증기량은 이슬점에서의 포화 수증기량과 같기 때문이다.
(2) 응결량=10.6 g/kg−7.6 g/kg=3 g/kg

	채점 기준	배점
(1)	이슬점을 옳게 쓰고, 그 까닭을 옳게 설명한 경우	50 %
	이슬점만 옳게 쓰거나 까닭만 옳게 설명한 경우	25 %
(2)	식을 옳게 세워 응결량을 구한 경우	50 %
	식만 옳게 세우거나 응결량만 옳게 구한 경우	25 %

4 기온이 25 ℃인 공기 2 kg 속에 수증기가 21.2 g 들어 있으므로, 1 kg 속에는 수증기 10.6 g이 들어 있다.

모범 답안 상대 습도(%)=$\frac{10.6\ g/kg}{20\ g/kg}\times100=53\ \%$

채점 기준	배점
식을 옳게 세워 상대 습도를 구한 경우	100 %
식만 옳게 세우거나 상대 습도만 옳게 구한 경우	50 %

5 (1) 상대 습도(%)=$\frac{\text{현재 수증기량}}{\text{포화 수증기량}}\times100$

(2) 기온이 높을수록 포화 수증기량이 증가한다.

모범 답안 (1) 현재 수증기량은 변하지 않고 포화 수증기량이 증가하였으므로 상대 습도는 낮아졌다.

(2) 기온 증가, 방 안에 난로를 켜면 기온이 증가하여 포화 수증기량이 증가하므로 상대 습도가 낮아진다.

	채점 기준	배점
(1)	현재 수증기량과 포화 수증기량을 언급하여 상대 습도가 낮아졌다고 옳게 설명한 경우	50 %
	상대 습도가 낮아졌다고만 설명한 경우	25 %
(2)	기온이 증가하였다고 쓰고, 사례를 옳게 설명한 경우	50 %
	기온이 증가하였다고만 쓰거나 사례만 옳게 설명한 경우	25 %

6 구름은 단열 팽창으로 공기 중의 수증기가 응결하여 생긴 작은 물방울이나 얼음 알갱이가 모여 하늘에 떠 있는 것이다.

모범 답안 공기 덩어리가 상승하면 부피가 팽창하여 기온이 낮아지고, 어느 높이에 이르러 이슬점에 도달하면 수증기가 응결하여 구름이 생성된다.

채점 기준	배점
주어진 단어를 모두 사용하여 옳게 설명한 경우	100 %
주어진 단어 1개당 부분 배점	20 %

7 (1) 간이 가압 장치의 펌프를 누르는 것은 단열 압축에 해당하고, 뚜껑을 여는 것은 단열 팽창에 해당한다.

(2) 수증기가 응결하여 구름이 생성될 때 향 연기와 같이 응결이 잘 일어나도록 도와주는 작은 입자들을 응결핵이라고 한다.

모범 답안 (1) 뚜껑을 열면 페트병 안의 공기는 부피가 팽창하면서 온도가 낮아지고, 수증기가 응결하여 페트병 내부가 뿌옇게 흐려진다.

(2) 향 연기는 수증기의 응결을 도와주는 응결핵 역할을 하므로, 향 연기를 넣었을 때는 넣지 않았을 때보다 페트병 안이 더 뿌옇게 흐려진다.

	채점 기준	배점
(1)	공기의 부피, 온도 변화와 관련지어 페트병 안의 변화를 옳게 설명한 경우	60 %
	공기의 부피, 온도 변화에 대한 언급 없이 페트병 안이 뿌옇게 흐려진다고 설명한 경우	30 %
(2)	향 연기의 역할을 포함하여 (나)일 때의 변화를 (가)와 비교하여 옳게 설명한 경우	40 %
	향 연기의 역할을 빼고 설명한 경우	20 %

8 기온이 −40 ℃~0 ℃인 부분에는 물방울과 빙정이 섞여 있으며 승화에 의해 빙정이 커져서 무거워진다.

모범 답안 물방울에서 증발한 수증기가 빙정에 달라붙어서 빙정이 커져서 무거워진다.

채점 기준	배점
빙정이 성장하는 과정을 옳게 설명한 경우	100 %
빙정이 커지고 무거워진다라고만 설명한 경우	50 %

03 날씨의 변화

학습 내용 Check

1권 098쪽	**1** 76	**2** 낮아	**3** 높, 낮
	4 해풍, 육풍		
1권 100쪽	**1** 한랭 건조, 겨울		**2** 적운, 층운
	3 한랭		
1권 102쪽	**1** 고, 저	**2** 서, 동	**3** 고, 저, 북서

탐구 확인 문제

1권 103쪽

1 (1) ○ (2) ○ (3) × (4) × **2** ③

1 (1) 모래는 물보다 열용량이 작기 때문에 같은 양의 열이 공급될 때 모래는 물보다 빨리 가열된다.

(2), (3) 적외선 가열 장치를 켜고 시간이 어느 정도 지나면 모래가 물보다 온도가 높아진다. 따라서 모래 쪽은 공기의 상승이 일어나 기압이 낮아지고, 물 쪽은 공기의 하강이 일어나 기압이 높아진다.

(4) 적외선 가열 장치를 켜고 모래와 물을 가열하면 상대적으로 기압이 높은 물 쪽에서 기압이 낮은 모래 쪽으로 바람이 분다. 따라서 향 연기는 모래 쪽으로 이동한다.

2 ㄱ. 모래는 육지, 물은 바다에 비유되며, 가열했을 때 물 쪽에서 모래 쪽으로 바람이 부는 것은 낮에 부는 해풍의 원리에 해당한다.
ㄴ. 모래는 물보다 열용량이 작으므로 낮에 육지는 바다보다 빨리 가열된다.
ㄷ. 낮에는 바다에서 육지로 해풍이 불고, 밤에는 육지에서 바다로 육풍이 분다.

탐구 확인 문제

1권 104쪽

1 (1) ○ (2) ○ (3) × **2** ㄱ, ㄴ

1 (1) 칸막이를 들어 올리면 찬 공기와 따뜻한 공기가 경계면을 이루는데, 이 경계면이 전선면에 해당하고, 전선면이 지표면과 만나는 경계선을 전선이라고 한다. 따라서 이 실험을 통해 전선의 형성 원리를 알 수 있다.
(2) 찬 공기와 따뜻한 공기가 만나면 바로 섞이지 않고 경계면이 생긴다.
(3) 찬 공기와 따뜻한 공기가 만나면 찬 공기가 따뜻한 공기 아래를 파고들어 따뜻한 공기를 밀어 올린다.

2 ㄱ. 전선은 성질이 다른 두 기단의 경계에 생긴다.
ㄴ. 성질이 다른 두 기단이 만나 생기는 경계면을 전선면이라 하고, 전선면이 지표면과 만나 이루는 경계선을 전선이라고 한다.
ㄷ. 온난 전선은 따뜻한 공기가 찬 공기 위로 올라가면서 만들어지는 전선으로, 전선면의 기울기가 완만하다.
ㄹ. 한랭 전선은 찬 공기가 따뜻한 공기 아래로 파고들 때 만들어지는 전선으로, 전선면의 기울기가 급하다.

개념 확인 문제

1권 108쪽~111쪽

01 ②	**02** ④	**03** ⑤	**04** ⑤	**05** ⑤
06 ①	**07** ⑤	**08** ⑤	**09** ②	**10** ①
11 ③	**12** ⑤	**13** ⑤	**14** ②	**15** ②
16 ④	**17** ⑤			

01 컵 속의 물이 아래로 쏟아지지 않는 것은 공기가 같은 힘으로 아래에서 위로 작용하기 때문이다. 이를 통해 기압은 위에서 아래로만 작용하는 것이 아니라 모든 방향으로 작용함을 알 수 있다.

02 ㄱ. 유리관 속의 수은이 아래로 내려오면 A는 공기가 없이 비어 있는 진공 상태가 된다.
ㄴ. 유리관 속 수은 기둥이 더 이상 내려오지 않는 까닭은 수조의 수은 면에 작용하는 기압과 수은 기둥이 누르는 압력이 같기 때문이다.
ㄷ. 기압이 일정할 때 유리관의 굵기나 기울기가 달라져도 수은 기둥의 높이는 변하지 않는다.

03 ㄱ. 위로 올라갈수록 기압이 급격하게 낮아지는 것은 공기의 밀도가 감소하기 때문이다.
ㄴ. 지표면에서 기압은 약 1013 hPa이고, 높이 6 km에서 기압은 약 450 hPa이다. 따라서 전체 공기의 50 % 이상이 높이 6 km 이내에 존재함을 알 수 있다.
ㄷ. 위로 올라갈수록 기압이 낮아지므로 지표면에서 띄운 풍선은 위로 올라가면서 팽창한다.

04 자료 분석하기

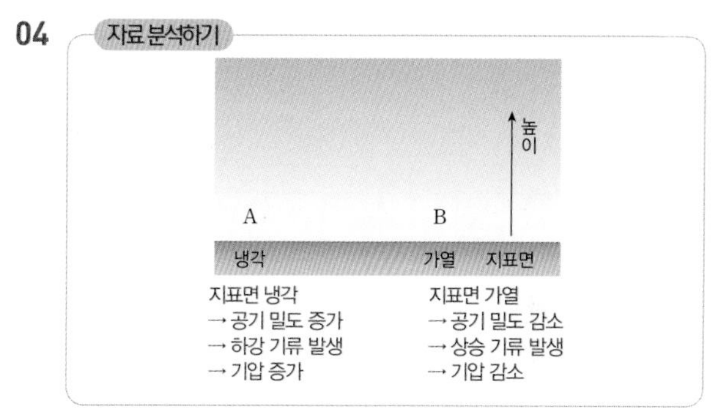

ㄱ. 지표면이 냉각되어 온도가 낮아지면 공기의 밀도가 증가하여 하강 기류가 생긴다.
ㄴ. 지표면이 냉각되는 곳(A)은 하강 기류가 생겨 기압이 높아지고, 지표면이 가열되는 곳(B)은 상승 기류가 생겨 기압이 낮아진다.
ㄷ. 지표면 부근에서 바람은 기압이 높은 곳(A)에서 낮은 곳(B)으로 분다.

05 ㄱ. 모래는 물보다 열용량이 작기 때문에 같은 양의 열이 공급될 때 모래는 물보다 빨리 가열된다.
ㄴ. 적외선 가열 장치를 켜고 모래와 물을 가열하면 상대적으로 기압이 높은 물 쪽에서 기압이 낮은 모래 쪽으로 바람이 분다. 따라서 향 연기는 모래 쪽으로 이동한다.
ㄷ. 이 실험을 통해 지표의 차등 가열에 의해 발생하는 해륙풍과 계절풍의 원리를 설명할 수 있다.

06 자료 분석하기

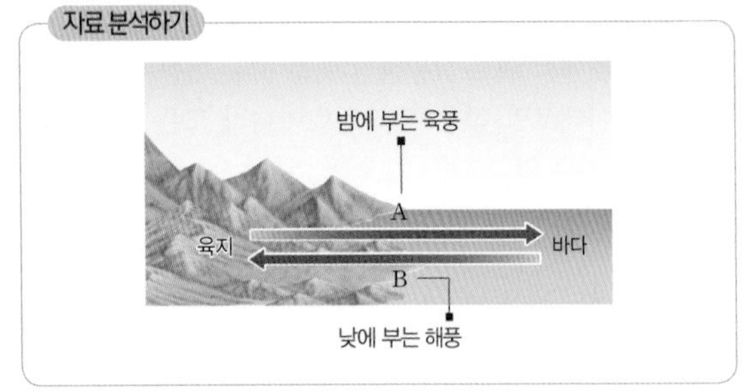

ㄱ, ㄷ. 낮에는 바다에서 육지로 해풍(B)이 불고, 밤에는 육지에서 바다로 육풍(A)이 분다.

ㄴ. 낮에는 육지가 바다보다 빨리 가열되므로 육지 쪽의 공기가 상승한다. 따라서 육지 쪽이 바다 쪽보다 기압이 낮아진다. 반대로 밤에는 육지가 바다보다 빨리 식으므로 바다 쪽의 공기가 상승하여 바다 쪽이 육지 쪽보다 기압이 낮아진다.

07 자료 분석하기

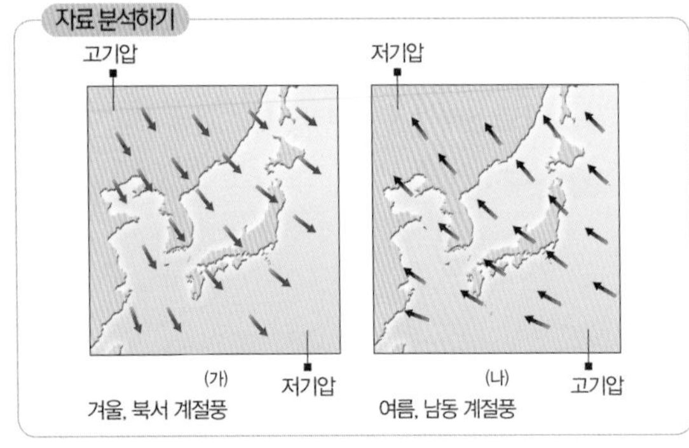

① (가)는 겨울철에 부는 북서 계절풍이다.

② (나)는 여름철에 부는 남동 계절풍이다.

③ 대륙은 해양보다 빨리 가열되고 빨리 식으므로 우리나라 겨울철에는 대륙의 온도가 해양의 온도보다 낮다. 따라서 대륙에서는 공기가 하강하여 해양보다 기압이 높으므로 바람은 대륙에서 해양으로 분다.

④, ⑤ 계절풍은 대륙과 해양 사이에서 대륙과 해양의 열용량 차이로 인해 1년을 주기로 풍향이 바뀌는 바람이다. 하루를 주기로 풍향이 바뀌는 바람은 해륙풍이다.

08 ㄱ. 고위도의 대륙에서 발생한 기단은 한랭 건조한 성질을 띤다.

ㄴ, ㄷ. 기단이 발생한 장소를 떠나 이동하면 통과하는 지역의 영향을 받아 기단의 성질이 변한다. 고위도 대륙에서 발생한 차고 건조한 기단이 따뜻한 바다 위로 이동하면 열과 수증기를 공급받아 기온과 습도가 높아져 불안정해진다. 이와 같은 기단의 변질이 일어나면 적운형 구름이 생기고, 비나 눈이 많이 내리게 된다.

09 자료 분석하기

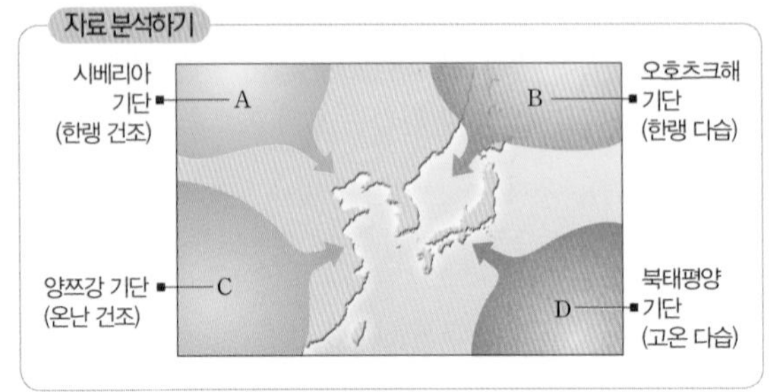

ㄱ. 대륙에서 만들어진 기단(A, C)은 건조한 성질을 띠고, 해양에서 만들어진 기단(B, D)은 습한 성질을 띤다.

ㄴ. 우리나라 봄과 가을에는 양쯔강 기단의 영향으로 건조한 날씨가 나타난다.

ㄷ. 우리나라 초여름에는 한랭 다습한 오호츠크해 기단의 영향으로 동해안 지역에 서늘하고 습한 날씨가 나타나기도 한다.

10 ㄱ, ㄴ. 따뜻한 공기가 찬 공기를 타고 올라가 형성되는 온난 전선이다. 온난 전선을 기준으로 왼쪽에는 따뜻한 공기가 있고, 오른쪽에는 찬 공기가 있다. 따라서 A 지역은 B 지역보다 기온이 높다.

ㄷ. 온난 전선 앞쪽에서는 층운형 구름이 만들어지고 넓은 지역에 지속적인 비가 내린다.

11 ㄱ. 찬 공기가 따뜻한 공기 아래로 파고들어 형성되는 한랭 전선이다. 한랭 전선의 기호는 ▲▲▲▲로 나타낸다. ◖◖◖◖은 온난 전선을 나타내는 기호이다.

ㄴ. 한랭 전선에서는 상승 기류가 강해 적운형 구름이 잘 발달한다. 층운형 구름이 잘 발달하는 곳은 온난 전선이다.

ㄷ. 한랭 전선 뒤쪽에서는 좁은 지역에서 소나기성 비가 내린다.

12 ① 전선은 성질이 다른 두 기단이 만나 형성되므로 전선을 경계로 기온, 습도, 바람 등이 크게 달라진다.

②, ④ 한랭 전선은 온난 전선보다 이동 속도가 빠르다. 따라서 한랭 전선과 온난 전선이 형성된 지역에서 한랭 전선이 온난 전선을 따라잡으면 두 전선이 겹쳐져 폐색 전선이 형성된다.

③, ⑤ 두 기단의 세력이 비슷하여 움직이지 않고 한곳에 오랫동안 머물러 있는 전선을 정체 전선이라고 한다. 우리나라 초여름에 나타나는 장마 전선은 정체 전선의 예이다.

13 ① 주위보다 기압이 높은 곳을 고기압, 기압이 낮은 곳을 저기압이라고 한다.

② 고기압 중심부에서는 하강 기류가 생기고, 저기압 중심부에서는 상승 기류가 생긴다.

③, ④ 저기압 중심부에서는 상승 기류가 있어서 구름이 잘 생기므로 날씨가 흐리고 비나 눈이 내리기도 한다.
⑤ 북반구의 경우 고기압 지역의 지상에서는 바람이 시계 방향으로 불어 나가고, 저기압 지역의 지상에서는 바람이 시계 반대 방향으로 불어 들어온다.

14 전선을 ㉠-㉡ 방향으로 잘라 단면을 보면 한랭 전선과 온난 전선 사이의 구간에는 따뜻한 공기가 있고, 온난 전선 앞쪽과 한랭 전선 뒤쪽에는 찬 공기가 있다. 한랭 전선면의 기울기는 급하고, 온난 전선면의 기울기는 완만하다.

15 ㄱ. 온난 전선과 한랭 전선 사이에는 따뜻한 공기가 있으므로 A~C 중 기온이 가장 높은 곳은 B이다.
ㄴ. 한랭 전선 뒤쪽(A)에서는 적운형 구름이 발달하고 좁은 지역에 소나기성 비가 내린다.
ㄷ. 온대 저기압은 편서풍의 영향으로 서에서 동으로 이동한다. 따라서 현재 우리나라는 온난 전선과 한랭 전선 사이에 위치하므로, 앞으로 한랭 전선이 통과하면서 기온이 낮아지고 소나기성 비가 내릴 것이다.

16 ㄱ. (가)는 여름철, (나)는 겨울철의 대표적인 일기도이다.
ㄴ. 겨울철에 시베리아 기단의 찬 공기가 우리나라 쪽으로 남하하여 따뜻한 황해를 지나면 열과 수증기를 공급받아 기층이 불안정해져 폭설이 내리기도 한다.
ㄷ. 우리나라 여름철에는 (가)와 같이 남고북저형 기압 배치를 이루어 남동 계절풍이 불고, 겨울철에는 (나)와 같이 서고동저형 기압 배치를 이루어 북서 계절풍이 분다.

17 ㄱ. 우리나라 봄철에는 이동성 고기압과 저기압이 자주 통과하여 날씨가 자주 변한다.
ㄴ. (나)의 A는 장마 전선으로, 두 기단의 세력이 비슷하여 움직이지 않고 오랫동안 머물러 있는 정체 전선이다.
ㄷ. 한여름에 북태평양 기단(B)의 세력이 강해지면 우리나라는 덥고 습한 날씨가 나타난다.

실력 강화 문제

1권 112쪽~113쪽

01 ⑤ **02** ① **03** ⑤ **04** ② **05** ③
06 ③ **07** ② **08** ①

01 따뜻한 물이 들어 있는 페트병을 찬물에 담그면 페트병 안에 있던 수증기가 응결하면서 공기 밀도가 감소한다. 따라서 페트병 내부 압력이 외부 압력보다 낮아지므로 페트병은 모든 방향에서 압력을 받아 찌그러진다.

02 ㄱ. 기압이 높을수록 수은 기둥의 높이가 높아진다. 1기압은 약 1013 hPa이고, 수은 기둥의 높이는 약 76 cm이므로, h가 77 cm이면 기압은 1013 hPa보다 높다.
ㄴ. 두꺼운 유리관을 사용하거나 유리관을 기울이더라도 단위 면적을 누르는 압력은 변함이 없으므로 수은 기둥의 높이 h는 변하지 않는다.
ㄷ. 높이 올라갈수록 기압이 낮아지므로 상공에서 측정한 수은 기둥의 높이는 h보다 낮아진다.

03 자료 분석하기

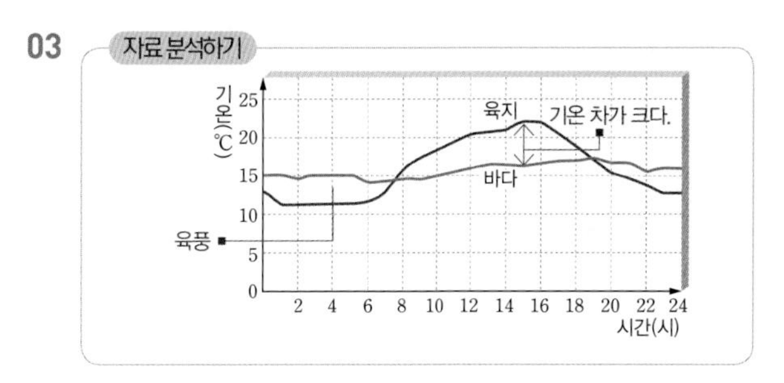

ㄱ. 오전 4시에는 육지가 바다보다 기온이 낮으므로 육지가 바다보다 기압이 높아 육지에서 바다로 육풍이 분다.
ㄴ. 육지와 바다의 기온 차이가 클수록 기압 차이가 크므로 육지와 바다의 기압 차이는 6시경보다 15시경에 더 크다.
ㄷ. 날씨가 흐린 날에는 육지와 바다의 기온 차이가 맑은 날에 비해 작다. 따라서 문제의 그림은 날씨가 맑은 날에 잘 나타나는 기온 분포이다.

04 ㄱ. (가)는 하루 중 낮에 바다에서 육지로 부는 해풍이고, (나)는 겨울철에 대륙에서 해양으로 부는 북서 계절풍이다.
ㄴ. 바람은 기압이 높은 곳에서 낮은 곳으로 분다. 따라서 A는 B보다 기압이 낮다.
ㄷ. (가)와 (나)는 모두 육지가 바다보다 열용량이 작아서 낮과 밤 또는 여름과 겨울에 육지와 바다 사이에 온도 차가 생겨서 부는 바람이다.

05 자료 분석하기

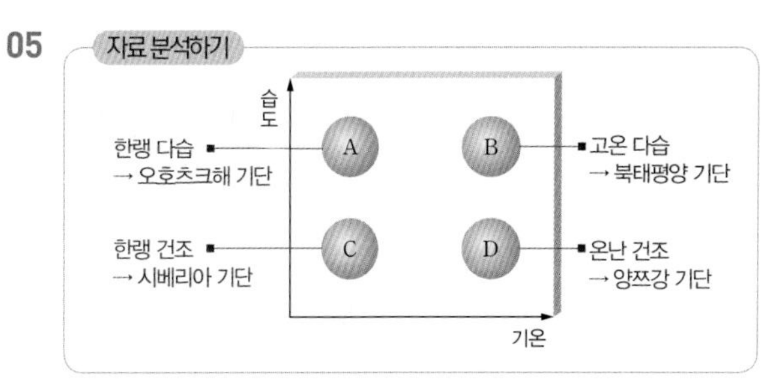

ㄱ. A는 B보다 기온이 낮으므로 고위도에서 발생한다.
ㄴ. B는 습도가 높으므로 해양성 기단이고, C는 습도가 낮으므로 대륙성 기단이다.
ㄷ. C는 한랭 건조한 시베리아 기단이고, D는 온난 건조한 양쯔강 기단이다. 우리나라 봄철에는 시베리아 기단의 세력이 약해지고 양쯔강 기단의 영향을 주로 받는다.

06 ㄱ. 찬 기단이 따뜻한 바다를 통과하면 열과 수증기를 공급받는다. 따라서 기단의 습도와 이슬점이 높아진다.
ㄴ. 따뜻한 기단이 차가운 바다 위를 지나면 기단 하층부터 서서히 냉각되어 안정해지므로 층운형 구름이 잘 생긴다.
ㄷ. 겨울철에 시베리아 기단의 찬 공기가 우리나라 쪽으로 남하하여 따뜻한 황해를 지나면 열과 수증기를 공급받아 기층이 불안정해져 폭설이 내리기도 한다. 이와 같은 기단의 변질은 (가)에 해당한다.

07 ㄱ. (가)는 따뜻한 공기가 찬 공기를 타고 올라가며 만들어지는 온난 전선이고, (나)는 찬 공기가 따뜻한 공기 아래로 파고들며 만들어지는 한랭 전선이다.
ㄴ. (가) 온난 전선에서는 옆으로 넓게 퍼지는 층운형 구름이 주로 나타나고, (나) 한랭 전선에서는 수직으로 발달하는 적운형 구름이 주로 나타난다.
ㄷ. (나) 한랭 전선에서는 찬 공기가 따뜻한 공기 아래를 파고들어 따뜻한 공기를 밀어 올리므로 공기 연직 운동이 활발하게 일어난다.

08 ㄱ. (가)를 보면 우리나라에 온대 저기압이 위치해 있으며, 같은 곳을 (나)에서 보면 저기압 중심과 전선을 따라 구름이 많이 있음을 알 수 있다.
ㄴ. 현재 남부 지방은 온난 전선과 한랭 전선 사이에 위치하여 날씨가 대체로 맑고, 중부 지방은 저기압 중심이 위치하여 비가 많이 내린다.
ㄷ. 시간이 지나면서 제주도는 한랭 전선이 통과하면서 기온이 낮아지고 소나기성 비가 내릴 것이다.

서술형 문제

1권 114쪽~115쪽

1 (1) 기압이 일정할 때 수은 기둥의 높이는 유리관의 굵기나 기울어짐에 관계없이 항상 같다.
(2) 높이 올라갈수록 공기의 양이 줄어들기 때문에 기압이 낮아진다.

모범 답안 (1) A=B, 기압은 단위 면적에 작용하는 공기의 압력이므로 유리관의 굵기에 관계없이 수은 기둥의 높이는 같다.
(2) 낮아진다, 높이 올라갈수록 기압이 낮아지기 때문이다.

	채점 기준	배점
(1)	수은 기둥의 높이를 옳게 비교하고, 그 까닭을 옳게 설명한 경우	50 %
	수은 기둥의 높이만 옳게 비교하거나, 그 까닭만 옳게 설명한 경우	25 %
(2)	수은 기둥의 높이 변화와 까닭을 옳게 설명한 경우	50 %
	수은 기둥의 높이 변화와 까닭 중 한 가지만 옳게 설명한 경우	25 %

2 지표면이 불균등하게 가열되면 지표면의 온도 차가 생긴다. 이때 온도가 높은 쪽의 공기는 상승하여 기압이 낮아지고, 온도가 낮은 쪽의 공기는 하강하여 기압이 높아진다.

모범 답안 지표면이 불균등 가열되면 기온 차이가 생기고, 기온 차이가 생기면 기압 차이가 생긴다. 이때 공기는 기압이 높은 곳에서 낮은 곳으로 이동하여 바람이 불게 된다.

채점 기준	배점
단어 4개를 모두 포함하여 설명한 경우	100 %
단어 3개만 포함하여 설명한 경우	75 %
단어 2개만 포함하여 설명한 경우	50 %
단어 1개만 포함하여 설명한 경우	25 %

3 상대적으로 가열되는 지역은 기압이 낮아지고, 냉각되는 지역은 기압이 높아진다.

모범 답안 B, 낮에는 육지가 바다보다 빨리 가열되어 육지에 저기압, 바다에 고기압이 형성된다. 밤에는 육지가 바다보다 빨리 냉각되어 육지에 고기압, 바다에 저기압이 형성된다. 바람은 고기압에서 저기압으로 불므로 A는 바다이고, B는 육지이다.

채점 기준	배점
B를 쓰고, 까닭을 옳게 설명한 경우	100 %
까닭만 옳게 설명한 경우	50 %
B만 쓴 경우	30 %

4 (1) 우리나라 여름철에는 고온 다습한 북태평양 기단의 영향을 받는다.
(2) 고위도에서 발생한 기단은 기온이 낮고, 저위도에서 발생한 기단은 기온이 높다. 대륙에서 발생한 기단은 건조하고, 해양에서 발생한 기단은 습하다.

모범 답안 (1) D, 북태평양 기단
(2) B 기단은 한랭 다습하고, C 기단은 온난 건조하다.

	채점 기준	배점
(1)	기호와 이름을 모두 옳게 쓴 경우	40 %
	기호와 이름 중 한 가지만 옳게 쓴 경우	20 %

(2)	기단의 기온과 습도를 모두 옳게 비교한 경우	60 %
	기단의 기온과 습도 중 한 가지만 옳게 비교한 경우	30 %

5 (가)는 한랭 전선, (나)는 온난 전선의 형성 과정이다.

모범 답안 (가)에서는 적운형 구름이 발달하고, 소나기성 비가 내린다. (나)에서는 층운형 구름이 발달하고, 지속적인 비가 내린다.

채점 기준	배점
전선 (가)와 (나)에서 발생하는 구름의 종류와 강수 형태를 모두 옳게 설명한 경우	100 %
전선 (가)와 (나) 중 한 가지만 옳게 설명한 경우	50 %
구름의 종류와 강수 형태 중 한 가지만 옳게 설명한 경우	50 %

6 A는 고기압 지역이고, B는 저기압 지역이다.

모범 답안 (1) A에서는 하강 기류가 발달하므로 구름이 생기지 않아 날씨가 맑다. B에서는 상승 기류가 발달하므로 구름이 잘 생기고 날씨가 흐리다.
(2) A 지역의 지상에서는 중심부에서 바깥으로 바람이 시계 방향으로 불어 나간다. B 지역의 지상에서는 바깥에서 중심부로 바람이 시계 반대 방향으로 불어 들어온다.

채점 기준		배점
(1)	A와 B 지역의 날씨를 근거와 함께 모두 옳게 설명한 경우	50 %
	A와 B 지역 중 한 가지만 옳게 설명한 경우	25 %
	근거 없이 날씨만 설명한 경우	25 %
(2)	A와 B 지역의 지상에서 나타나는 바람의 방향을 모두 옳게 설명한 경우	50 %
	A와 B 지역 중 한 가지만 옳게 설명한 경우	25 %

7 우리나라는 편서풍대에 속하므로 온대 저기압이 서에서 동으로 이동하면서 온난 전선이 먼저 통과하고, 한랭 전선이 나중에 통과한다.

모범 답안 C → A → B, 온대 저기압은 편서풍의 영향으로 서에서 동으로 이동하므로, 온대 저기압이 통과하는 곳은 온난 전선의 영향을 먼저 받고 한랭 전선의 영향을 나중에 받기 때문이다.

채점 기준	배점
날씨 변화를 순서대로 옳게 나열하고, 까닭을 옳게 설명한 경우	100 %
까닭만 옳게 설명한 경우	50 %
날씨 변화만 순서대로 옳게 나열한 경우	30 %

8 (가)는 남고북저형의 기압 배치가 나타나는 여름철 일기도이고, (나)는 서고동저형의 기압 배치가 나타나는 겨울철 일기도이다.

모범 답안 (1) (가)는 여름철, (나)는 겨울철 일기도이다.
(2) (가)는 남고북저형 기압 배치를 이루고, (나)는 서고동저형 기압 배치를 이루기 때문이다.

채점 기준		배점
(1)	(가)와 (나)의 계절을 모두 옳게 쓴 경우	40 %
	(가)와 (나)의 계절 중 한 가지만 옳게 쓴 경우	20 %
(2)	(1)과 같이 생각한 까닭을 (가)와 (나) 모두 옳게 설명한 경우	60 %
	(1)과 같이 생각한 까닭을 (가)와 (나) 중 한 가지만 옳게 설명한 경우	30 %

최상위권 도전 문제

1권 116쪽~119쪽

1 ① **2** ③ **3** ③ **4** ② **5** 27 %
6 ⑤ **7** ① **8** ①

1 ㄱ. 태풍과 같은 기상 현상은 공기의 대류가 일어나고 수증기가 존재하는 대류권(A)에서만 발생한다.
ㄴ. 유성은 우주 공간을 떠돌던 작은 암석 조각이나 티끌, 먼지 등이 지구 중력에 이끌려 대기 안으로 들어오면서 대기와의 마찰에 의해 타면서 빛을 내는 현상이다. 열권에서는 공기가 희박하기 때문에 유성이 잘 나타나지 않고, 공기의 밀도가 커지는 중간권(C)에서부터 나타난다.
ㄷ. 오로라는 태양에서 방출된 대전 입자의 일부가 지구 대기로 진입하면서 공기 분자와 반응하여 빛을 내는 현상으로, 극지방의 열권(D)에서 나타난다.

2 ㄱ. A는 지구에 도달한 태양 복사 에너지 중에서 대기와 지표에 반사 또는 산란되는 에너지양으로, 반사율이라고 한다.
ㄴ. 지구가 복사 평형을 이루고 있으므로 지구가 흡수한 태양 복사 에너지양(100−A)과 지구가 우주 공간으로 방출하는 에너지양(B+D)은 같다.
ㄷ. 대기 중의 온실 기체의 양이 증가하면 대기에서 흡수하는 지구 복사 에너지양(C)이 증가하고, 지표로 재복사하는 양(E)도 증가하는데, 이를 지구 온난화라고 한다. 지구는 복사 평형을 이루고 있으므로 지구에서 우주 공간으로 방출하는 에너지양(B+D)은 변하지 않는다.

3 ㄱ. 이산화 탄소는 대표적인 온실 기체로 지구에서 방출하는 지구 복사 에너지를 흡수하여 지구 기온을 상승시킨다.
ㄴ. 수온이 높으면 기체의 용해도가 감소하고, 수온이 낮으면 기체의 용해도가 증가한다. 따라서 (가)와 같이 지구 온난화에 의해 해수의 온도가 상승하면 기체의 용해도가

감소하므로, 해수에 녹아 있던 이산화 탄소가 대기로 방출됨으로써 지구 온난화가 더 심해진다.

ㄷ. (나)와 같이 지구 온난화에 의해 빙하가 융해되면 지구의 반사율이 감소하여 지구에 흡수되는 태양 복사 에너지양이 증가한다.

| 도움이 되는 배경 지식 | 기체의 용해도

대부분 기체의 용해도는 온도가 높을수록, 압력이 낮을수록 감소한다. 예를 들어 탄산음료의 온도가 높아지면 용해도가 감소하므로 음료에 녹아 있던 이산화 탄소가 기포로 빠져 나온다.

4 ① A → B에서 공기는 포화 수증기량이 현재 수증기량보다 많으므로, 불포화 상태이다.

② 이슬점은 현재 수증기량에 따라 달라지는데, A → B에서는 현재 수증기량이 일정하므로 이슬점도 일정하다.

③ B → C에서는 포화 수증기량과 현재 수증기량이 같다. 따라서 포화 상태이며, 수증기가 응결된다.

④ B → C에서 공기는 포화 상태이므로 상대 습도는 100 %로 일정하다.

⑤ 포화 수증기량은 온도에 따라 달라지는데, 온도가 낮을수록 포화 수증기량이 적다. 따라서 A → C에서는 포화 수증기량이 감소하므로 기온이 하강한다.

5 현재 수증기량은 이슬점에서의 포화 수증기량과 같다. 따라서 구름이 생성되기 시작했을 때 공기 덩어리의 온도가 5 ℃이므로, 이슬점은 5 ℃이고, 이때의 포화 수증기량인 5.4 g/kg이 실제 공기 중에 들어 있는 수증기량이다. 따라서 상대 습도는 다음과 같다.

$$\text{상대 습도(\%)} = \frac{5.4\ \text{g/kg}}{25\ ℃\text{에서의 포화 수증기량}} \times 100 = \frac{5.4\ \text{g/kg}}{20.0\ \text{g/kg}} \times 100 = 27(\%)$$

6 ㄱ. A 지역에서는 공기의 냉각에 의해 밀도가 커지므로 하강 기류가 나타나고, B 지역에서는 공기의 가열에 의해 밀도가 작아지므로 상승 기류가 나타난다.

ㄴ. 기압은 측정 지점의 위에 있는 공기가 누르는 힘이다. A 지역에서는 공기의 냉각으로 위에 있던 공기가 h 높이 아래로 많이 내려왔고, B 지역에서는 공기의 가열에 의해 공기가 h 높이 위로 많이 올라갔다. 따라서 h 높이 위의 공기는 A 지역보다 B 지역에서 많으므로, 높이 h에서의 기압은 B 지역이 A 지역보다 높다.

ㄷ. 지상에서는 A 지역이 고기압, B 지역이 저기압이므로 바람이 A 지역에서 B 지역으로 분다. h 높이에서는 A 지역이 저기압, B 지역이 고기압이므로 바람이 B 지역에서 A 지역으로 분다.

7 ㄱ. 18일에서 19일로 갈수록 온대 저기압이 우리나라에 가까워지므로 우리나라의 기압은 점차 감소하였을 것이다.

ㄴ. 19일에는 온대 저기압의 중심이 우리나라 북부 지방에 위치해 있으며, 제주도는 온난 전선과 한랭 전선 사이에 위치해 있다. 따라서 북반구에서는 저기압 중심으로 바람이 시계 반대 방향으로 불어 들어가므로, 19일에 제주도에서는 주로 남서풍이 불었을 것이다.

ㄷ. 온대 저기압의 이동 방향과 속도를 보아 21일에는 온대 저기압이 일본 동쪽으로 물러나고, 우리나라는 중국에서 다가오는 이동성 고기압의 영향으로 날씨가 맑을 것이다.

8 ㄱ. (가)는 북태평양 고기압(A)이 발달하여 남고북저형의 기압 배치를 이루는 여름철 일기도이고, (나)는 시베리아 고기압(B)이 발달하여 서고동저형 기압 배치를 이루는 겨울철 일기도이다.

ㄴ. A는 북태평양 고기압, B는 시베리아 고기압이므로 모두 하강 기류가 나타난다.

ㄷ. A와 B는 모두 정체성 고기압이므로, 세력의 확장과 수축에 의해 일정한 지역의 날씨에 영향을 미친다.

창의·사고력 향상 문제

1권 121쪽~123쪽

1 **문제 해결 가이드** 지구 온난화는 대기 중 온실 기체가 지구 복사 에너지를 흡수하여 재복사함으로써 지구의 기온이 상승하는 현상이다. 따라서 재복사의 과정을 중점적으로 설명해야 한다.

• 지구는 복사 평형을 이루고 있다는 점 •• 지구 온난화는 대기 중 온실 기체의 양이 증가함에 따라 대기가 흡수하는 지구 복사 에너지의 양이 많아져서 발생한다는 점 ••• 대기가 흡수한 에너지를 지표로 재복사함으로써 지구의 기온이 상승하여 지구 온난화가 진행된다는 점을 설명한다.

모범 답안 지구는 복사 평형을 이루고 있기 때문에 지구 온난화가 진행되어도 지구에서 방출하는 적외선 복사의 양(A)은 변함이 없다. 대기 중 온실 기체의 양이 많아지면 대기가 흡수하는 지구 복사 에너지양(B)이 많아지고, 이에 따라 A의 양은 일정하기 때문에 지표로 재복사하는 에너지양(C)이 증가하므로 지구의 기온이 상승하는 지구 온난화가 나타난다.

채점 기준	배점
지구의 복사 평형을 설명하고, B와 C가 증가하는 까닭을 옳게 설명한 경우	100 %
B와 C가 증가하는 까닭만 설명하고, A가 일정한 까닭을 설명하지 못한 경우	50 %

2 문제 해결 가이드 상대 습도의 정의를 이용하여 계산식에 대입하여 상대 습도를 구한다.

• 상대 습도는 현재 기온의 포화 수증기량에 대한 현재 공기 중의 현재 수증기량의 비를 백분율(%)로 나타낸 것이라는 점 •• 현재 수증기량은 이슬점에서의 포화 수증기량과 같다는 점 ••• 포화 상태에서 온도가 더 낮아지면 과포화 상태가 되고, 과포화된 양만큼 수증기가 응결한다는 점을 설명한다.

모범 답안 현재 기온인 30 ℃에서 포화 수증기량은 27.1 g/kg이고, 현재 수증기량은 이슬점인 20 ℃에서의 포화 수증기량과 같으므로 14.7 g/kg이다. 따라서 상대 습도는 $\frac{14.7}{27.1} \times 100 \fallingdotseq 54.2$ %이다. 또한, 10 ℃에서 포화 수증기량은 7.6 g/kg이다. 따라서 방 안의 온도가 10 ℃로 낮아지면 (14.7 g/kg−7.6 g/kg)=7.1 g/kg의 양이 과포화되어 응결된다.

채점 기준	배점
상대 습도와 응결량을 모두 옳게 설명하고 구한 경우	100 %
상대 습도와 응결량 중 한 가지만 구한 경우	50 %
설명 없이 값만 구한 경우	30 %

3 문제 해결 가이드 공기 덩어리의 상승 운동과 구름의 모양을 관련 지어 설명한다.

• 공기 덩어리가 강하게 상승하는 경우에는 위로 솟은 모양의 적운형 구름이 된다는 점 •• 맑은 날에는 새벽에 기온이 낮고, 한낮에 기온이 높다는 점 ••• 기온이 높으면 지표면이 가열되어 공기의 상승 운동이 잘 일어난다는 점을 설명한다.

모범 답안 (가), 여름철 맑은 날 오후에는 지표면이 강하게 가열되므로 공기의 상승 운동이 활발하여 적운형 구름이 생성된다.

채점 기준	배점
(가)를 고르고, 까닭을 옳게 설명한 경우	100 %
까닭만 옳게 설명한 경우	50 %
(가)만 고른 경우	30 %

4 문제 해결 가이드 A, B 지점의 변화를 설명하기 위해서는 다음과 같은 인과 구조로 설명한다.

• A 지점은 기압이 높아졌고, B 지점은 기압이 낮아졌다는 점 •• A 지점은 냉각되었고, B 지점은 가열되었다는 점 ••• A 지점에는 하강 기류가 발달하고, B 지점에는 상승 기류가 발달한다는 점 •••• 바람은 A 지점에서 B 지점으로 분다는 점을 연결하여 설명한다.

모범 답안 A 지점은 기압이 1000 hPa보다 높아졌고, B 지점은 기압이 1000 hPa보다 낮아졌다. 이는 A 지점이 상대적으로 냉각되었고, B 지점이 상대적으로 가열되었기 때문이다. 따라서 A 지점에서는 하강 기류가 발달하고 B 지점에서는 상승 기류가 발달하며, 지표면 부근에서 바람은 기압이 높은 A 지점에서 기압이 낮은 B 지점으로 분다.

채점 기준	배점
4가지의 조건을 모두 옳게 설명한 경우	100 %
3가지 조건만 옳게 설명한 경우	75 %
2가지 조건만 옳게 설명한 경우	50 %
1가지 조건만 옳게 설명한 경우	25 %

5 문제 해결 가이드 겨울철에 우리나라 북서쪽 대륙에 발달한 차갑고 건조한 기단이 상대적으로 온도가 높은 황해를 통과하면 기단의 성질이 변해 서해안 지역에 폭설이 내린다는 것을 설명한다.

• 우리나라 북서쪽 대륙에 발달한 시베리아 기단은 차갑고 건조한 기단이라는 점 •• 차갑고 건조한 기단이 상대적으로 온도가 높은 황해를 통과하면 열과 수증기를 공급받아 기층의 하부가 불안정해진다는 점 ••• 기단이 동쪽으로 이동하기 위해서는 대륙 쪽에 고기압이 발달하고 우리나라 쪽에 저기압이 위치해야 한다는 점을 설명한다.

모범 답안 겨울철에 우리나라 주변에는 서고동저형의 기압 배치가 나타난다. A에 있던 차갑고 건조한 공기가 상대적으로 따뜻한 황해를 통과하면 기층의 하부가 불안정해지고 수증기의 공급을 받아 많은 눈구름이 생성된다.

채점 기준	배점
기압 배치와 기단의 변질을 옳게 설명한 경우	100 %
기단의 변질만 옳게 설명한 경우	70 %
기압 배치만 옳게 설명한 경우	30 %

6 문제 해결 가이드 온대 저기압은 온난 전선과 한랭 전선을 동반하여 동쪽으로 이동하면서 기상 변화를 일으킨다는 것을 고려하여 설명한다.

• 전선이 통과할 때는 기온 및 풍향과 풍속의 변화가 크게 나타난다는 점 •• 온난 전선이 통과하면 기온이 상승하고, 한랭 전선이 통과하면 기온이 하강한다는 점 ••• 북반구의 저기압에서는 바람이 중심을 향해 시계 반대 방향으로 불어 들어간다는 점을 설명한다.

모범 답안 온난 전선이 통과하면 기온이 상승하고 풍향은 남동풍에서 남서풍으로 바뀌며, 한랭 전선이 통과하면 기온이 하강하고 풍향은 남서풍에서 북서풍으로 바뀐다. 따라서 01시를 전후로 온난 전선이, 08시를 전후로 한랭 전선이 통과하였을 것이다.

채점 기준	배점
전선이 통과할 때의 기온과 풍향 변화를 설명하고 통과한 시각을 옳게 나타낸 경우	100 %
전선이 통과한 시각과 전선의 종류만 설명한 경우	50 %

III 운동과 에너지

01 운동

학습 내용 Check

1권 129쪽	1 속력, 시간	2 속력
1권 130쪽	1 등속 운동	2 일정
	3 비례, 나란한	
1권 132쪽	1 자유 낙하 운동	2 중력
	3 9.8	

개념 확인 문제

1권 138쪽~140쪽

01 ⑤	02 지우=은수<우재	03 ③	04 ③
05 ③	06 ②	07 ④	08 ①
09 2 : 1	10 ②	11 ④	12 ⑤
13 ①	14 ②	15 ①	16 1 : 1

01 ㄱ. 시간에 따라 물체의 위치가 변하는 것을 운동이라고 한다.
ㄴ, ㄷ. 같은 시간 동안 이동한 거리가 클수록, 같은 거리를 이동하는 데 걸린 시간이 짧을수록 빠르게 운동하는 것이다.

02 자료 분석하기

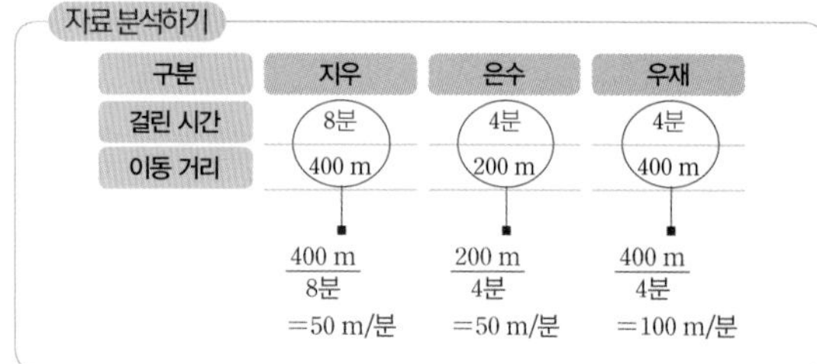

같은 시간 동안 이동한 거리가 클수록, 같은 거리를 이동하는 데 걸린 시간이 짧을수록 속력이 빠르다. 지우의 속력 $=\frac{400\text{ m}}{8\text{분}}=50$ m/분, 은수의 속력$=\frac{200\text{ m}}{4\text{분}}=50$ m/분, 우재의 속력$=\frac{400\text{ m}}{4\text{분}}=100$ m/분이다.

03 A 지점에서 C 지점까지 이동한 거리를 걸린 시간으로 나누어서 평균 속력을 구한다.

$$\text{평균 속력}=\frac{\text{이동 거리}}{\text{걸린 시간}}=\frac{60\text{ cm}+90\text{ cm}}{2\text{ s}+4\text{ s}}=\frac{150\text{ cm}}{6\text{ s}}=25\text{ cm/s}=0.25\text{ m/s}$$

04 A는 1초마다 25 cm를 이동하므로 속력이 25 cm/s이고, B는 1초마다 50 cm를 이동하므로 속력이 50 cm/s이다.
① A의 속력은 25 cm/s이다.
② A의 속력은 B의 속력의 $\frac{1}{2}$배이다.
③ B가 일정한 속력으로 4초 동안 운동하면 이동 거리는 속력×걸린 시간=50 cm/s×4 s=200 cm=2 m이다.
④ 같은 시간 동안 이동한 거리는 속력이 빠른 B가 A보다 크다.
⑤ 같은 거리를 이동하는 데 걸린 시간은 속력이 빠른 B가 A보다 짧다.

05 ㄱ. 그래프의 기울기는 속력을 나타내는데, 그래프의 기울기가 일정하므로 물체는 속력이 일정한 운동을 한다.
ㄴ. 0초부터 1초까지 물체는 5 m만큼 이동한다.
ㄷ. 그래프의 기울기=속력$=\frac{20\text{ m}}{4\text{ s}}=5$ m/s이다.

06 자료 분석하기

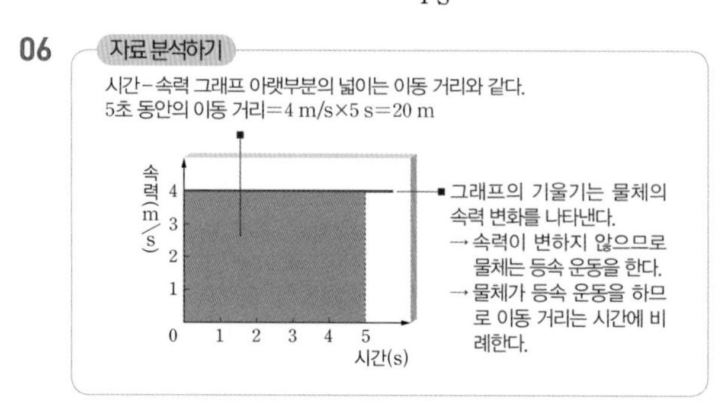

② 시간-이동 거리 그래프에서 그래프의 기울기는 일정한 시간 동안 이동한 거리인 속력과 같다.

07 A의 속력$=\frac{10\text{ m}}{5\text{ s}}=2$ m/s, B의 속력$=\frac{20\text{ m}}{5\text{ s}}=4$ m/s이다. A와 B는 각각 이동 거리가 시간에 비례하므로 등속 운동을 하며, 시간-속력 그래프는 시간축에 나란한 직선 형태로 그려진다.

08 등속 운동은 속력이 일정한 운동이다. 스키장의 리프트, 지하철 역의 무빙워크, 백화점의 에스컬레이터, 공항의 수하물 컨베이어, 케이블카, 회전 초밥의 컨베이어, 컬링 경기에서 컬링 선수가 밀어 낸 컬링 스톤 등은 속력이 거의 변하지 않고 비교적 등속 운동에 가까운 운동을 한다.

09 자료 분석하기

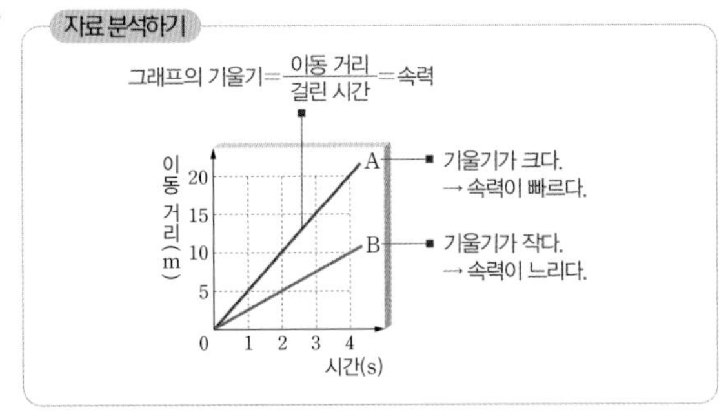

A와 B의 속력의 비는 $v_A : v_B = \frac{20\text{ m}}{4\text{ s}} : \frac{10\text{ m}}{4\text{ s}} = 5\text{ m/s} : 2.5\text{ m/s} = 2 : 1$이다. 또는 걸린 시간이 일정할 때 이동 거리가 속력에 비례하므로 속력의 비=이동 거리의 비 $= 20\text{ m} : 10\text{ m} = 2 : 1$이다.

10 자동차가 구간 단속 A와 B 지점 사이를 통과하는 데 걸린 시간은 $\frac{\text{이동 거리}}{\text{속력}} = \frac{4\text{ km}}{80\text{ km/h}} = \frac{1}{20}\text{ h}$=3분이다. 또는 걸린 시간을 t라고 하면 60분 : 80 km $= t$: 4 km에서 t=3분이다.

11 공중에서 정지해 있던 물체가 중력만을 받아 떨어지는 운동을 자유 낙하 운동이라고 한다. 물체에 작용하는 중력의 크기는 9.8과 질량을 곱한 값과 같으며, 자유 낙하 운동을 하는 동안 물체에 작용하는 힘의 크기는 일정하다.

12 ① 공기 저항을 무시하면 공은 중력만을 받아 떨어지는 자유 낙하 운동을 한다.
②, ⑤ 공에 작용하는 중력의 크기는 9.8×질량=(9.8×0.5) N=4.9 N 으로, 높이에 관계없이 일정하다.
③ 공의 운동을 0.1초 간격으로 나타내었으므로, A점은 O점으로부터 0.2초, B점은 O점으로부터 0.4초, C점은 O점으로부터 0.5초일 때 공의 위치이다. 자유 낙하 운동을 하는 물체의 속력은 낙하 시간에 비례하여 증가하므로, B점에서의 속력은 A점에서의 2배이다.
④ C점에서 공의 속력은 9.8×낙하 시간=9.8×0.5=4.9(m/s)이다.

13 ①, ②, ⑤ 공중에서 정지해 있던 물체가 중력만을 받아 떨어지는 운동을 자유 낙하 운동이라고 한다. 물체가 자유 낙하 운동을 할 때 물체의 종류나 크기, 질량에 관계없이 물체의 속력은 1초마다 9.8 m/s씩 일정하게 증가한다.
③ 물체가 동시에 낙하하는 (가)는 진공 중에서 낙하할 때의 모습이고, 무거운 물체가 먼저 낙하하는 (나)는 공기 중에서 낙하할 때의 모습이다.
④ 공기 중에서는 공기와의 마찰 때문에 깃털이 구슬보다 지면에 나중에 도달한다.

14 자유 낙하 운동을 하는 물체의 속력은 시간에 따라 일정하게 증가한다. 따라서 시간-속력 그래프로 나타내면 시간에 따라 속력이 일정하게 증가하는 직선 형태이다.

15 ㄱ, ㄴ. 물체가 자유 낙하 운동을 하면 물체의 질량에 관계없이 물체의 속력은 1초마다 9.8 m/s씩 증가한다. 따라서 5초 후에 물체의 속력은 9.8×5=49.0(m/s)이 된다.
ㄷ. 물체의 질량을 2배로 하여도 물체의 속력은 1초마다 9.8 m/s씩 일정하게 증가한다.

16 공기와의 마찰을 무시하면 A와 B는 모두 자유 낙하 운동을 하며, 자유 낙하 운동을 하는 물체는 질량에 관계없이 시간에 따른 속력 변화 정도가 같다.

실력 강화 문제

1권 141쪽

01 ② **02** ③ **03** ① **04** ②

01 집에서 반환점까지의 거리를 L이라 하면, 갈 때 걸린 시간은 $\frac{L}{6\text{ m/s}}$, 올 때 걸린 시간은 $\frac{L}{3\text{ m/s}}$이다. 이때 집에서 출발하여 반환점을 돌아 다시 집에 도착할 때까지 총 걸린 시간은 2분, 즉 120초이므로 $\frac{L}{6\text{ m/s}} + \frac{L}{3\text{ m/s}} = 120\text{ s}$이다. 따라서 $\frac{L+2L}{6\text{ m/s}} = \frac{3L}{6\text{ m/s}} = 120\text{ s}$에서 $3L = 6\text{ m/s} \times 120\text{ s} = 720\text{ m}$이고 $L = 240\text{ m}$이다. 이때 집에서 출발하여 반환점을 돌아 다시 집에 도착할 때까지 총 이동 거리는 갈 때의 거리 L과 올 때의 거리 L을 합한 $2L$이므로 480 m이다.

02 속력이 일정하게 증가하거나 감소할 때 물체의 평균 속력 $= \frac{\text{처음 속력}+\text{나중 속력}}{2}$이므로, 0초~3초 동안 평균 속력은 $\frac{0+4\text{ m/s}}{2} = 2\text{ m/s}$, 3초~6초 동안은 4 m/s(등속 운동), 6초~8초 동안은 $\frac{4\text{ m/s}+0}{2} = 2\text{ m/s}$이고, 각 구간에서의 이동 거리는 순서대로 2 m/s×3 s=6 m, 4 m/s×3 s=12 m, 2 m/s×2 s=4 m이다.
① 0초~3초 동안 속력은 일정하게 증가한다.
② 6초~8초 동안 평균 속력은 2 m/s이다.

③ 0초~8초 동안 이동한 거리는 6 m+12 m+4 m=22 m이다.

④ 0초~8초 동안의 평균 속력$=\frac{\text{전체 이동 거리}}{\text{걸린 시간}}$

$=\frac{6\text{ m}+12\text{ m}+4\text{ m}}{8\text{ s}}=2.75\text{ m/s}$이다.

⑤ 등속 운동을 하는 동안 이동한 거리는 12 m이다.

03 진공 중에서 가만히 놓은 물체에는 연직 아래 방향으로 중력만 작용하므로 물체는 자유 낙하 운동을 한다. 이 물체의 각 시간 구간에서의 이동 거리와 평균 속력은 다음과 같다.

시간 구간	0초~1초 구간	1초~2초 구간	2초~3초 구간
각 시간 구간에서의 이동 거리(m)	4.9	14.7	24.5
각 시간 구간에서의 평균 속력(m/s)	4.9	14.7	24.5

① 자유 낙하 운동을 하는 물체는 1초당 9.8 m/s씩 속력이 일정하게 증가한다. 따라서 3초인 순간 물체의 속력은 9.8×3=29.4(m/s)이다.

② 물체에 작용하는 중력의 크기는 9.8×0.1(kg)=0.98(N)이다.

③ 0초~3초 동안 물체의 이동 거리는 44.1 m이다.

④ 0초~1초 동안 물체의 평균 속력은 4.9 m/s이다.

⑤ 물체에는 연직 아래 방향으로 중력만 작용한다.

04 그림에서 가로축이 시간, 세로축이 속력을 의미하므로 물체는 속력이 일정하게 증가하는 운동을 한다. 60타점을 찍는 데 1초가 걸리므로 1타점을 찍는 데 걸린 시간은 $\frac{1}{60}$초이고, 6타점을 찍는 데 걸린 시간은 $\frac{1}{60}$초×6$=\frac{1}{10}$초=0.1초이다.

ㄱ. 물체는 속력이 일정하게 증가하는 운동을 하였다.

ㄴ. 시간에 따라 타점 사이의 간격은 점점 넓어졌다.

ㄷ. 각각의 종이테이프에는 6타점씩 찍혔으므로 각각의 종이테이프의 길이는 0.1초 동안 물체의 이동 거리를 나타낸다.

서술형 문제

1권 142쪽~143쪽

1 물체는 시간에 따라 이동 거리가 일정하게 증가하는 등속 운동을 한다. 물체의 속력$=\frac{\text{이동 거리}}{\text{걸린 시간}}=\frac{100\text{ cm}}{4\text{ s}}=$25 cm/s이고, 시간-속력 그래프는 시간축에 나란한 직선 형태로 그려진다.

모범 답안 (1)

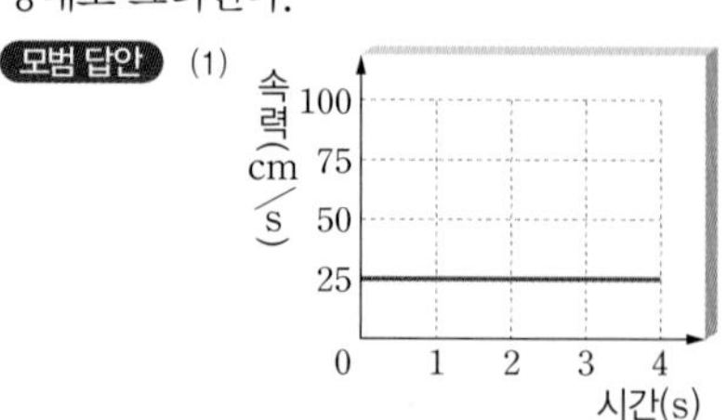

(2) 물체는 시간에 따라 이동 거리가 일정하게 증가하는 등속 운동을 한다.

	채점 기준	배점
(1)	시간-속력 그래프를 옳게 그린 경우	50 %
(2)	시간에 따른 이동 거리의 변화와 등속 운동을 옳게 설명한 경우	50 %
	등속 운동이라고만 쓴 경우	25 %

2 시간-속력 그래프의 아랫부분의 넓이는 물체의 이동 거리를 나타낸다.

모범 답안 A의 이동 거리=9 m/s×5 s=45 m이고, B의 이동 거리=6 m/s×5 s=30 m이므로 5초 후 A와 B 사이의 거리는 45 m−30 m=15 m이다.

채점 기준	배점
A와 B 각각의 이동 거리를 이용하여 5초 후 A와 B 사이의 거리를 옳게 설명한 경우	100 %
5초 후 A와 B 사이의 거리만 옳게 설명한 경우	50 %
A와 B 각각의 이동 거리만 옳게 설명한 경우	30 %

3 공기 저항을 무시할 때 공중에서 낙하하는 물체는 속력이 점점 빨라지면서 자유 낙하 운동을 한다.

모범 답안 (1) 중력, 연직 아래 방향

(2) 낙하하는 동안 사람에게 일정한 크기의 중력이 작용하므로 사람의 속력은 점점 빨라진다.

	채점 기준	배점
(1)	힘의 종류와 힘의 방향을 옳게 쓴 경우	50 %
	힘의 종류만 옳게 쓴 경우	25 %
(2)	중력의 크기와 관련지어 사람의 속력 변화를 옳게 설명한 경우	50 %
	속력 변화만 옳게 설명한 경우	25 %

4 물체에 작용하는 중력의 크기인 무게는 중력 가속도 상수와 질량의 곱과 같다. A의 무게=9.8×5(kg)=49(N)이고, B의 무게=9.8×3(kg)=29.4(N)이다. 자유 낙하 운동을 하는 두 물체는 질량에 관계없이 속력이 1초마다 9.8 m/s씩 증가하므로 시간에 따른 속력 변화가 같다.

모범 답안 A: 49 N, B: 29.4 N, 자유 낙하 운동을 하는 물체의 시간에 따른 속력 변화는 물체의 질량에 관계없이 일정하다.

채점 기준	배점
A와 B 각각에 작용하는 중력의 크기를 쓰고, 물체의 질량과 속력 변화가 관계없음을 옳게 설명한 경우	100 %
A와 B 각각에 작용하는 중력의 크기만 옳게 쓴 경우	50 %
물체의 질량과 속력 변화가 관계없음만 옳게 설명한 경우	50 %

5 이동 거리가 시간에 따라 일정하게 증가하는 직선 형태이므로 세 물체는 등속 운동을 한다. 시간에 따른 이동 거리 그래프에서 그래프의 기울기는 일정한 시간 동안 이동한 거리인 속력과 같다.

모범 답안 A, 시간에 따른 이동 거리 그래프에서 그래프의 기울기는 속력과 같으므로 기울기가 가장 큰 A가 속력이 가장 빠르다.

채점 기준	배점
A를 쓰고, 그래프의 기울기를 속력과 관련지어 옳게 설명한 경우	100 %
A만 쓴 경우	50 %
그래프의 기울기를 속력과 관련지어 옳게 설명한 경우	50 %

6 무빙워크, 에스컬레이터, 스키장의 리프트, 케이블카 등은 속력이 거의 변하지 않고 비교적 등속 운동에 가까운 운동을 한다.

모범 답안 (1) 속력이 일정한 등속 운동을 한다.

(2)

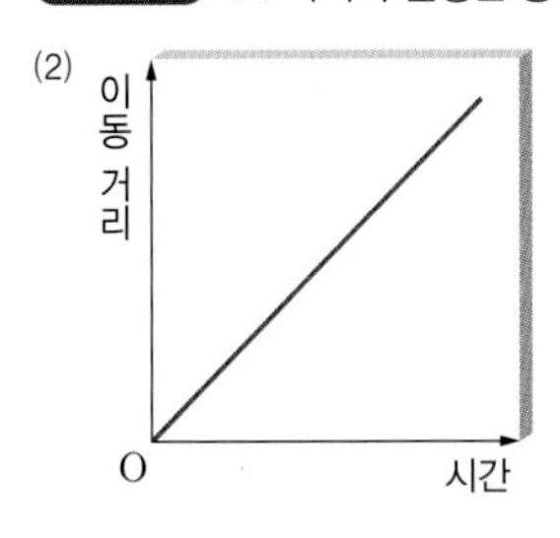

채점 기준		배점
(1)	등속 운동을 한다고 옳게 설명한 경우	50 %
(2)	시간-이동 거리 그래프를 비례 그래프로 옳게 그린 경우	50 %

7 물체가 자유 낙하 운동을 할 때 물체의 종류나 크기, 질량에 관계없이 물체의 속력은 1초마다 9.8 m/s씩 일정하게 증가하기 때문에 같은 높이에서 동시에 자유 낙하 운동을 하는 물체들은 바닥에 동시에 도달한다.

모범 답안 구슬과 깃털은 바닥에 동시에 떨어진다. 물체의 질량이나 모양에 관계없이 자유 낙하 운동을 하는 물체는 속력이 1초마다 9.8 m/s씩 증가하는 운동을 하기 때문이다.

채점 기준	배점
동시에 떨어진다고 쓰고, 그 까닭을 옳게 설명한 경우	100 %
동시에 떨어진다는 것만 옳게 쓴 경우	50 %

8 진공 중에서 가만히 놓은 물체에는 중력만 작용하므로 물체는 속력이 1초마다 9.8 m/s씩 증가하는 자유 낙하 운동을 한다. 각 시간 구간에서의 평균 속력$=\frac{\text{각 시간 구간에서의 이동 거리}}{\text{걸린 시간}}$

이므로 순서대로 $\frac{4.9\text{ m}}{1\text{ s}}=4.9\text{ m/s}$, $\frac{14.7\text{ m}}{1\text{ s}}=14.7\text{ m/s}$, $\frac{24.5\text{ m}}{1\text{ s}}=24.5\text{ m/s}$이다.

모범 답안 (1) ㉠ 4.9 ㉡ 14.7 ㉢ 24.5

(2) 시간에 따라 물체의 속력이 일정하게 증가한다.

채점 기준		배점
(1)	㉠~㉢ 3개를 모두 옳게 쓴 경우	60 %
	㉠~㉢ 중 2개만 옳게 쓴 경우	40 %
	㉠~㉢ 중 1개만 옳게 쓴 경우	20 %
(2)	시간에 따른 속력 변화를 옳게 설명한 경우	40 %
	속력이 증가한다고만 쓴 경우	20 %

02 일과 에너지

학습 내용 Check

1권 145쪽 **1** 힘, 힘 **2** 거리, J(줄) **3** 0, 수직

1권 146쪽 **1** 에너지, J(줄) **2** 에너지, 일

1권 148쪽 **1** 위치 **2** 증가 **3** 질량, 높이

1권 150쪽 **1** 운동 **2** 질량, 속력 **3** 중력, 중력

탐구 확인 문제

1권 151쪽

1 (1) × (2) ○ **2** 19.6 J

1 자유 낙하 운동을 할 때 중력이 추에 작용한 힘의 크기는 9.8과 추의 질량의 곱, 즉 추의 무게와 같다.

2 물체가 자유 낙하 운동을 하는 동안 중력이 물체에 일을 하며, 중력이 물체에 한 일은 9.8×물체의 질량×낙하한 거리=(9.8×1) N×2 m=19.6 J이고, 지면에 도달하는 순간 물체의 운동 에너지와 같다.

집중 분석

1권 153쪽

연습 문제

01 3 m/s **02** 75 J **03** (1) 24.5 J (2) 7 m/s

01 수레의 운동 에너지가 나무 도막을 미는 일로 전환되므로 수레의 운동 에너지는 나무 도막에 한 일의 양과 같다. 수레의 운동 에너지 $E_{운동}=\frac{1}{2}\times 4\ \text{kg}\times v^2=18$ J이므로 수레의 속력 $v=3$ m/s이다.

02 나무 도막에 한 일의 양은 나무 도막의 증가한 운동 에너지와 같으므로 한 일의 양=나중 운동 에너지−처음 운동 에너지$=\frac{1}{2}mv_{나중}{}^2-\frac{1}{2}mv_{처음}{}^2=\frac{1}{2}m(v_{나중}{}^2-v_{처음}{}^2)=\frac{1}{2}\times 2\ \text{kg}\times\{(10\ \text{m/s})^2-(5\ \text{m/s})^2\}=75$ J이다.

03 (1) 중력이 물체에 한 일의 양=힘×이동 거리=9.8×물체의 질량×낙하한 높이=(9.8×1) N×2.5 m=24.5 J이다.
(2) 중력이 물체에 한 일이 물체의 운동 에너지로 전환되므로 지면에서 물체의 운동 에너지도 24.5 J이다. $E_{운동}=\frac{1}{2}\times 1\ \text{kg}\times v^2=24.5$ J이므로 지면에 도달하는 순간 물체의 속력 $v=7$ m/s이다.

개념 확인 문제

1권 156쪽~159쪽

01 ②	**02** ⑤	**03** ④	**04** ①	**05** ①
06 ⑤	**07** ①	**08** ④	**09** ④	**10** ④
11 ④	**12** ③	**13** ③	**14** ②	**15** ②
16 ③	**17** ④	**18** ②	**19** ②	**20** ⑤
21 ①	**22** ④	**23** ②	**24** ④	

01 물체에 힘이 작용하여 물체가 힘의 방향으로 이동할 때, 힘이 물체에 일을 했다고 하며, 일의 단위로 J(줄)을 사용한다.

ㄱ. 물체에 힘이 작용하여 물체가 힘의 방향으로 이동할 때, 힘이 물체에 일을 했다고 한다.
ㄷ. 1 J은 물체에 1 N의 힘이 작용하여 물체를 힘의 방향으로 1 m만큼 이동시킬 때 힘이 물체에 한 일의 양이다.

02 힘이 물체에 한 일의 양은 물체에 작용한 힘의 크기와 물체가 힘의 방향으로 이동한 거리의 곱이다.
한 일의 양=힘×이동 거리=10 N×2 m=20 J

03 은수가 상자에 연직 위 방향으로 작용한 힘의 크기는 상자의 무게와 같은 (9.8×2) N=19.6 N이다.
은수가 상자에 힘을 작용하였으나 상자는 힘의 방향과 수직인 수평 방향으로 이동하였으므로 힘의 방향으로 이동한 거리가 0이고, 은수가 상자에 한 일의 양은 0이다.

04 자료 분석하기

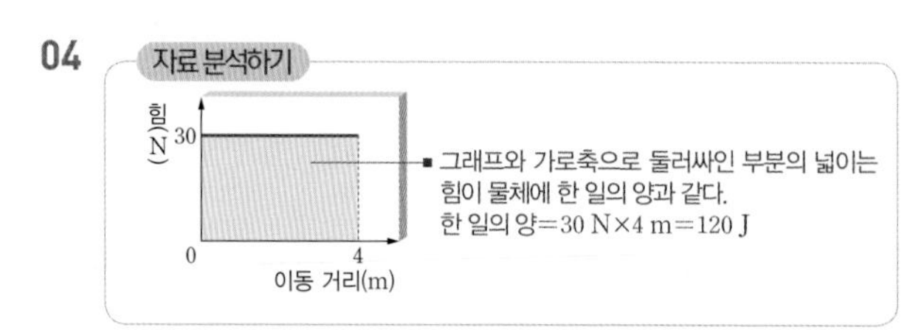

힘이 물체에 한 일의 양은 물체에 작용한 힘의 크기와 물체가 힘의 방향으로 이동한 거리의 곱과 같다. 그래프에서 물체에 30 N의 힘을 작용하여 물체를 힘의 방향으로 4 m 이동시켰으므로 한 일의 양=힘×이동 거리=30 N×4 m=120 J이다.

05 지우가 상자에 한 일의 양=힘×이동 거리=(9.8×10) N×0.5 m=49 J이고, 은수가 책상에 한 일의 양=20 N×2 m=40 J이다. 우재가 물통에 연직 위 방향으로 50 N의 힘을 작용하였으나 물통은 힘의 방향과 수직인 수평 방향으로 이동하여 힘의 방향으로 이동한 거리가 0이므로, 우재가 물통에 한 일의 양은 0이다.

06 질량이 1 kg인 물체를 1 m 들어 올릴 때 물체에 중력에 대하여 한 일의 양=9.8×질량×높이=(9.8×1) N×1 m=9.8 J이다.

07 ① 추에 중력에 대하여 한 일은 추의 중력에 의한 위치 에너지로 전환되므로 추의 에너지는 증가한다.

08 상자를 서서히 들어 올릴 때 상자의 무게와 같은 크기의 힘이 작용하며, 상자를 1 m 들어 올릴 때 중력에 대하여 상자에 한 일의 양이 49 J이므로 상자의 무게$=\frac{\text{한 일의 양}}{\text{들어 올린 높이}}=\frac{49\ \text{J}}{1\ \text{m}}=49$ N이다. 지면을 기준면으로 할 때, 2 m 높이

에 있는 상자의 중력에 의한 위치 에너지=9.8×질량×높이=무게×높이=49 N×2 m=98 J이다.

09 자료 분석하기

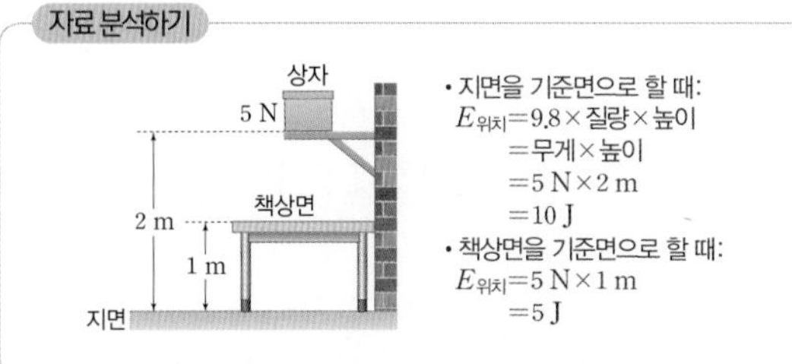

상자가 가지는 중력에 의한 위치 에너지는 지면을 기준면으로 할 때는 9.8×질량×높이=무게×높이=5 N×2 m=10 J이고, 책상면을 기준면으로 할 때는 무게×높이=5 N×1 m=5 J이다. 또는 중력에 의한 위치 에너지는 기준면으로부터의 높이에 비례하므로 중력에 의한 위치 에너지의 비는 높이의 비와 같아 2 m : 1 m=2 : 1이다.

10 물체가 가지는 중력에 의한 위치 에너지는 지면을 기준면으로 9.8×질량×높이=(9.8×1) N×5 m=49 J, 베란다를 기준면으로 (9.8×1) N×2 m=19.6 J, 옥상을 기준면으로 0이다.

11 물체가 가지는 중력에 의한 위치 에너지는 (질량×높이)에 비례한다. 세 물체의 (질량×높이)는 A : B : C=(3×1) : (1×3) : (2×2)=3 : 3 : 4이다. 즉, C>A=B이다.

12 질량이 일정할 때 물체가 가지는 중력에 의한 위치 에너지는 높이에 비례한다.

$$물체의\ 질량=\frac{중력에\ 의한\ 위치\ 에너지}{9.8\times 높이}=\frac{9.8(\mathrm{J})}{9.8\times 1(\mathrm{m})}=1(\mathrm{kg})$$

ㄱ. 물체의 질량은 1 kg이다.

ㄴ. 물체가 가지는 중력에 의한 위치 에너지는 높이에 비례한다.

ㄷ. 높이가 5 m일 때 물체의 중력에 의한 위치 에너지는 (9.8 J×1) N×5 m=49 J이다.

13 쇠구슬이 가지는 중력에 의한 위치 에너지가 나무 도막을 미는 일로 전환된다. 쇠구슬이 가지는 중력에 의한 위치 에너지는 쇠구슬의 질량과 높이에 각각 비례하고, 나무 도막의 이동 거리는 쇠구슬이 가지는 중력에 의한 위치 에너지에 비례한다.

ㄱ. 쇠구슬의 높이만 2배로 하면 나무 도막의 이동 거리도 2배가 된다.

ㄴ. 쇠구슬의 질량만 2배로 하면 나무 도막의 이동 거리도 2배가 된다.

14 쇠구슬의 질량이 일정할 때 쇠구슬이 가지는 중력에 의한 위치 에너지는 쇠구슬의 높이에 비례한다.

15 km/h 단위를 m/s 단위로 환산하면

$$180\ \mathrm{km/h}=\frac{180\ \mathrm{km}}{1\ \mathrm{h}}=\frac{180000\ \mathrm{m}}{3600\ \mathrm{s}}=50\ \mathrm{m/s}$$이다.

매의 운동 에너지는 다음과 같다.

$$E_{운동}=\frac{1}{2}\times 질량\times(속력)^2=\frac{1}{2}\times(8\ \mathrm{kg})\times(50\ \mathrm{m/s})^2=10000\ \mathrm{J}$$

16 수레가 가지는 중력에 의한 위치 에너지가 나무 도막을 미는 일로 전환되며, 수레가 가지는 중력에 의한 위치 에너지는 수레의 질량과 수레의 높이에 각각 비례한다. 수레의 질량을 3배, 수레의 높이를 $\frac{1}{2}$배로 하면 수레가 가지는 중력에 의한 위치 에너지는 3배×$\frac{1}{2}$배=$\frac{3}{2}$배가 되어, 나무 도막의 이동 거리도 $\frac{3}{2}$배인 10 cm×$\frac{3}{2}$=15 cm가 된다.

17 물체에 한 일이 물체의 운동 에너지로 전환된다. 물체를 5 m를 이동시키는 동안 물체에 한 일의 양이 힘의 크기×이동 거리=10 N×5 m=50 J이므로, 5 m를 이동한 후 물체가 가지는 운동 에너지도 50 J이다.

18 수레에 한 일이 수레의 운동 에너지로 전환되므로 힘의 크기×이동 거리=$\frac{1}{2}$×질량×v^2이다. 25 N×1 m=$\frac{1}{2}$×2 kg×v^2이므로 수레의 나중 속력 v=5 m/s이다.

19 운동 에너지는 질량×(속력)^{2}에 비례하므로 세 물체의 운동 에너지의 비는 A : B : C=(1×10^2) : (2×7^2) : (4×5^2)=100 : 98 : 100이다. 즉, A=C>B이다.

20 수레의 운동 에너지가 나무 도막을 미는 일로 전환되므로 나무 도막의 이동 거리는 수레의 운동 에너지에 비례한다. 수레의 운동 에너지는 수레의 질량과 수레의 (속력)^{2}에 각각 비례하므로, 수레의 질량이 일정할 때 나무 도막의 이동 거리는 수레의 (속력)^{2}에 비례한다.

21 수레의 질량이 일정할 때 나무 도막의 이동 거리는 수레의 (속력)^{2}에 비례하므로 원점을 지나는 비례 그래프로 그려진다.

22 물체의 운동 에너지는 질량×(속력)^{2}에 비례하므로 A의 운동 에너지는 B의 $\frac{1}{2}$배×(2배)^2=2배이다.

23 추를 공중에서 놓으면 중력이 추에 일을 하며, 이 일이 추의 운동 에너지로 전환되기 때문에 추가 낙하함에 따라 추

의 운동 에너지는 증가한다. 중력이 추에 한 일의 양은 힘의 크기×이동 거리=9.8×질량×낙하 높이이고, 추의 질량이 클수록, 추의 낙하 높이가 클수록 추의 운동 에너지는 증가한다.

ㄱ. 낙하하는 동안 중력이 추에 작용하여 일을 한다.

ㄷ. 추의 질량이 클수록, 추의 낙하 높이가 클수록 추의 운동 에너지가 커진다.

24 윈드서핑, 당구, 달리는 자동차 등은 운동하는 물체가 가진 운동 에너지와 관련이 있다.

실력 강화 문제

1권 160쪽~161쪽

01 ③	**02** ①	**03** ③	**04** ⑤	**05** ③
06 ⑤	**07** ⑤	**08** ①		

01 자료 분석하기

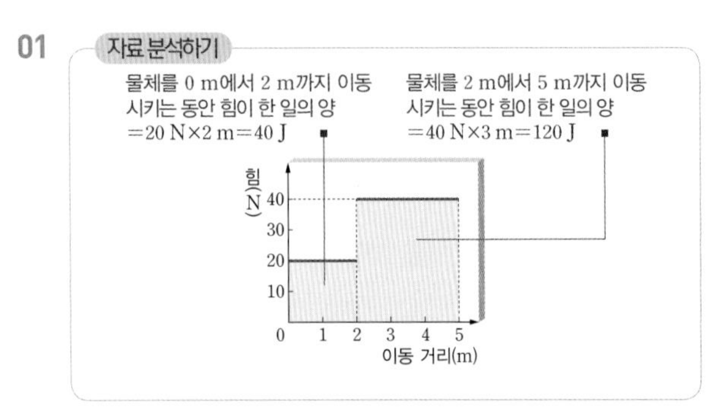

힘이 물체에 한 일의 양은 물체에 작용한 힘의 크기와 물체가 힘의 방향으로 이동한 거리의 곱과 같다. 물체를 0 m에서 2 m까지 이동시키는 동안 힘이 물체에 한 일의 양=힘×이동 거리=20 N×2 m=40 J이고, 물체를 2 m에서 5 m까지 이동시키는 동안 힘이 물체에 한 일의 양=40 N×3 m=120 J이다.

ㄱ. 물체를 처음 2 m 이동시키는 동안 힘이 물체에 한 일의 양은 40 J이다.

ㄴ. 물체를 5 m 이동시키는 동안 힘이 물체에 한 일의 양은 40 J+120 J=160 J이다.

02 물체에 작용하는 중력의 크기인 무게는 9.8×질량=(9.8×1) N=9.8 N이고, 중력은 연직 아래 방향으로 작용한다. 물체를 서서히 들어 올릴 때 물체의 무게와 같은 크기인 9.8 N의 힘이 작용하며, 물체를 들어 올린 힘이 중력에 대하여 물체에 한 일의 양은 물체가 가지는 중력에 의한 위치 에너지로 전환된다. 물체가 가지는 중력에 의한 위치 에너지가 4.9 J이므로 물체를 들어 올린 힘이 중력에 대하여 한 일의 양도 4.9 J이다. 한 일의 양=힘의 크기×이동 거리=물체의 무게×들어 올린 높이=9.8 N×들어 올린 높이=4.9 J이므로 들어 올린 높이$=\frac{4.9\text{ J}}{9.8\text{ N}}=$0.5 m=50 cm이다.

ㄴ. 물체를 들어 올린 힘의 크기는 9.8 N이다.

ㄷ. 물체를 들어 올린 힘이 중력에 대하여 물체에 한 일의 양은 4.9 J이다.

03 물체를 0.5 m 들어 올릴 때 중력에 대하여 물체에 한 일의 양=9.8×질량×높이=무게×높이=50 N×0.5 m=25 J이고, 이 일이 중력에 의한 위치 에너지로 전환되므로 탁자면을 기준면으로 물체가 가지는 중력에 의한 위치 에너지는 25 J이다. 물체가 가지는 중력에 의한 위치 에너지는 기준면으로부터의 높이에 비례하므로 지면을 기준면으로 물체가 가지는 중력에 의한 위치 에너지는 탁자면을 기준면으로 할 때의 3배인 25 J×3=75 J이다. 또는 지면을 기준면으로 물체가 가지는 중력에 의한 위치 에너지=무게×높이=50 N×1.5 m=75 J이다.

① 물체가 받은 일의 양은 25 J이다.

② 물체는 지면까지 떨어지면서 75 J의 일을 할 수 있다.

④ 탁자면을 기준면으로 물체가 가지는 중력에 의한 위치 에너지는 25 J이다.

⑤ 중력에 대하여 물체에 일을 할 때 물체가 가지는 중력에 의한 위치 에너지로 전환된다.

04 질량이 일정할 때 물체가 가지는 중력에 의한 위치 에너지는 높이에 비례하고, 높이가 일정할 때 물체가 가지는 중력에 의한 위치 에너지는 질량에 비례한다. A의 질량$=\frac{\text{중력에 의한 위치 에너지}}{9.8\times\text{높이}}=\frac{9.8(\text{J})}{9.8\times1(\text{m})}=1(\text{kg})$이고, B의 질량$=\frac{9.8(\text{J})}{9.8\times4(\text{m})}=0.25(\text{kg})$이다.

⑤ 같은 높이에 있을 때 A와 B가 가지는 중력에 의한 위치 에너지의 비(A : B)는 4 : 1이다.

05 추가 가지는 중력에 의한 위치 에너지가 원통형 나무를 미는 일로 전환된다. 추가 가지는 중력에 의한 위치 에너지는 추의 질량과 높이에 각각 비례하고, 원통형 나무의 이동 거리는 추가 가지는 중력에 의한 위치 에너지에 비례한다.

③ 추의 높이가 일정할 때 원통형 나무의 이동 거리는 추의 질량에 비례한다.

06 자료 분석하기

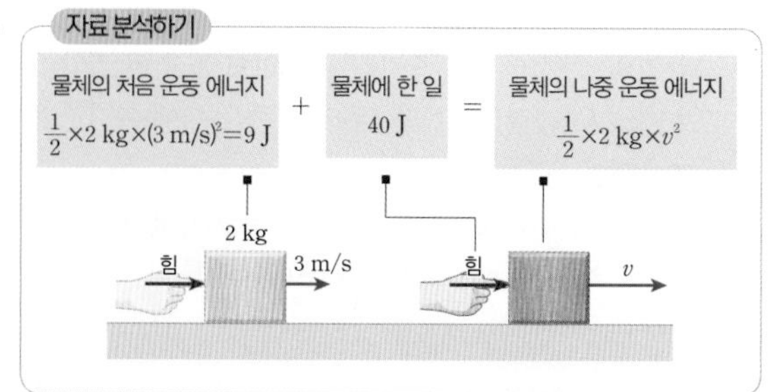

물체에 한 일이 물체의 운동 에너지로 전환되므로 (물체의 처음 운동 에너지)+(물체에 한 일)=(물체의 나중 운동 에너지)이다. $\frac{1}{2}\times 2\ kg\times(3\ m/s)^2+40\ J=\frac{1}{2}\times 2\ kg\times v^2$ $=49\ J$이므로 물체의 나중 속력 $v=7\ m/s$이다.

07 수레의 운동 에너지가 나무 도막을 미는 일로 전환된다. 수레가 가지는 운동 에너지는 (가) $\frac{1}{2}\times$수레의 질량$\times$(수레의 속력)$^2=\frac{1}{2}\times 1\ kg\times(4\ m/s)^2=8\ J$, (나) $\frac{1}{2}\times 2\ kg\times(2\ m/s)^2=4\ J$, (다) $\frac{1}{2}\times 4\ kg\times(1\ m/s)^2=2\ J$이다.

① (나)의 수레가 가지는 운동 에너지가 (가)의 $\frac{1}{2}$배이므로 ㉠은 $10\times\frac{1}{2}=5$이다.

② (다)의 수레가 가지는 운동 에너지가 (나)의 $\frac{1}{2}$배이므로 ㉡은 ㉠의 $\frac{1}{2}$배이다.

③ (가)의 수레가 가지는 운동 에너지가 가장 크다.

④ (가)의 수레가 나무 도막에 한 일의 양은 8 J이다.

08 매가 자유 낙하 운동을 하면 매에 중력이 일을 하며, 이 일이 매의 운동 에너지로 전환된다. 중력이 매에 한 일의 양은 힘의 크기$\times$이동 거리$=9.8\times$질량$\times$낙하 거리$=(9.8\times 5)\ N\times 10\ m=490\ J$이므로, 매의 나중 운동 에너지 $=\frac{1}{2}\times$매의 질량$\times$(매의 속력)$^2=\frac{1}{2}\times 5\ kg\times$(나중 속력)^2 $=490\ J$이다. 따라서 매의 나중 속력은 14 m/s이다.

서술형 문제

1권 162쪽~163쪽

1 물체에 힘이 작용하여 물체가 힘의 방향으로 이동할 때 힘이 물체에 일을 했다고 한다. 역도 선수가 역기에 힘을 위 방향으로 작용하여 역기를 2 m 높이까지 들어 올리는 동안에는 힘이 역기에 일을 한 것이지만, 역기를 들고 서 있는 동안에는 역기가 이동하지 않으므로 힘이 역기에 한 일의 양은 0이다.

모범 답안 (1) 100 N, (연직) 위 방향
(2) 0, 역기에 힘을 위 방향으로 작용하지만 역기의 이동 거리가 0이므로, 힘이 역기에 한 일의 양은 0이다.

	채점 기준	배점
(1)	힘의 크기와 힘의 방향을 모두 옳게 쓴 경우	50 %
	힘의 크기와 방향 중 한 가지만 옳게 쓴 경우	25 %
(2)	0을 쓰고, 그 까닭을 옳게 설명한 경우	50 %
	0만 쓴 경우	30 %

2 일과 에너지는 서로 전환될 수 있으며, 물체에 일을 하면 물체가 가진 에너지가 증가하고, 물체가 일을 하면 물체가 가진 에너지가 감소한다.

모범 답안 (가) 추를 들어 올리는 일을 하면 추가 가진 에너지가 증가하고, (나) 추가 말뚝을 박는 일을 하면 추가 가진 에너지가 감소한다.

채점 기준	배점
추가 가진 에너지 변화를 두 경우 모두 옳게 설명한 경우	100 %
추가 가진 에너지 변화를 한 경우만 옳게 설명한 경우	50 %

3 (가) 가방이 힘의 방향과 수직인 수평 방향으로 이동하므로 가방이 힘의 방향으로 이동한 거리는 0이다.
(나) 가방에 위쪽으로 힘이 작용하고 가방이 위로 이동하므로 가방에 일을 하였다.
(다) 가방에 힘을 수평 방향으로 작용하지만 가방이 움직이지 않으므로 가방이 힘의 방향으로 이동한 거리가 0이다.

모범 답안 (나), (나)에서는 가방이 힘의 방향으로 이동하여 은수가 가방에 일을 하였으나, (가)와 (다)에서는 가방이 힘의 방향으로 이동한 거리가 0이므로 한 일의 양도 0이다.

채점 기준	배점
(나)를 고르고, 그 까닭을 옳게 설명한 경우	100 %
(나)만 고른 경우	50 %

4 쇠구슬이 가지는 중력에 의한 위치 에너지가 나무 도막을 미는 일로 전환된다. 쇠구슬이 가지는 중력에 의한 위치 에너지는 쇠구슬의 질량과 쇠구슬의 높이에 각각 비례하고, 나무 도막의 이동 거리는 쇠구슬이 가지는 중력에 의한 위치 에너지에 비례한다.

모범 답안 (1) 쇠구슬의 높이가 일정할 때 쇠구슬이 가지는 중력에 의한 위치 에너지는 쇠구슬의 질량에 비례한다.
(2) 쇠구슬의 질량이 일정할 때 쇠구슬이 가지는 중력에 의한 위치 에너지는 쇠구슬의 높이에 비례한다.

채점 기준		배점
(1)	위치 에너지와 질량의 관계를 옳게 설명한 경우	50 %
	비례한다만 쓴 경우	30 %
(2)	위치 에너지와 높이의 관계를 옳게 설명한 경우	50 %
	비례한다만 쓴 경우	30 %

5 수레의 운동 에너지가 나무 도막을 미는 일로 전환되므로 나무 도막의 이동 거리는 수레의 운동 에너지에 비례한다. 수레의 운동 에너지는 수레의 질량과 수레의 (속력)^{2}에 각각 비례하므로, 수레의 속력이 일정할 때 나무 도막의 이동 거리는 수레의 질량에 비례한다.

모범 답안 수레의 속력이 일정할 때 나무 도막의 이동 거리는 수레의 질량에 비례한다.

채점 기준	배점
나무 도막의 이동 거리와 수레의 질량의 관계를 옳게 설명한 경우	100 %
비례한다만 쓴 경우	50 %

6 화분을 서서히 들어 올릴 때 화분의 무게와 같은 크기인 9.8×질량=9.8×0.5(kg)=4.9(N)의 힘이 작용해야 한다. 화분을 들어 올린 힘이 한 일의 양은 힘의 크기×이동 거리=화분의 무게×들어 올린 높이=4.9 N×1 m=4.9 J이다.

모범 답안 (1) 4.9 N
(2) 화분을 들어 올린 힘이 화분에 중력에 대하여 한 일의 양은 화분의 무게×들어 올린 높이=4.9 N×1 m=4.9 J이다.

채점 기준		배점
(1)	4.9 N을 쓴 경우	50 %
(2)	한 일의 양을 풀이 과정과 함께 옳게 설명한 경우	50 %
	한 일의 양만 옳게 쓴 경우	30 %

7 추가 가지는 중력에 의한 위치 에너지가 말뚝을 박은 일로 전환된다. 추가 가지는 중력에 의한 위치 에너지는 추의 질량과 추의 높이에 각각 비례하고, 말뚝이 박히는 깊이는 추가 가지는 중력에 의한 위치 에너지에 비례한다.

모범 답안 추의 질량을 4배로 한다, 추의 높이를 4배로 한다, 추의 질량과 추의 높이를 각각 2배로 한다 등

채점 기준	배점
2가지 방법을 모두 옳게 설명한 경우	100 %
1가지 방법만 옳게 설명한 경우	50 %

8 추를 공중에서 놓으면 추에 중력이 일을 하며, 이 일이 추의 운동 에너지로 전환되기 때문에 추가 낙하함에 따라 추의 운동 에너지가 증가한다. 추의 낙하 높이가 클수록 추의 운동 에너지가 증가하고, 추의 운동 에너지는 추의 질량과 추의 속력의 제곱에 각각 비례하므로 추의 질량이 일정할 때 추의 속력의 제곱은 추의 낙하 높이에 비례한다.

모범 답안 (1) 추에 중력이 한 일이 추의 운동 에너지로 전환되기 때문에 추가 낙하함에 따라 추의 운동 에너지가 증가한다.
(2) 추의 속력의 제곱은 추의 낙하 높이에 비례한다.

채점 기준		배점
(1)	운동 에너지가 증가하는 까닭을 중력이 한 일과 관련지어 옳게 설명한 경우	50 %
	중력이 일을 한다고만 설명한 경우	30 %
(2)	추의 속력과 낙하 높이의 관계를 옳게 설명한 경우	50 %

최상위권 도전 문제

1권 164쪽~167쪽

1 ④ **2** ㉠ 0.49, ㉡ 1.47, ㉢ 2.45, ㉣ 3.43, 그림: 해설 참조 **3** ② **4** ① **5** ③ **6** ② **7** ⑤ **8** ③

1 각 구간에서의 평균 속력은 각 구간에서의 이동 거리를 걸린 시간으로 나누어서 구한다. A~B 구간의 평균 속력 $=\frac{200\text{ m}}{40\text{ s}}=5\text{ m/s}$, B~C 구간의 평균 속력$=\frac{400\text{ m}}{50\text{ s}}=8\text{ m/s}$, C~D 구간의 평균 속력$=\frac{300\text{ m}}{30\text{ s}}=10\text{ m/s}$, A~D 구간의 평균 속력$=\frac{900\text{ m}}{120\text{ s}}=7.5\text{ m/s}$이다.

ㄱ. A~D 구간의 평균 속력은 7.5 m/s이다.

2 각 구간에서의 평균 속력은 ㉠$=\frac{4.9\text{ cm}}{0.1\text{ s}}=49\text{ cm/s}=0.49\text{ m/s}$, ㉡$=\frac{14.7\text{ cm}}{0.1\text{ s}}=147\text{ cm/s}=1.47\text{ m/s}$, ㉢$=\frac{24.5\text{ cm}}{0.1\text{ s}}=245\text{ cm/s}=2.45\text{ m/s}$, ㉣$=\frac{34.3\text{ cm}}{0.1\text{ s}}=343\text{ cm/s}=3.43\text{ m/s}$이다.

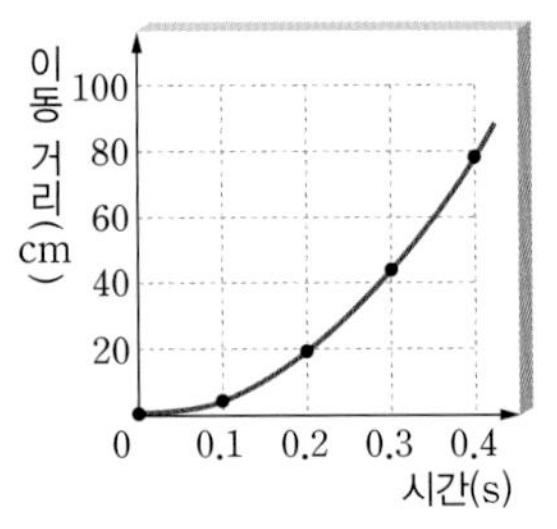

(가) 시간-이동 거리 그래프

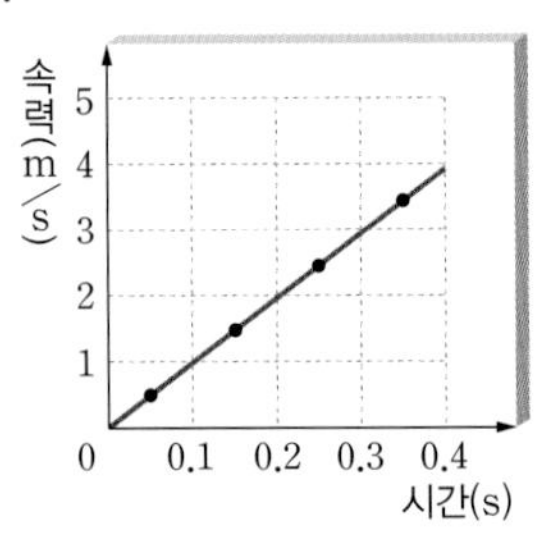

(나) 시간-속력 그래프

3 물체의 무게는 물체에 작용하는 중력의 크기를 나타내며, 중력 가속도 상수와 질량의 곱과 같다. 중력 가속도 상수는 자유 낙하 운동을 하는 물체의 속력이 1초마다 증가하는 비율을 나타낸다.

ㄱ. 화성 표면에서 질량이 10 kg인 물체의 무게는 37 N이다.

ㄷ. 달 표면에서 자유 낙하 운동을 하는 물체는 1초마다 속력이 1.6 m/s씩 증가한다.

4 (가)는 자유 낙하 운동, (나)는 빗면을 따라 내려오는 물체의 운동, (다)는 등속 직선 운동, (라)는 수평 방향으로 던진 물체의 운동(포물선 운동), (마)는 진자 운동, (바)는 등속 원운동을 나타낸 것이다.

ㄴ. (다)의 물체에는 힘이 작용하지 않는다.

ㄹ. (바)에서 물체는 물체에 작용하는 힘의 방향인 원의 중심으로 이동하지 않으므로 힘이 물체에 한 일의 양은 0이다.

5 마찰력이 작용하는 수평면에서 상자를 등속으로 밀거나 끌 때는 마찰력과 같은 크기의 힘을 작용해야 하며, 이때 상자에 마찰력에 대하여 일을 한 것이다. 우재가 상자에 마찰력에 대하여 한 일의 양=힘의 크기×이동 거리=마찰력의 크기×이동 거리=10 N×4 m=40 J이다.

물체를 등속으로 들어 올릴 때 물체의 무게와 같은 크기인 9.8×질량=9.8×5(kg)=49(N)의 힘을 작용해야 하며, 상자에 중력에 대하여 한 일의 양=힘의 크기×이동 거리=상자의 무게×들어 올린 높이=49 N×1 m=49 J이다.

ㄱ. 우재가 상자에 중력에 대하여 한 일의 양은 49 J이다.

ㄴ. 우재가 상자에 마찰력에 대하여 한 일의 양은 40 J이다.

6 자료 분석하기

실험	(가)	(나)
쇠구슬의 질량(g)	50	50
쇠구슬의 높이(cm)	10	20
나무 도막의 이동 거리(cm)	3	6

높이 2배 → 이동 거리 2배

(가)	(다)
50	100
10	10
3	6

질량 2배 → 이동 거리 2배

(가)	(라)
50	100
10	20
3	12

질량 2배, 높이 2배 → 이동 거리 2×2=4배

쇠구슬이 가지는 중력에 의한 위치 에너지가 나무 도막을 미는 일로 전환된다. 쇠구슬이 가지는 중력에 의한 위치 에너지는 쇠구슬의 질량과 높이에 각각 비례하고, 나무 도막의 이동 거리는 쇠구슬이 가지는 중력에 의한 위치 에너지에 비례한다. (가)의 경우 쇠구슬이 가지는 중력에 의한 위치 에너지는 9.8×질량×높이=(9.8×0.05) N×0.1 m=0.049 J, (나)의 경우 중력에 의한 위치 에너지는 (9.8×0.05) N×0.2 m=0.098 J, (다)의 경우 중력에 의한 위치 에너지는 (9.8×0.1) N×0.1 m=0.098 J, (라)의 경우 중력에 의한 위치 에너지는 (9.8×0.1) N×0.2 m=0.196 J이다.

① (다)와 비교했을 때 (라)의 쇠구슬은 질량은 같지만 높이는 2배이므로 중력에 의한 위치 에너지가 2배가 되어 나무 도막의 이동 거리도 2배가 된다. 따라서 ㉠은 12이다.

③ (나)의 쇠구슬이 가지는 중력에 의한 위치 에너지는 (9.8×0.05) N×0.2 m=0.098 J이다.

④ (가)와 (나)를 비교하면 쇠구슬의 질량이 일정할 때 쇠구슬이 가지는 중력에 의한 위치 에너지와 쇠구슬의 높이의 관계를 알 수 있다.

⑤ (가)와 (다)를 비교하면 쇠구슬의 높이가 일정할 때 쇠구슬이 가지는 중력에 의한 위치 에너지는 쇠구슬의 질량에 비례한다는 사실을 알 수 있다.

7 자료 분석하기

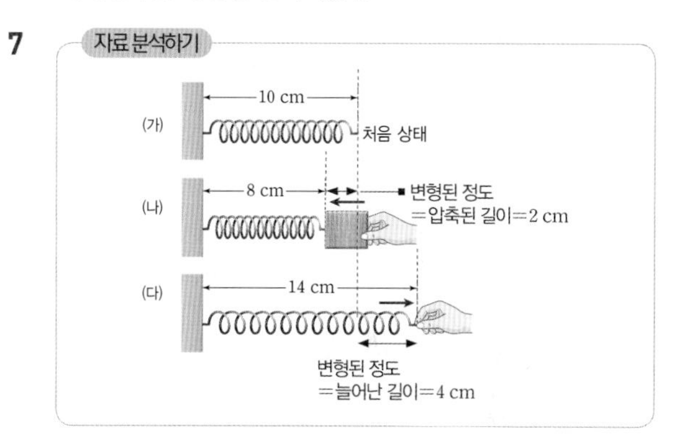

탄성력은 힘을 받아 변형된 물체가 원래의 모양으로 되돌아가려는 힘으로, 물체가 변형된 정도에 비례한다. 탄성력에 의한 위치 에너지는 용수철이나 고무줄과 같은 탄성체가 변형되었을 때 가지는 위치 에너지이며, 탄성체가 많이 변형될수록(늘어나거나 압축될수록) 탄성력이 커지면서 탄성력에 의한 위치 에너지도 커진다. 용수철에 의한 탄성력의 크기(F)는 변형된 길이(x)에 비례하므로 $F=kx$(k는 용수철 상수)이고, 용수철이 가지는 탄성력에 의한 위치 에너지는 $\frac{1}{2}kx^2$으로 변형된 길이의 제곱에 비례한다.

① (나)에서 나무 도막을 미는 일은 용수철이 가지는 탄성력에 의한 위치 에너지로 전환된다.

② 탄성력의 크기는 용수철이 변형된 길이에 비례한다.

③ (가)에서 용수철이 가지는 탄성력에 의한 위치 에너지는 0이다.

④ 용수철이 가지는 탄성력에 의한 위치 에너지는 (나)에서

보다 (다)에서가 크다.

8 추를 공중에서 놓으면 중력이 추에 일을 하며, 이 일이 추의 운동 에너지로 전환되기 때문에 추가 낙하함에 따라 추의 운동 에너지가 증가한다. 추의 낙하 높이가 클수록 추의 운동 에너지가 증가하고, 추의 운동 에너지는 추의 질량과 추의 속력의 제곱에 각각 비례한다. (나)에서 중력이 추에 한 일의 양은 9.8×질량×높이이므로 $(9.8\times0.1)\ \mathrm{N}\times0.2\ \mathrm{m}=0.196\ \mathrm{J}$이며, (다)에서 추의 운동 에너지는 $\frac{1}{2}\times0.1\ \mathrm{kg}\times(2.42\ \mathrm{m/s})^2 \fallingdotseq 0.293\ \mathrm{J}$이다.

① (추의 속력)^{2}이 추의 낙하 높이에 비례한다.
② (다)에서 추의 운동 에너지는 약 0.293 J이다.
④ 중력이 추에 한 일이 추의 운동 에너지로 전환된다.
⑤ 추의 낙하 높이를 (가)에서의 4배인 40 cm로 하면 추의 운동 에너지가 (가)에서 측정된 운동 에너지의 4배가 된다. 이때 운동 에너지는 속력의 제곱에 비례하므로 추의 속력은 (가)에서의 2배가 된다.

창의·사고력 향상 문제

1권 169쪽~171쪽

1 문제 해결 가이드 구간별 공의 이동 거리와 걸린 시간을 이용하여 평균 속력을 구한 후, 공의 속력이 일정하게 증가하는 까닭을 공에 작용하는 힘의 크기와 관련지어 다음과 같은 과정으로 설명한다.

• 공의 평균 속력이 일정하게 증가한다는 점 • • 일정한 크기의 힘이 공의 운동 방향과 같은 방향으로 작용하면 속력 변화가 일정하다는 점을 설명한다.

모범 답안 (1)

구간	A	B	C	D
걸린 시간(초)	0.2	0.2	0.2	0.2
이동 거리(cm)	4	12	20	28
평균 속력(cm/s)	20	60	100	140

(2)

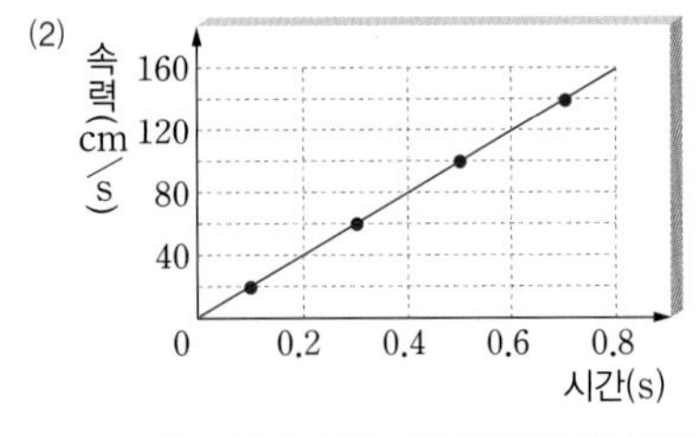

공의 운동 방향과 같은 방향으로 일정한 크기의 힘이 작용하여 공의 속력은 일정하게 증가한다.

채점 기준		배점
(1)	구간별 이동 거리와 평균 속력을 모두 옳게 쓴 경우	40 %
	구간별 이동 거리만 옳게 쓴 경우	20 %
(2)	그래프를 그리고, 공의 속력 변화를 힘과 관련지어 옳게 설명한 경우	60 %
	그래프만 옳게 그린 경우	40 %
	공의 속력 변화만 힘과 관련지어 옳게 설명한 경우	20 %

2 문제 해결 가이드 공의 운동 방향과 공에 작용하는 중력의 방향을 이용하여 다음과 같은 과정으로 설명한다.

• 올라갈 때는 공의 운동 방향과 반대 방향으로 중력이 작용한다는 점 • • 내려올 때는 공의 운동 방향과 같은 방향으로 중력이 작용한다는 점을 설명한다.

모범 답안

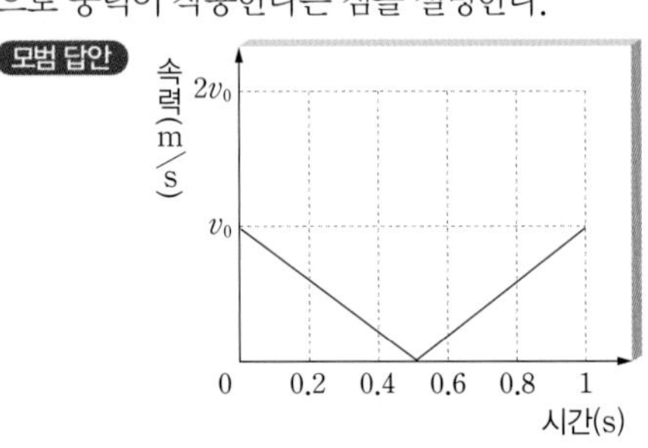

공이 올라갈 때는 중력이 공의 운동 방향과 반대 방향으로 작용하여 공의 속력이 일정하게 감소하고, 공이 내려올 때는 중력이 공의 운동 방향과 같은 방향으로 작용하여 공의 속력이 일정하게 증가한다.

채점 기준	배점
그래프를 그리고, 공의 속력 변화를 힘과 관련지어 옳게 설명한 경우	100 %
그래프만 옳게 그린 경우	60 %
공의 속력 변화만 힘과 관련지어 옳게 설명한 경우	40 %

3 문제 해결 가이드 인공위성에 작용하는 중력의 크기를 구하고, 중력이 인공위성에 한 일의 양을 다음과 같은 과정으로 설명한다.

• 인공위성에 작용하는 중력의 방향과 인공위성의 이동 방향이 수직인 점 • • 인공위성이 중력의 방향으로 이동한 거리가 0이므로 한 일의 양도 0이라는 점을 설명한다.

모범 답안 (1) 지구가 인공위성에 작용하는 중력의 크기는 $(7.6\times120)\ \mathrm{N}=912\ \mathrm{N}$이다.
(2) 0, 인공위성에 중력이 작용하였어도 인공위성이 중력의 방향과 수직인 방향으로 이동하여 중력의 방향으로 이동한 거리가 0이므로, 중력이 인공위성에 한 일의 양은 0이다.

채점 기준		배점
(1)	912 N이라고 쓴 경우	40 %
(2)	중력이 인공위성에 한 일의 양과 그 까닭을 옳게 설명한 경우	60 %
	중력이 인공위성에 한 일의 양이 0이라고만 쓴 경우	30 %

4 문제 해결 가이드 화살에 중력이 작용하여 표적 중심에서 벗어나는 것을 다음과 같은 과정으로 설명한다.

• 수평 방향으로는 화살이 등속 운동을 한다는 점 • 연직 방향으로는 화살이 자유 낙하 운동을 한다는 점을 이용하여 낙하 거리를 구한다.

모범 답안 화살이 수평 방향으로 등속 운동을 하면 표적까지 걸리는 시간은 $\frac{\text{이동 거리}}{\text{속력}}=\frac{25\text{ m}}{50\text{ m/s}}=0.5\text{ s}$이다.

0.5초 동안 화살이 자유 낙하 하면, 0.5초 후 화살의 연직 방향의 속력은 4.9 m/s가 되므로 화살의 연직 낙하 거리는 평균 속력×걸린 시간$=\frac{4.9\text{ m/s}}{2}\times0.5\text{ s}=1.225\text{ m}$이다. 따라서 화살은 표적의 중심에서 연직 아래 방향으로 1.225 m 떨어진 곳에 맞는다.

채점 기준	배점
화살이 떨어진 거리와 그 까닭을 옳게 설명한 경우	100 %
화살이 떨어진 거리만 옳게 쓴 경우	50 %

5 문제 해결 가이드 중력이 작용하여 속력이 변하는 구간과 그렇지 않는 구간으로 나누어 다음과 같은 과정으로 설명한다.

• 빗면에서는 쇠구슬에 중력이 작용하여 속력이 변한다는 점 • 수평면에서는 쇠구슬이 등속 직선 운동을 한다는 점을 설명한다.

모범 답안 AB 구간에서는 쇠구슬에 중력이 일을 하여 쇠구슬은 속력이 일정하게 증가하는 운동을 하고, BC 구간에서는 수평면이므로 쇠구슬은 등속 직선 운동을 한다.

채점 기준	배점
모든 구간에서 쇠구슬의 운동과 까닭을 옳게 설명한 경우	100 %
한 구간에서의 운동과 까닭만 옳게 설명한 경우	50 %

6 문제 해결 가이드 자동차의 속력이 빨라지면 제동 거리가 길어져서 앞차와의 안전거리를 더 많이 확보해야 함을 다음과 같은 과정으로 설명한다.

• 자동차의 운동 에너지는 자동차의 속력의 제곱에 비례한다는 점 • 자동차의 속력이 빠를수록 자동차의 제동 거리가 길어지므로 안전거리를 더 많이 확보해야 함을 설명한다.

모범 답안 제동 거리는 운동 에너지에 비례하고 운동 에너지는 (속력)^{2}에 비례하므로 자동차의 속력이 2배, 3배가 되면 제동 거리는 각각 4배, 9배가 된다. 따라서 자동차의 속력이 빠를수록 자동차의 제동 거리가 길어져 앞차와의 안전거리를 더 많이 확보해야 한다.

채점 기준	배점
자동차의 제동 거리 변화와 안전거리를 더 많이 확보해야 하는 까닭을 모두 옳게 설명한 경우	100 %
자동차의 제동 거리 변화와 안전거리를 더 많이 확보해야 하는 까닭 중 한 가지만 옳게 설명한 경우	50 %

IV 자극과 반응

01 감각 기관

학습 내용 Check

1권 178쪽	1 수정체	2 홍채
	3 망막	4 각막, 뇌
	5 커, 작아	6 얇아, 두꺼워
1권 180쪽	1 고막, 달팽이관	2 전정 기관
	3 반고리관	
1권 182쪽	1 후각 상피	2 기체, 후각 신경
	3 맛봉오리	4 액체, 미각 신경
	5 감칠맛	
1권 183쪽	1 감각점	2 압점, 통점
	3 뇌	

탐구 확인 문제 1권 184쪽

1 (1) × (2) ○ (3) × (4) ○ (5) ×
2 홍채, 어두운 곳에서는 홍채가 축소하여 동공의 크기가 커지므로 눈으로 들어오는 빛의 양이 많아진다.

1 (1) 손전등에 종이를 붙이는 것은 손전등의 불빛을 약하게 하여 눈으로 강한 빛이 들어가지 않게 하기 위해서이다.
(2) 눈을 감으면 눈으로 빛이 들어가지 않아 홍채가 축소한다.
(3) 어두운 곳에서 실험하면 눈에 빛을 비추었을 때 동공의 크기 변화를 더 잘 관찰할 수 있다.
(4), (5) 손전등을 비추면 빛의 세기가 강해져 홍채가 확장하고 동공이 작아진다.

2 어두운 곳에서는 눈으로 들어가는 빛의 양을 늘리기 위하여 홍채가 축소하고 동공이 커진다.

탐구 확인 문제 1권 185쪽

1 (1) ○ (2) × (3) × (4) × **2** 손가락 끝, 두 핀 사이의 거리가 짧아도 두 점으로 느낄 수 있는 것은 감각점이 촘촘하게 많이 분포하여 접촉 자극에 예민하기 때문이다.

1 (1) 몸의 부위에 따라 감각점의 수에 차이가 있다.
(2) 촉점이 많을수록 촉각이 예민하다.
(3) 온점과 냉점은 절대 온도가 아니라 온도의 상대적인 변화를 감각한다.
(4) 온도가 낮아지면 냉점이 자극을 받아 차가움을 느끼고, 온도가 높아지면 온점이 자극을 받아 따뜻함을 느낀다.

2 두 개의 핀을 두 개의 점으로 느낀 거리가 짧을수록 촉점이 가깝게 많이 분포하는 것이고, 이것은 접촉 자극에 예민하다는 것을 뜻한다. 그러므로 핀을 두 개의 점으로 느낀 거리가 가장 짧은 손가락 끝이 접촉 자극에 가장 예민하다는 것을 알 수 있다.

개념 확인 문제

1권 188쪽~191쪽

01 ③ **02** (1) D, 홍채 (2) J, 수정체 (3) H, 맥락막 (4) F, 시각 신경 **03** ⑤ **04** ③ **05** ③ **06** ② **07** ⑤ **08** ② **09** ㄴ, ㄹ, ㅂ **10** ④ **11** ㉠ E, ㉡ F, ㉢ A, ㉣ H, ㉤ D **12** B: 반고리관, C: 전정 기관 **13** G: 귀인두관 **14** ③ **15** ⑤ **16** ④ **17** ② **18** ⑤ **19** ② **20** ② **21** ①

01 자료 분석하기

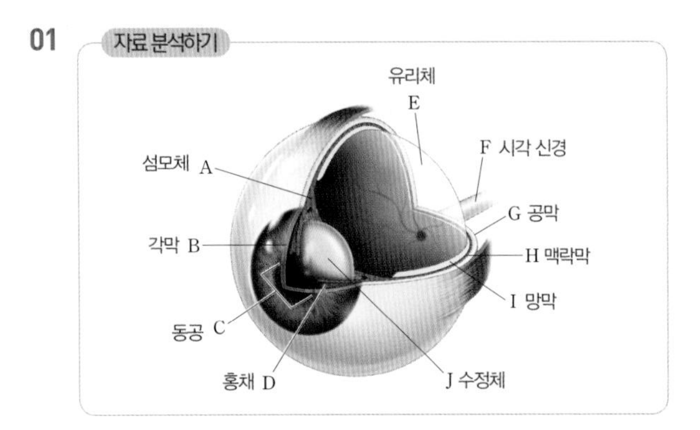

③ 시각 세포가 있는 곳은 I(망막)이며, D는 빛의 밝기에 따라 동공의 크기를 조절하는 홍채이다.

02 (1) 주변의 밝기에 따라 홍채가 축소 또는 확장하여 동공의 크기가 변한다.
(2) 물체와의 거리가 가까우면 수정체가 두꺼워지고, 물체와의 거리가 멀어지면 수정체가 얇아진다.
(3) 맥락막은 검은색 색소가 있어 눈의 내부를 어둡게 한다.
(4) 시각 세포에서 받아들인 자극은 시각 신경을 통해 뇌로 전달된다.

03 각막을 통해 눈으로 들어온 빛은 수정체에서 굴절되고 유리체를 지나 망막의 시각 세포를 거쳐 시각 신경을 통해 뇌로 전달된다.

04 ㄱ. 오른쪽 눈으로 닭을 계속 주시하면 오른쪽 눈의 망막에 닭의 상이 맺힌다.
ㄴ. 병아리가 보이지 않게 되는 것은 병아리의 상이 시각 세포가 없는 맹점에 맺혔기 때문이다.
ㄷ. 닭을 계속 주시하고 있으므로 병아리가 보이지 않는 상태에서도 닭은 계속 보인다.

05 (가)보다 (나)의 동공이 작아졌으므로 처음보다 주변이 밝아져 홍채가 확장하였고 동공이 작아져 눈으로 들어오는 빛의 양이 줄어들었다.

06 ㄱ. 섬모체가 수축하여 수정체가 두꺼워졌다. 섬모체가 이완하면 수정체가 얇아진다.
ㄴ. (가)보다 (나)에서 수정체의 두께가 두꺼워졌으므로 처음보다 가까운 곳의 물체를 보는 상태이다.
ㄷ. 주변의 밝기에 따른 눈의 조절 작용은 홍채의 축소와 확장에 따른 동공의 크기 변화이다.

07 ㄱ. 밝은 곳에 있다가 깜깜한 곳으로 갔으므로 홍채는 (가)일 때보다 (나)일 때 축소된다.
ㄴ. 홍채가 축소되어 동공의 크기는 (가)일 때보다 (나)일 때 더 커진다.
ㄷ. 가까운 곳에 있는 책을 읽다가 먼 곳의 별을 보았으므로 수정체의 두께는 (가)일 때보다 (나)일 때 더 얇다.

08 자료 분석하기

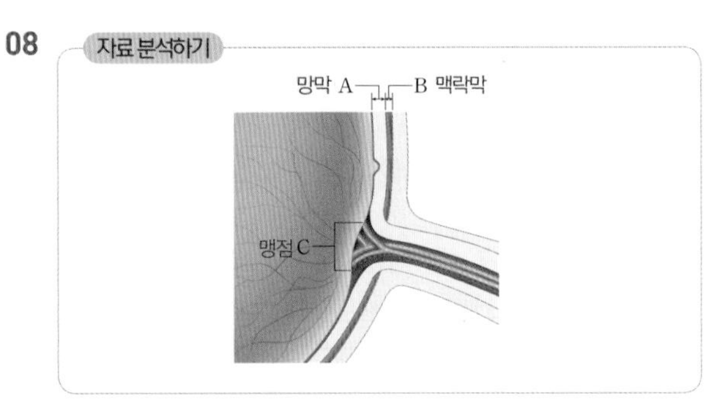

① 검은색 색소가 있어 빛을 흡수하여 눈 속에서 빛이 반사되는 것을 막는 역할을 하는 곳은 맥락막(B)이다.
② 망막(A)에는 빛을 감지하는 시각 세포가 분포하여 빛 자극을 받아들인다.
③, ④ 눈에서 받아들인 자극을 뇌로 전달하는 것은 시각 신경이다.
⑤ 맹점(C)에는 시각 세포가 분포하지 않아 상이 맺히더라도 볼 수 없다.

09 귀의 달팽이관은 소리, 전정 기관은 몸의 기울어짐, 반고리관은 몸의 회전을 자극으로 받아들인다. 빛(ㄱ)은 눈, 온도 변화(ㄷ)는 피부, 기체 물질(ㅁ)은 코를 통해 감지한다.

10 자료 분석하기

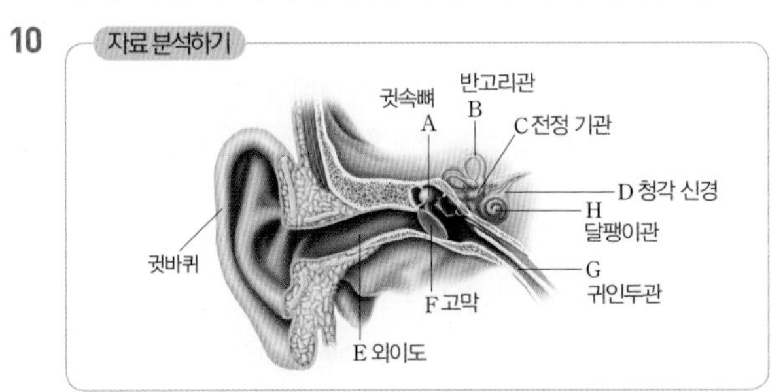

① 귓속뼈(A)는 고막(F)의 진동을 증폭시킨다.
② 반고리관(B)은 몸의 회전을 감지한다.
③ 청각 신경(D)은 청각 세포가 받아들인 자극을 뇌로 전달한다.
⑤ 귀인두관(G)은 고막 안쪽과 바깥쪽의 압력을 같게 조절한다.

11 귓바퀴에서 모아진 소리는 외이도(E)를 통해 이동하여 고막(F)을 진동시킨다. 고막의 진동은 귓속뼈(A)에서 증폭되어 달팽이관(H)의 청각 세포를 자극하고, 이 자극은 청각 신경(D)을 통해 뇌로 전달되어 소리를 듣게 된다.

12 반고리관(B)은 몸의 회전을, 전정 기관(C)은 몸의 기울어짐을 자극으로 받아들이는 평형 감각 기관이다.

13 높은 산에 올라가 기압이 낮아지면 귀가 먹먹해지는 것은 고막 안팎의 압력이 달라서 나타나는 현상이다. 이때 하품을 하거나 침을 삼키면 귀인두관(G)을 통해 공기가 나가면서 고막 안쪽의 압력이 조절되어 먹먹한 증상이 사라진다.

14 자료 분석하기

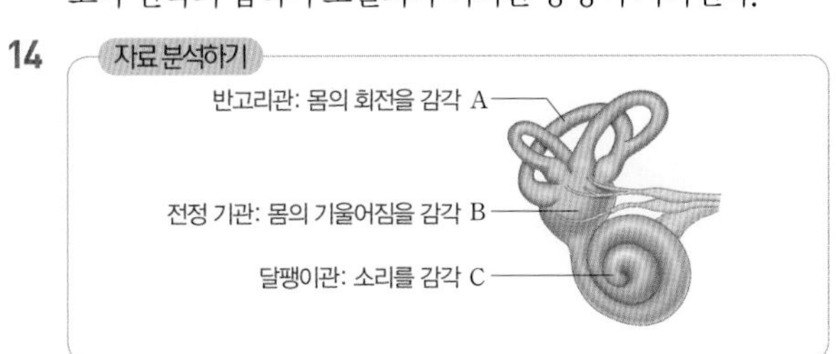

몸의 기울어짐은 전정 기관(B)에서 감지하고, 몸의 회전은 반고리관(A)에서 감지한다.

15 ㄱ. 코는 기체 물질을 냄새 자극으로 받아들인다.
ㄴ. 코의 후각 상피에 있는 후각 세포에서 기체 물질을 자극으로 받아들이고 이 자극이 후각 신경을 통해 뇌로 전달되어 냄새를 맡을 수 있게 된다.
ㄷ. 같은 냄새 자극이 계속되면 후각 세포가 피로해져 그 냄새를 느끼지 못하게 된다.

16 자료 분석하기

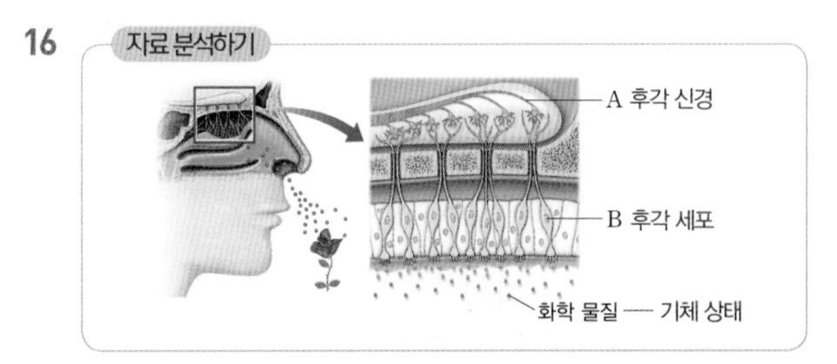

③ 후각으로 느끼는 냄새의 종류는 5가지보다 더 많다.
⑤ 후각 세포(B)가 받아들인 자극은 후각 신경(A)을 거쳐 뇌로 전달된다.

17 자료 분석하기

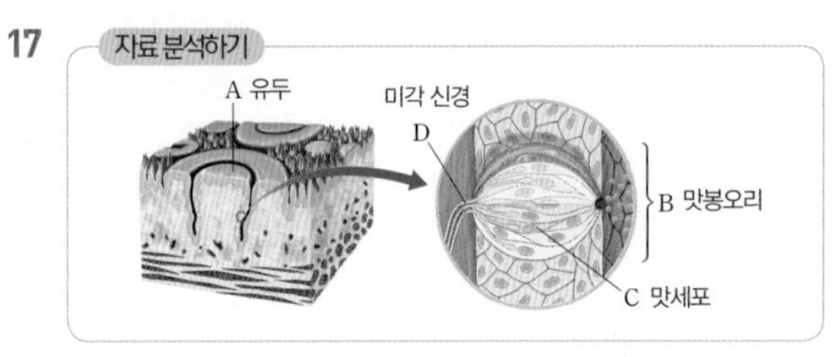

② B는 혀의 유두(A) 옆부분에 있는 맛봉오리이며, 맛세포가 모여 있다.

18 혀에서 느끼는 기본 맛은 단맛, 쓴맛, 짠맛, 감칠맛, 신맛이다. 매운맛은 피부에서 느끼는 피부 감각이다.

19 ① 콧속 천장에 기체 물질을 자극으로 받아들이는 후각 세포가 있다.
② 일반적으로 후각은 다른 감각에 비해 예민하며 쉽게 피로해지는 특징이 있다.
③ 혀의 유두 옆부분에는 맛세포가 모인 맛봉오리가 있다.
④ 후각은 기체 상태의 화학 물질, 미각은 액체 상태의 화학 물질을 자극으로 받아들인다.
⑤ 감각 세포가 자극을 받아들이고, 이를 감각 신경이 뇌로 전달하면 감각을 느끼게 된다.

20 ① 감각점은 신경 말단이 특수하게 분화한 것이다.
② 촉점보다 압점이, 압점보다 통점이 강한 자극을 받아들인다.
③ 감각점은 피부 전체에 분포되어 있으나 신체 부위에 따라 분포 수가 다르다.
④ 온도 변화는 온점과 냉점에서 받아들이므로 온도 변화를 받아들이는 감각점은 두 종류이다.
⑤ 피부에 가장 많이 분포하는 감각점은 통점이다.

21 몸의 부위에 따라 피부 감각점의 분포 수가 다르고, 같은 부위에서도 각 감각점의 밀도가 다르다. 감각점이 많이 분포할수록 피부 감각이 예민하다. 일반적으로 통점이 가장 많고 온점이 가장 적다.

실력 강화 문제

1권 192쪽~193쪽

01 ③, ④	02 ①	03 ⑤	04 수축	05 ④
06 ㄷ	07 ①, ③	08 ⑤	09 ②	10 ②, ④

01 ① 시각 세포는 눈의 망막에 분포한다.
② 귀의 달팽이관은 소리를 받아들인다.
③ 귀의 반고리관 내부에는 감각 세포가 분포하여 회전에 의한 림프의 움직임을 감각한다.
④ 혀에는 맛세포가 있어 액체 상태의 화학 물질을 자극으로 받아들이고, 코에는 후각 세포가 있어 기체 상태의 화학 물질을 자극으로 받아들인다.
⑤ 몸의 부위에 따라 감각점의 분포 밀도가 달라 자극을 민감하게 받아들이는 정도가 다르다.

02 자료 분석하기

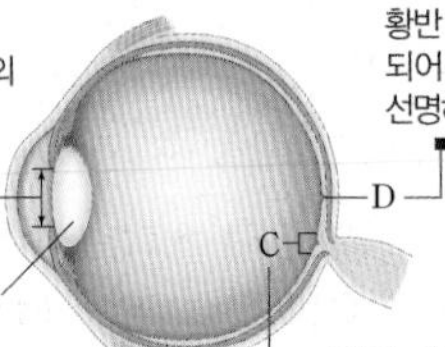
동공: 어두워지면 동공의 크기가 커진다.
황반: 시각 세포가 밀집되어 있어 상이 맺히면 선명하게 보인다.
A
B
C
D
수정체: 가까운 곳의 물체를 볼 때 두꺼워진다.
맹점: 시각 세포가 없어 상이 맺혀도 볼 수 없다.

ㄱ, ㄷ. 주변이 어두워지면 동공의 크기(A)가 커져 눈으로 들어오는 빛의 양이 증가한다.
ㄴ. 수정체의 두께(B)는 눈과 물체 사이의 거리에 따라 달라진다.

03 ① C는 맹점으로, 시각 신경이 모여서 나가는 부분이다.
② 맹점과 황반(D) 모두 망막에 있다.
③ 맹점에는 시각 세포가 없어 상이 맺혀도 볼 수 없다.
④, ⑤ 황반에는 시각 세포가 밀집되어 있어 상이 맺히면 가장 선명하게 보인다.

04 자료 분석하기

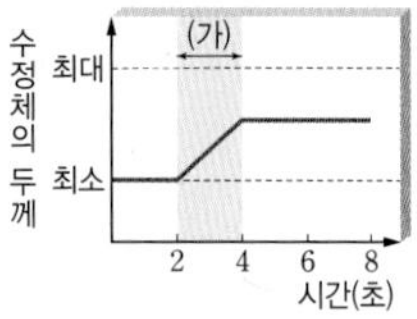
수정체의 두께
최대
최소
(가)
2
4
6
8
시간(초)

• 0~2초: 수정체의 두께가 최소이므로 먼 곳의 물체를 보고 있다.
• 2~4초: 수정체의 두께가 두꺼워지므로 물체와의 거리가 가까워지고 있다.
• 4~8초: 수정체의 두께가 처음보다 두꺼워졌으므로 가까워진 물체를 보고 있다.

수정체는 섬모체의 수축과 이완에 의해 두께가 조절되는데, 눈과 물체 사이의 거리가 가까우면 섬모체가 수축하여 수정체가 두꺼워진다.

05 ㄱ. 2~4초 동안 수정체가 두꺼워지므로 물체와 철수 사이의 거리가 가까워지고 있다.
ㄴ. 4~8초 동안 수정체의 두께에 변화가 없으므로 물체와 철수 사이의 거리는 가까운 상태에서 변화가 없다. 철수가 물체를 바라보고 있으므로 물체의 상이 맺히는 위치는 황반에서 변하지 않는다.
ㄷ. 2초일 때보다 8초일 때 물체가 철수에게 가까이 있으므로 물체가 더 크게 보인다.

06 시각 신경이 손상되면 망막에 맺힌 상의 자극이 뇌로 전달되지 않는다.

07 자료 분석하기

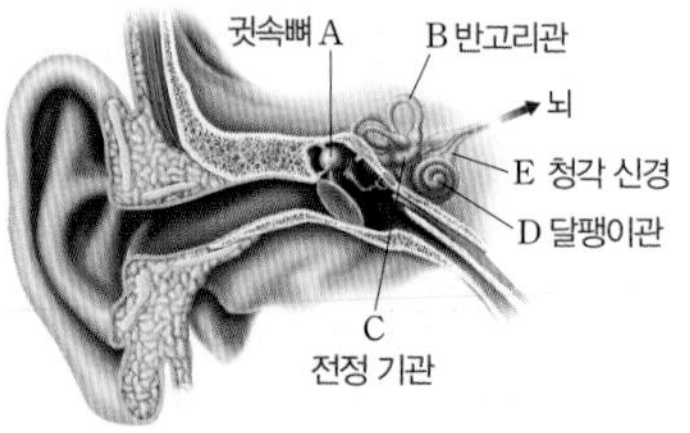
귓속뼈 A
B 반고리관
뇌
E 청각 신경
D 달팽이관
C
전정 기관

① 귓속뼈(A)는 고막의 진동을 증폭시킨다.
② 반고리관(B)은 몸이 회전하는 자극을 받아들인다.
③ 반고리관(B)에는 몸의 회전을 자극으로 받아들이는 감각 세포가 있고, 전정 기관(C)에는 몸의 기울어짐을 자극으로 받아들이는 감각 세포가 있다.
④ 달팽이관(D)은 소리 자극을 받아들이지만, 평형 감각을 담당하지는 않는다.
⑤ 청각 신경(E)은 달팽이관(D)의 청각 세포에서 받아들인 자극을 뇌로 전달한다.

08 ㄱ. (가)에서 스마트폰으로 음악을 틀면 진동이 발생한다.
ㄴ. (나)에서 음악이 나오는 스마트폰에 손바닥을 대면 소리 진동이 피부의 감각점(촉점, 압점)을 자극하여 진동이 느껴진다.
ㄷ. (다)에서 귀마개는 소리가 외이도를 지나가지 못하게 하여 고막이 진동하는 것을 막는다.

09 ㄱ. (가)에서 사과주스와 포도주스의 맛을 구분할 때 미각만 관여했다면 (나)에서도 사과주스와 포도주스의 맛을 구분할 수 있어야 한다.
ㄴ. 코를 막으면 후각 세포를 통한 자극 전달은 일어나지 않지만, 혀의 미각 신경을 통한 자극 전달은 일어난다.
ㄷ. (가)와 (나)에서 모두 눈을 가렸으므로 시각이 하는 역할은 확인할 수 없다.

10 ① 혀의 맛세포를 통해 감지하는 기본 맛은 5가지이지만, 뇌에서는 맛의 조합과 후각을 통한 감각을 통합하여 음식의 맛을 다양하게 느낀다.
② 혀는 피부의 일종이므로 피부 감각도 감지하여 온도 변화를 느끼고, 매운맛과 같은 아픔도 느낀다.
③ 후각 세포는 기체 물질을 자극으로 받아들인다.
④ 피부의 감각점은 감각 신경과 연결되어 있어 자극이 뇌로 전달된다.
⑤ 맛세포가 받아들인 자극은 미각 신경을 통해, 후각 세포가 받아들인 자극은 후각 신경을 통해 뇌로 전달된다.

서술형 문제

1권 194쪽~195쪽

1 홍채는 주변의 밝기에 따라 확장하거나 축소하여 눈으로 들어오는 빛의 양을 조절한다. 밝은 곳에서는 홍채가 확장하여 동공이 작아져 눈으로 들어오는 빛의 양이 감소하고, 어두운 곳에서는 홍채가 축소하여 동공이 커져 눈으로 들어오는 빛의 양이 증가한다.

모범 답안 밝은 곳에 있다가 어두운 곳으로 가서 홍채가 축소하고 동공이 커져 눈 속으로 들어오는 빛의 양이 증가하였다.

채점 기준	배점
주변의 밝기 변화를 쓰고, 그에 따른 홍채와 동공의 변화를 옳게 설명한 경우	100 %
주변의 밝기 변화만 옳게 설명한 경우	50 %

2 영희는 가까운 곳의 물체는 잘 보이지만 먼 곳의 물체는 잘 보이지 않으므로 근시이다.

모범 답안 물체의 상이 망막에 맺혀야 시각 세포가 이를 자극으로 받아들여 시각 신경을 통해 뇌로 전달한다. 영희는 상이 망막의 앞에 맺히는 근시이므로 오목 렌즈를 사용하여 상이 망막에 맺히도록 교정해야 한다.

채점 기준	배점
물체를 보는 과정과 상이 망막의 앞에 맺히므로 오목 렌즈로 교정해야 한다는 것을 옳게 설명한 경우	100 %
상이 망막의 앞에 맺히므로 오목 렌즈로 교정해야 한다는 것만 옳게 설명한 경우	70 %
물체를 보는 과정만 옳게 설명한 경우	30 %

3 눈과 물체 사이의 거리에 따라 섬모체가 수축 또는 이완하여 수정체가 두꺼워지거나 얇아지면서 망막에 뚜렷한 상이 맺히도록 조절한다.

모범 답안 먼 곳을 보다가 가까운 곳을 보면 섬모체(A)가 수축하여 수정체(B)가 두꺼워진다.

채점 기준	배점
기호와 이름을 옳게 쓰고, 섬모체의 작용으로 인한 수정체의 두께 변화를 옳게 설명한 경우	100 %
기호와 이름을 써서 섬모체의 작용만 옳게 설명하였거나 수정체의 두께 변화만 옳게 설명한 경우	50 %

4 왼쪽 눈을 감고 오른쪽 눈으로 닭을 바라보면 닭의 상이 황반에 맺힌 상태로 유지된다. 그러나 병아리는 책과 눈 사이의 거리가 달라짐에 따라 망막에 상이 맺히는 위치가 달라진다. 처음에는 병아리가 보이다가 어느 순간 보이지 않게 되는데, 이는 병아리의 상이 맹점에 맺혔기 때문이다. 맹점은 시각 신경이 모여서 나가는 부위로, 시각 세포가 없어 상이 맺혀도 볼 수 없다.

모범 답안 C, 맹점, 맹점은 시각 신경이 모여서 나가는 곳으로, 시각 세포가 없어 맹점에 병아리의 상이 맺히면 보이지 않는다.

채점 기준	배점
기호와 이름을 옳게 쓰고, 맹점에 상이 맺힌 것과 맹점에 시각 세포가 없다는 것을 모두 옳게 설명한 경우	100 %
기호와 이름을 옳게 쓰고, 맹점에 상이 맺혔기 때문이라고만 설명한 경우	70 %
기호와 이름만 옳게 쓴 경우	30 %

5 소리는 귓바퀴에서 모아져 외이도를 따라 이동하여 고막을 진동하고, 이 진동이 증폭되어 달팽이관의 청각 세포를 자극하면 청각 신경에 의해 자극이 뇌로 전달된다.

모범 답안 소리가 고막을 진동하면 이 진동이 귓속뼈(A)에서 증폭되어 달팽이관(E)으로 전달된다. 달팽이관에는 청각 세포가 있어 소리를 자극으로 받아들이고, 이 자극이 청각 신경(D)을 통해 뇌로 전달되어 소리를 듣게 된다.

채점 기준	배점
소리를 듣는 과정을 기호와 이름을 써서 옳게 설명한 경우	100 %
소리를 듣는 과정을 기호와 이름을 써서 설명하였으나 일부가 빠진 경우	50 %

6 몸의 회전은 귓속의 반고리관이 자극으로 받아들인다.

모범 답안 B, 반고리관, 반고리관은 몸이 회전하는 것을 자극으로 받아들인다.

채점 기준	배점
기호와 이름 및 기능을 옳게 설명한 경우	100 %
기호와 이름만 옳게 쓴 경우	50 %
반고리관이라고만 쓴 경우	30 %

7 혀의 맛세포는 5가지 기본 맛을 받아들이는데, 뇌에서는 미각뿐 아니라 후각, 피부 감각 등 다른 감각을 종합하여 다양한 맛을 느낀다.

모범 답안 맛세포를 통해 감각하는 기본 맛은 단맛, 신맛, 짠맛, 쓴맛, 감칠맛이다. 혀에서 느끼는 기본 맛은 5가지이지만 뇌에서는 이들 맛을 조합하고, 피부 감각과 후각 등을 종합하여 다양한 맛을 느끼게 된다.

채점 기준	배점
기본 맛을 옳게 쓰고, 맛의 조합과 다른 감각을 종합하여 뇌에서 맛을 느낀다는 것을 옳게 설명한 경우	100 %
맛을 느끼는 데는 미각뿐 아니라 후각 등도 관여한다는 것만 설명한 경우	70 %
기본 맛만 옳게 쓴 경우	30 %

8 매운맛은 혀의 맛세포에서 감각하는 미각이 아니라 피부의 통점에서 받아들이는 통각이고, 단맛은 혀의 맛세포에서 감각하는 미각이다.

모범 답안 (1) 매운맛은 혀와 입안의 피부에 있는 통점에서 자극을 받아들인 후 이 자극이 피부 감각 신경을 통해 뇌로 전달되어 느끼게 된다.
(2) 단맛은 혀의 유두 옆에 있는 맛봉오리의 맛세포에서 자극을 받아들인 후 이 자극이 미각 신경을 통해 뇌로 전달되어 느끼게 된다.

	채점 기준	배점
(1)	입안 피부의 통점에서 자극을 받아들여 피부 감각 신경을 통해 뇌로 전달된다고 옳게 설명한 경우	50 %
	피부의 통점을 통해 자극을 받아들인다고만 설명한 경우	30 %
(2)	단맛을 느끼는 과정을 단계별로 옳게 설명한 경우	50 %
	맛세포에서 자극을 받아들여 뇌로 전달된다고만 설명한 경우	30 %
	혀의 맛세포에서 자극을 받아들인다고만 설명한 경우	10 %

9 피부에서 온도 변화는 냉점과 온점을 통해 받아들이는데, 이들 감각점은 상대적인 온도 변화를 감각한다.

모범 답안 피부의 온점과 냉점은 상대적인 온도 변화를 감각하는데, 냉점은 처음보다 온도가 낮아지는 변화를 느끼고, 온점은 처음보다 온도가 높아지는 변화를 느낀다.

채점 기준	배점
온점과 냉점에서 감각하는 온도 변화를 옳게 설명한 경우	100 %
피부에 온도 변화를 감각하는 감각점이 있다고만 설명한 경우	30 %

02 신경계

학습 내용 Check

1권 197쪽	1 뉴런	2 가지, 축삭
	3 연합, 운동	4 감각, 연합, 운동
1권 200쪽	1 척수	2 대뇌, 소뇌
	3 연수	4 자율 신경계
1권 201쪽	1 대뇌	2 무조건 반사
	3 척수, 연수, 중간뇌	

탐구 확인 문제

1권 202쪽

1 (1) ○ (2) × (3) × (4) ○　　**2** ④

1 (1) 자를 잡는 반응의 중추는 대뇌이다.
(2) 자가 떨어진 거리가 길수록 자극을 받아들여 반응하기까지 시간이 오래 걸린 것이다.
(3) B는 떨어지는 자를 보고 자를 잡는다.
(4) 떨어지는 자를 보고 잡는 과정과 소리를 듣고 자를 잡는 과정 모두 감각 신경과 운동 신경이 관여한다.

2 눈으로 보고 자를 잡을 때보다 소리를 듣고 자를 잡을 때 자가 떨어진 거리의 평균값이 더 긴 것을 통해 청각을 통한 반응이 시각을 통한 반응보다 시간이 오래 걸린다는 것을 알 수 있다.

탐구 확인 문제

1권 203쪽

1 (1) ○ (2) ○ (3) × (4) ○ (5) ×　　**2** C → B → A

1 (1) A가 눈을 감는 것은 B가 고무망치로 무릎뼈 아래를 치는 것을 시각이 아닌 피부 감각을 통해서만 받아들이기 위해서이다.
(2) B가 고무망치로 치는 자극은 A의 피부에 있는 감각점을 통해 받아들여져 감각 신경을 통해 전달된다.
(3) 무조건 반사가 의식적인 반응보다 빠르게 나타난다.
(4) 자극이 왔을 때 자신도 모르게 다리가 올라가는 무릎 반사의 중추는 척수이고, 고무망치가 닿는 것을 느끼고 팔을 드는 의식적인 반응의 중추는 척수이다.
(5) 무릎 반사의 중추는 척수이고, 동공 반사의 중추는 중간뇌이다.

2 무릎 반사는 C(감각 뉴런) → B(연합 뉴런, 척수) → A(운동 뉴런)의 경로를 거쳐 나타난다. D는 대뇌에 있는 연합 뉴런이다.

개념 확인 문제

1권 206쪽~208쪽

01 ②, ④ **02** ④ **03** ① **04** ㉠ 감각 신경, ㉡ 중추 신경, ㉢ 운동 신경 **05** ② **06** ③, ⑤ **07** ③ **08** D, 연수 **09** ⑤ **10** ① **11** ② **12** ④ **13** ⑤ **14** ④ **15** (가) 연수, (나) 대뇌 **16** ②, ③ **17** ③

01 ① A는 축삭 돌기이며, 가지 돌기에서 받아들인 자극이 전달되는 통로이다.
② 신경 세포체(B)는 핵이 있어 뉴런의 생장과 생명 활동을 조절한다.
③ 가지 돌기(C)는 다른 뉴런으로부터 자극을 받아들인다.
④ 뉴런은 신경계를 구성하는 단위 세포이다.
⑤ 뉴런에서 자극은 가지 돌기(C) → 신경 세포체(B) → 축삭 돌기(A) 방향으로 전달된다.

02 가지 돌기(C)에서 자극을 받아들인다.

03 자료 분석하기

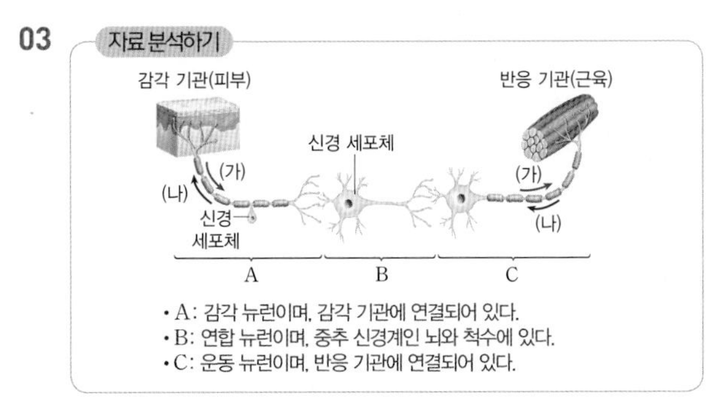

• A: 감각 뉴런이며, 감각 기관에 연결되어 있다.
• B: 연합 뉴런이며, 중추 신경계인 뇌와 척수에 있다.
• C: 운동 뉴런이며, 반응 기관에 연결되어 있다.

① 감각 뉴런(A)은 중추로 자극을 전달한다.
② 연합 뉴런(B)은 중추 신경계인 뇌와 척수에서 발견된다.
③ 운동 뉴런(C)은 운동 신경을 이룬다.
④ 감각 뉴런(A)과 운동 뉴런(C)은 말초 신경이다.
⑤ 자극의 전달은 감각 뉴런 → 연합 뉴런 → 운동 뉴런 방향으로 일어나므로 (가) 방향으로 이루어진다.

04 입력한 신호를 컴퓨터 본체로 전달하는 ㉠은 감각 기관에서 받아들인 자극을 중추 신경으로 전달하는 감각 신경에 비유할 수 있다. 여러 가지 정보를 처리하는 ㉡은 자극을 통합하고 판단하는 중추 신경에 해당하며, ㉢은 중추의 명령을 전달하는 운동 신경에 비유할 수 있다.

05 ㄱ. 말초 신경계에는 감각 신경과 운동 신경이 있으며, 운동 신경은 체성 신경과 자율 신경을 구성한다.
ㄴ. 신경계를 구성하는 기본 단위는 신경 세포인 뉴런이다.
ㄷ. 뇌와 척수에 연결된 감각 신경과 운동 신경은 말초 신경계에 속한다.

06 ①, ② A는 뇌와 척수이며, 연합 뉴런이 분포하는 중추 신경계이다.
③ 중추 신경계(A)는 자극을 통합하고 판단하여 명령을 내리는 역할을 한다.
④ B는 온몸에 분포한 말초 신경계이며, 감각 신경과 운동 신경으로 구성된다.
⑤ 시각 신경과 후각 신경은 감각 신경이며, 말초 신경계(B)에 포함된다.

07 자료 분석하기

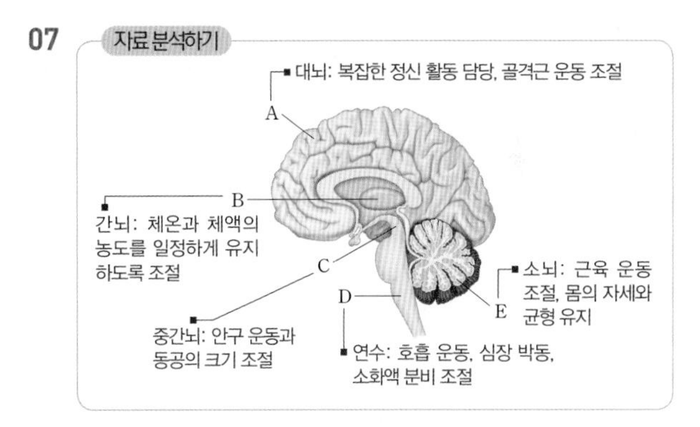

③ 동공의 크기를 조절하는 곳은 중간뇌(C)이다.

08 심장 박동 조절과 침 분비의 중추는 연수(D)이다.

09 대뇌는 뇌의 대부분을 차지할 만큼 부피가 크고, 표면에 주름이 많다. 대부분의 감각의 중추이고, 골격근의 움직임을 조절하며, 복잡한 정신 활동의 중추이다.
⑤ 내장 기관의 움직임은 연수, 척수 등의 조절을 받아 자율적으로 일어난다.

10 자료 분석하기

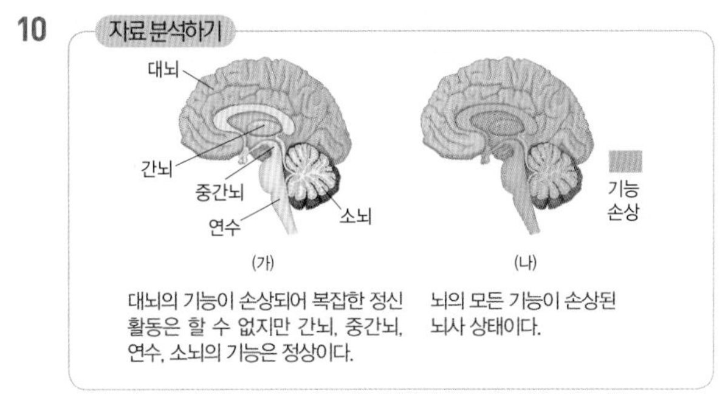

(가) 대뇌의 기능이 손상되어 복잡한 정신 활동은 할 수 없지만 간뇌, 중간뇌, 연수, 소뇌의 기능은 정상이다.
(나) 뇌의 모든 기능이 손상된 뇌사 상태이다.

①, ②, ③ (가)는 대뇌가 손상되었으므로 말하거나 보고 듣을 수 없다. 그러나 간뇌의 기능이 정상이므로 체온 조절

이 되고, 연수의 기능이 정상이므로 호흡 운동이 조절된다.
④, ⑤ (나)는 뇌의 모든 부분이 손상되었으므로 심장 박동을 조절하지 못하고 눈에 빛을 비추어도 동공 크기가 작아지는 반응이 일어나지 않는다.

11 ㄱ. A는 자극을 척수로 전달하는 감각 신경이다.
ㄴ. B는 척수의 명령을 전달하는 운동 신경이다.
ㄷ. C는 척수이며, 무릎 반사의 중추이다. 의식적인 반응의 중추는 대뇌이다.

12 ㄱ. 자극을 판단하고 종합하여 명령을 내리는 것은 중추 신경계이다.
ㄴ, ㄷ. 말초 신경계는 감각 신경과 운동 신경으로 구성되며, 몸의 각 부분과 중추 신경계를 연결한다.

13 심장 박동 조절의 중추는 연수(㉠)이고, 연수의 조절을 받는 부교감 신경과 같은 자율 신경계는 말초 신경계에 속한다.

14 ① 긴장하거나 놀라면 교감 신경이 작용하여 심장 박동과 호흡 운동이 빨라진다.
② 교감 신경이 작용하면 소화 운동이 억제되므로 소화가 잘되지 않는다.
③ 교감 신경이 작용하면 동공이 확대되므로 눈으로 들어오는 빛의 양이 증가한다.
④ 부교감 신경이 작용하면 호흡 운동이 억제되어 호흡이 느려진다.
⑤ 부교감 신경은 교감 신경과 반대로 작용하여 심장 박동이 느려지게 한다.

15 (가)의 재채기는 연수가 중추인 무조건 반사이다. (나)는 소리를 듣고 출발하므로 대뇌의 조절을 받아 일어나는 의식적인 반응이다.

16 ① 주변 밝기에 따른 동공의 크기 변화는 중간뇌의 조절을 받는 무조건 반사이다.
②, ③ 침 분비와 하품은 연수가 중추인 무조건 반사이다.
④ 대뇌의 조절을 받는 의식적인 반응이다.
⑤ 척수가 중추인 무조건 반사이다.

17 A는 감각 뉴런, B는 연합 뉴런, C는 운동 뉴런이다.
ㄱ. 무릎 반사는 척수가 중추가 되어 자신의 의지와 관계없이 일어나는 무조건 반사이다.
ㄴ. A는 다리의 피부와 무릎에서 받아들인 자극을 중추 신경계로 전달한다.
ㄷ. 무릎 반사의 경로는 감각 뉴런(A) → 척수의 연합 뉴런(B) → 운동 뉴런(C)이다.

실력 강화 문제

1권 209쪽

01 ③ **02** ⑤ **03** ㄱ, ㄷ **04** ④

01 ㄱ. A는 귀에서 받아들인 소리 자극을 대뇌로 전달하는 감각 뉴런이다. 소리는 달팽이관의 청각 세포를 자극하고, 이 자극이 청각 신경을 통해 대뇌로 전달되므로 A는 귀의 달팽이관에 연결된다.
ㄴ. B는 연합 뉴런으로, 청각 중추인 대뇌에 있다.
ㄷ. C는 중추 신경의 명령을 전달하는 운동 뉴런으로, 축삭 돌기 말단이 근육 쪽으로 뻗어 있다.

02  자료 분석하기

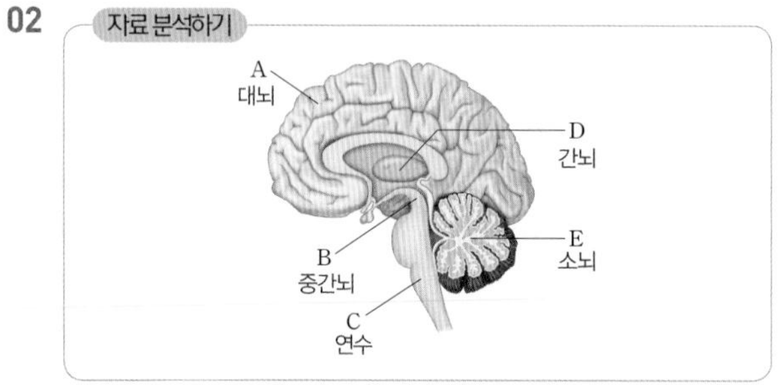

대뇌(A)가 손상되면 감각, 운동, 언어 능력과 같은 정신 활동에 이상이 생긴다. 중간뇌(B)가 손상되면 동공 반사가 일어나지 않는다. 연수(C)가 손상되면 심장 박동, 호흡 운동의 조절에 이상이 생긴다. 간뇌(D)가 손상되면 호르몬 분비 등에 이상이 생겨 체온과 체액의 농도 조절이 어렵다. 소뇌(E)가 손상되면 몸의 평형이 잘 조절되지 않는다.

03 ㄱ. 어두운 곳에서 밝은 곳으로 가면 홍채가 확장되면서 동공이 작아지는 동공 반사(㉠)가 나타나는데, 이것은 중간뇌의 조절을 받는다.
ㄴ. ㉠ 과정을 거쳐 동공이 작아지면 눈 속으로 들어오는 빛의 양은 감소한다.
ㄷ. 눈으로 들어온 빛 자극을 시각 세포가 받아들여 시각 신경을 통해 대뇌로 전달하면 물체를 볼 수 있게 된다.

04 ㄱ. A는 대뇌에 있는 연합 뉴런이고, D는 척수에 있는 연합 뉴런이다.
ㄴ. B는 대뇌와 척수에 연결된 운동 뉴런이고, C는 감각 뉴런이다. 무릎 반사는 척수가 중추가 되어 E → D → F의 경로를 거쳐 나타나는 무조건 반사이다. 따라서 B와 C가 손상되더라도 무릎 반사는 일어난다.
ㄷ. 감각 뉴런인 E가 손상되면 고무망치가 치는 자극을 척수로 전달하지 못하므로 무릎 반사가 나타나지 않고 대뇌에 의한 감각도 일어나지 않는다.

ㄹ. 운동 뉴런인 F가 손상되면 대뇌의 조절을 받는 의식적인 다리 운동이나 척수가 중추가 되는 무릎 반사가 나타나지 않는다.

서술형 문제

1권 210쪽~211쪽

1 신경계를 구성하는 기본 단위가 되는 세포를 뉴런이라고 한다. 뉴런은 돌기가 발달되어 있어 자극을 받아들이고 전달하기에 적합하다.

모범 답안 뉴런이다. A는 가지 돌기이며 다른 뉴런이나 감각 기관으로부터 자극을 받아들이고, B는 신경 세포체이며 뉴런의 생장과 생명 활동을 조절한다. C는 축삭 돌기이며 다른 뉴런이나 기관으로 신호를 전달한다.

채점 기준	배점
뉴런과 각 부위의 이름과 기능을 모두 옳게 설명한 경우	100 %
각 부위의 이름과 기능만 옳게 설명한 경우	80 %
각 부위의 이름만 옳게 쓴 경우	30 %
뉴런만 옳게 쓴 경우	20 %

2 피부는 자극을 받아들이는 감각 기관이고, 근육은 반응이 나타나는 반응 기관이다. 자극은 감각 뉴런 → 연합 뉴런 → 운동 뉴런으로 전달된다.

모범 답안 A는 운동 뉴런, B는 연합 뉴런, C는 감각 뉴런이다. 감각 기관인 피부에서 받아들인 자극은 C → B → A를 거쳐 반응 기관인 근육에서 반응으로 나타난다.

채점 기준	배점
A~C의 이름과 자극 전달 방향을 옳게 설명한 경우	100 %
A~C의 이름만 옳게 쓴 경우	50 %
자극의 전달 방향만 옳게 설명한 경우	50 %

3 중추 신경계는 연합 뉴런으로 구성되며, 말초 신경계는 감각 뉴런과 운동 뉴런으로 구성된다.

모범 답안 중추 신경계는 연합 뉴런으로 구성되고, 말초 신경계는 감각 뉴런과 운동 뉴런으로 구성된다. 중추 신경계는 자극을 판단하여 명령을 내리고, 말초 신경계는 자극을 중추로 전달하고 중추의 명령을 반응 기관으로 전달한다. 중추 신경계는 뇌와 척수로 이루어지고, 말초 신경계는 온몸에 퍼져 있다. 중 두 가지

채점 기준	배점
중추 신경계와 말초 신경계의 차이점 두 가지를 옳게 설명한 경우	100 %
중추 신경계와 말초 신경계의 차이점을 한 가지만 옳게 설명한 경우	50 %

4 A는 대뇌, B는 간뇌, C는 중간뇌, D는 연수, E는 소뇌이다. (가)는 대뇌의 언어 중추가, (나)는 몸의 균형 유지를 조절하는 소뇌가, (다)는 호흡 운동 조절의 중추인 연수가 영향을 받아 나타나는 현상이다.

모범 답안 (가)는 언어 중추가 있는 대뇌(A), (나)는 몸의 균형 유지에 관여하는 소뇌(E), (다)는 호흡 운동 조절 중추인 연수(D)가 알코올의 영향을 받아 제 기능을 하지 못하여 나타나는 현상이다.

채점 기준	배점
(가)~(다)와 관련된 뇌의 기호와 이름 및 기능을 연관지어 옳게 설명한 경우	100 %
(가)~(다)와 관련된 뇌의 기호와 이름 및 기능을 연관지어 (가)~(다) 중 두 가지만 옳게 설명한 경우	60 %
(가)~(다)와 관련된 뇌의 기호와 이름 및 기능을 연관지어 (가)~(다) 중 한 가지만 옳게 설명한 경우	30 %

5 (가)는 시각 자극을 받아들여 의식적으로 눈을 감은 반응이고, (나)는 주변의 밝기에 따라 무의식적으로 나타나는 동공 반사이다.

모범 답안 (가) 반응의 중추는 대뇌(A)이고, (나) 반응의 중추는 중간뇌(C)이다. (가)는 대뇌의 조절을 받아 나타나는 의식적인 반응이고, (나)는 중간뇌의 조절을 받아 나타나는 무조건 반사이다.

채점 기준	배점
(가)와 (나) 반응의 중추의 기호와 이름을 쓰고, 두 반응의 차이점을 옳게 설명한 경우	100 %
(가)와 (나) 반응의 중추의 기호와 이름만 옳게 설명한 경우	70 %
(가)는 의식적인 반응이고, (나)는 무조건 반사라고만 쓴 경우	30 %

6 교감 신경과 부교감 신경은 서로 반대되는 작용을 한다. 교감 신경이 작용하면 심장 박동수가 증가하고, 부교감 신경이 작용하면 심장 박동수가 감소한다.

모범 답안 (1) 교감 신경은 심장 박동을 촉진하고, 부교감 신경은 심장 박동을 억제한다.
(2) 교감 신경과 부교감 신경이 서로 반대되는 작용을 하여 몸의 상태에 따라 심장 박동을 적절하게 조절할 수 있다.

	채점 기준	배점
(1)	교감 신경과 부교감 신경이 심장 박동에 미치는 영향을 옳게 설명한 경우	50 %
	교감 신경과 부교감 신경이 심장 박동에 서로 반대되는 작용을 한다고 설명한 경우	25 %
(2)	자율 신경의 길항 작용이 심장 박동 조절에 미치는 이점을 옳게 설명한 경우	50 %
	몸의 환경에 따라 심장 박동을 조절하기 쉽다고 설명한 경우	25 %

7 A는 대뇌의 연합 뉴런, B, F는 운동 뉴런, C, D는 감각 뉴런, E는 척수의 연합 뉴런이다.

모범 답안 반응 경로는 D → C → A → B → F이다. 모기가 피부에 앉은 것을 느낀 후 팔을 휘젓는 반응은 의식적인 반응이므로 대뇌를 거치는 반응이다.

채점 기준	배점
반응 경로를 쓰고, 그 까닭을 옳게 설명한 경우	100 %
반응 경로만 옳게 설명한 경우	50 %

8 재채기와 딸꾹질은 연수가 중추이고, 손을 움츠리는 회피 반사는 척수가 중추인 무조건 반사이다.

모범 답안 대뇌의 직접적인 조절을 받지 않고 연수나 척수가 중추가 되어 나타나는 무조건 반사이다.

채점 기준	배점
무조건 반사라는 점과 대뇌의 직접적인 조절을 받지 않는다는 점을 옳게 설명한 경우	100 %
무조건 반사라고만 설명한 경우	50 %

9 (가)는 자극이 감각 신경 → 척수 → 운동 신경으로 전달되어 반응이 나타나는 무조건 반사이고, (나)는 자극이 감각 신경 → 척수 → 대뇌 → 척수 → 운동 신경으로 전달되어 나타나는 의식적인 반응이다.

모범 답안 (가)는 척수가 중추가 되어 나타나는 무조건 반사이고, (나)는 대뇌의 조절을 받는 의식적인 반응이다. (가)는 (나)와는 달리 대뇌를 거치지 않고 반응이 나타나므로 자극이 전달되는 경로가 짧아 반응이 빠르게 나타난다.

채점 기준	배점
(가)와 (나)의 반응 속도가 다른 까닭을 옳게 설명한 경우	100 %
(가)는 무조건 반사이고 (나)는 의식적인 반응이기 때문이라고 설명한 경우	50 %

10 A에는 다리에 연결된 감각 신경이 받아들인 자극을 대뇌로 전달하는 감각 신경과 대뇌의 운동 명령을 다리에 전달하는 운동 신경이 지나간다. 따라서 A 부위가 손상될 경우 대뇌에서의 감각, 의식적인 운동이 일어나지 않는다.

모범 답안 A 부위는 대뇌와 연결된 감각 신경과 운동 신경이 지나가는 통로이므로 이 부위가 손상되면 다리의 감각(㉠)이 느껴지지 않고, 의식적인 운동(㉡)은 일어나지 않는다. 그러나 척수가 중추가 되는 무릎 반사(㉢)는 정상적으로 일어난다.

채점 기준	배점
㉠~㉢을 모두 옳게 설명한 경우	100 %
㉠~㉢ 중 두 가지만 옳게 설명한 경우	60 %
㉠~㉢ 중 한 가지만 옳게 설명한 경우	30 %

03 항상성

학습 내용 Check

1권 214쪽	1 호르몬	2 혈액
	3 넓고, 오래, 느리다	4 뇌하수체
	5 티록신	
1권 216쪽	1 항상성	2 수축
	3 인슐린	

개념 확인 문제

1권 220쪽~222쪽

01 ② **02** ② **03** ⑤ **04** ② **05** ③
06 부신 **07** ① **08** ① **09** ③ **10** ④
11 ② **12** ④ **13** ④ **14** A: 인슐린, B: 글루카곤 **15** ①, ③ **16** ②

01 ㄱ, ㄴ. (가)는 분비물이 분비되는 별도의 관이 없고 분비물이 혈관으로 분비되어 혈액을 통해 이동하므로 내분비샘이다. 내분비샘에서 분비되어 몸의 기능을 조절하는 물질을 호르몬이라고 한다.
ㄷ. (나)는 분비물이 별도의 관을 통해 분비되므로 외분비샘이다. 호르몬은 내분비샘에서 분비된다.

02 자료 분석하기

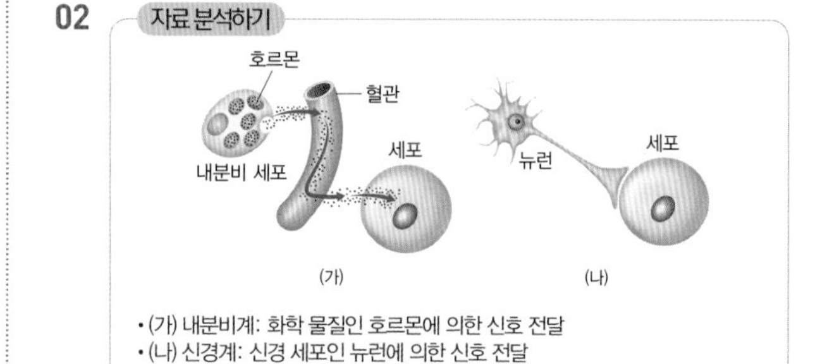

• (가) 내분비계: 화학 물질인 호르몬에 의한 신호 전달
• (나) 신경계: 신경 세포인 뉴런에 의한 신호 전달

① 호르몬은 혈액을 통해 운반되어 특정한 표적 세포 또는 표적 기관에서만 효과를 나타낸다.
② 호르몬은 혈액을 통해 온몸으로 운반되므로 신호가 작용하는 범위는 신경보다 넓다.
③ 일반적으로 반응이 나타나는 속도는 호르몬보다 신경이 빠르다.
④ 신호 전달의 효과는 신경보다 호르몬이 오래 지속된다.
⑤ (가)에서는 호르몬이 혈액에 의해 운반되어 신호를 전달하고, (나)에서는 신경 세포인 뉴런이 신호를 전달한다.

03 호르몬은 내분비샘에서 만들어져 혈관으로 분비된다. 혈액에 의해 온몸으로 운반되며, 특정한 표적 세포나 표적 기관에서만 효과가 나타난다. 적은 양으로도 몸의 여러 생리 작용을 조절한다.
⑤ 호르몬의 분비량이 부족하면 결핍증이 나타나고, 과다하면 과다증이 나타난다.

04 A는 뇌하수체, B는 갑상샘, C는 부신, D는 이자, E는 난소이다.

05 ① 갑상샘(B)에서는 티록신이 분비된다.
② 부신(C)에서는 아드레날린이 분비된다.
③ 이자(D)에서는 인슐린과 글루카곤이 분비된다.
④ 난소(E)에서는 에스트로젠이 분비된다.
⑤ 정소(F)에서는 테스토스테론이 분비된다.

| 도움이 되는 배경 지식 | 호르몬의 종류와 기능

내분비샘	호르몬	기능
뇌하수체	생장 호르몬	뼈와 근육의 생장 촉진
	갑상샘 자극 호르몬	갑상샘의 티록신 분비 촉진
	항이뇨 호르몬	콩팥에서 물의 재흡수 촉진
갑상샘	티록신	세포 호흡 촉진
부신	아드레날린	심장 박동 증가, 혈압 상승
이자	인슐린	혈당량 감소
	글루카곤	혈당량 증가
정소	테스토스테론	남자의 2차 성징 발현
난소	에스트로젠	여자의 2차 성징 발현

06 혈압을 상승시키고 심장 박동이 빨라지게 하는 호르몬은 부신에서 분비되는 아드레날린이다.

07 제시된 자료는 성장기 이후에 생장 호르몬(A)이 과다하게 분비되어 나타나는 말단 비대증이다.
ㄴ. 생장 호르몬은 뇌하수체에서 분비된다.
ㄷ. 말단 비대증은 생장 호르몬의 분비 과다로 나타난다.

08 인슐린이 제대로 분비되지 않으면 혈당량이 높고, 오줌으로 포도당이 배출되는 당뇨병이 나타날 수 있다.

09 ㄱ. 추울 때 근육이 떨리는 것은 체온을 유지하기 위한 항상성 유지 작용이다.
ㄴ. 사춘기가 되면 2차 성징이 나타나는 것은 성호르몬의 분비에 의해 나타나는 현상이다.
ㄷ. 혈당량이 감소하면 간에 저장된 글리코젠이 포도당으로 분해되어 혈액으로 방출되어 혈당량을 일정 수준으로 유지한다. 이와 같은 혈당량 조절은 항상성 유지 작용이다.

10 A는 뇌하수체에서 분비되는 갑상샘 자극 호르몬이고, B는 갑상샘에서 분비되는 티록신이다.

11 ①, ② 갑상샘 자극 호르몬은 갑상샘에서 티록신 분비를 촉진하므로 표적 기관이 갑상샘이고, 티록신의 표적 세포는 조직 세포이다.
③ 뇌하수체에서는 갑상샘 자극 호르몬이 분비되고, 갑상샘에서는 티록신이 분비되므로 두 기관 모두 내분비샘이 있다.
④ 갑상샘 자극 호르몬의 분비가 증가하면 갑상샘 자극 호르몬이 갑상샘을 자극하여 티록신 분비가 증가한다.
⑤ 티록신은 조직 세포에서 세포 호흡을 촉진하므로 혈액 중 티록신 농도가 높으면 세포 호흡이 더욱 활발해진다.

12 추울 때는 세포 호흡이 촉진되고 근육의 떨림이 증가하여 열 발생량이 증가한다. 또한, 땀 분비가 억제되고 피부 근처 혈관이 수축하여 열 발산량이 감소한다.

13 ㄱ. 티록신은 체온이 낮을 때 분비되어 세포 호흡을 촉진시킨다.
ㄴ, ㄷ. 체온이 올라가면 땀 분비가 촉진되고 피부 근처의 혈관이 확장되어 피부를 통한 열 발산량이 증가한다.

14 A는 간에서 포도당을 글리코젠으로 전환하므로 혈당량을 감소시키는 호르몬인 인슐린이다. 이와 반대 작용을 하는 B는 글루카곤이다.

15

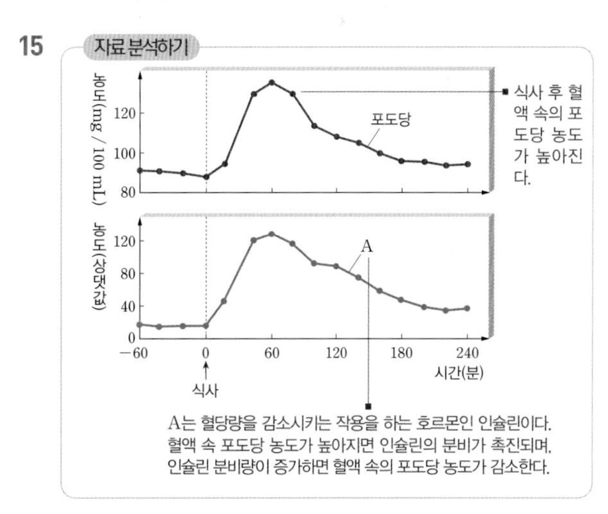

① 인슐린은 이자에서 분비된다.
② 인슐린은 호르몬이므로 별도의 분비관이 없어 혈관으로 분비되어 혈액을 통해 운반된다.
③ 인슐린은 혈당량이 높을 때 분비가 촉진되어 혈당량을 낮추는 작용을 한다.

④ 갑상샘 자극 호르몬은 티록신 분비를 촉진한다.
⑤ 혈액 중 인슐린 농도가 높아지면 혈당량이 낮아진다.

16 환자 A는 정상보다 혈당량이 높게 유지되는 당뇨병 환자이다.
① 환자 A도 정상인과 마찬가지로 식사 후 혈당량이 증가한다.
② 정상인의 혈당량 변화 폭은 약 70 mg/100 mL이지만, 환자 A의 혈당량 변화 폭은 약 120 mg/100 mL이다.
③ 정상인은 혈당량이 높아지면 인슐린 분비가 크게 증가하여 혈당량을 정상 수준으로 낮추지만, 환자 A는 혈당량이 높아지더라도 인슐린 분비가 크게 증가하지 않아 혈당량을 빠르게 낮추지 못한다.
④, ⑤ 환자 A는 정상인보다 혈액 중 포도당 농도가 높아 오줌으로 포도당이 배출되는 증상이 나타난다.

실력 강화 문제

1권 223쪽

01 ③, ④ **02** ④ **03** ② **04** ④

01 ① A는 결핍되면 당뇨병이 나타나므로 이자에서 분비되는 인슐린이다. 인슐린은 혈액 속의 포도당이 세포로 흡수되게 하고 간에서 포도당을 글리코젠으로 전환하여 혈당량을 낮춘다.
② B가 결핍되면 묽은 오줌을 다량 배설하므로 B는 뇌하수체에서 분비되는 항이뇨 호르몬이다. 항이뇨 호르몬은 콩팥에서 물의 재흡수를 촉진한다.
③ C는 과다 분비되면 거인증이 나타나므로 뇌하수체에서 분비되는 생장 호르몬이다.
④ D는 과다 분비되면 체중 감소와 안구 돌출 현상이 나타나므로 갑상샘에서 분비되는 티록신이다. 티록신은 세포 호흡을 촉진한다.
⑤ 티록신과 항이뇨 호르몬의 분비는 직접적인 관계가 없다.

02 자료 분석하기

피부(냉점) → 대뇌
(가)
피부 근처의 혈관 수축 → (나)
뇌하수체 → A 분비 증가 → 갑상샘 → B 분비 증가 → 세포 호흡 촉진 → (다)

• (가) 체온 조절의 중추는 간뇌이다.
• (나) 피부 근처 혈관이 수축하면 열 발산량이 감소한다.
• (다) 세포 호흡이 촉진되면 열 발생량이 증가한다.

ㄱ. (가)는 항상성 유지의 중추인 간뇌이다.
ㄴ. 저온 자극을 받으면 열 발산량은 감소하고, 열 발생량은 증가한다.
ㄷ. 뇌하수체에서 분비되는 호르몬 A는 갑상샘 자극 호르몬이고, 갑상샘에서 분비되는 호르몬 B는 티록신이다.

03 ㄱ. 식사를 하여 혈당량이 증가한 후 구간 A에서는 인슐린 분비가 증가하여 혈당량이 낮아진다.
ㄴ. 구간 A에서는 인슐린의 작용으로 간에서 포도당이 글리코젠으로 전환되는 양이 증가하고, 구간 B에서는 글루카곤의 작용으로 간에 저장된 글리코젠이 포도당으로 전환되는 양이 많아진다.
ㄷ. 운동을 하면 혈액 속의 포도당이 근육 세포 등으로 이동하여 운동에 필요한 에너지 생산에 쓰이므로 혈당량이 낮아진다.

04

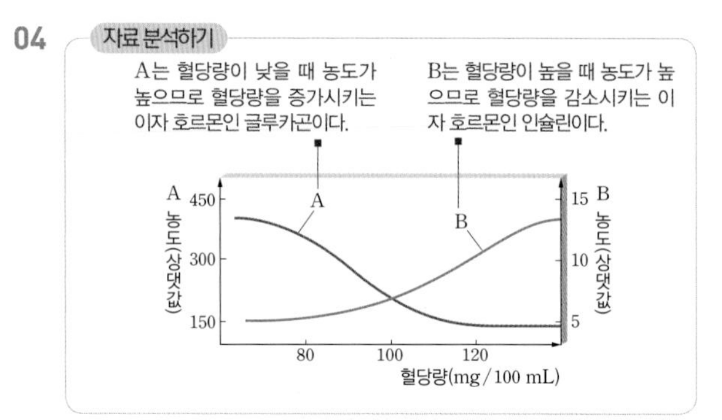

ㄱ. 글루카곤(A)은 혈당량이 낮을 때 분비가 촉진되어 혈당량을 높이는 작용을 한다.
ㄴ. 인슐린(B)은 혈당량이 높을 때 분비가 촉진되어 혈당량을 낮추는 작용을 한다.
ㄷ. 글루카곤과 인슐린은 혈당량 변화에 대해 분비 양상이 반대로 나타나며 혈당량 조절에 서로 반대되는 작용을 한다.

서술형 문제

1권 224쪽~225쪽

1 분비 세포에서 생성된 호르몬은 혈액을 통해 이동하여 표적 세포에서 작용한다.

모범 답안 호르몬은 혈액에 의해 운반된다. 호르몬은 표적 세포에만 효과를 나타낸다.

채점 기준	배점
호르몬의 특성 두 가지를 모두 옳게 설명한 경우	100 %
호르몬의 특성을 한 가지만 옳게 설명한 경우	50 %

2 호르몬은 생성, 분비, 이동, 작용의 단계를 거쳐 표적 기관에서만 효과를 나타내므로 작용 범위는 넓지만 신호 전달 속도가 신경에 비해 느리다.

모범 답안 호르몬은 혈액을 통해 신호를 전달하고, 신경은 뉴런을 통해 신호를 전달한다. 호르몬은 신경보다 신호 전달 속도가 느리다. 호르몬은 신경에 비해 작용 범위가 넓다. 호르몬은 효과가 지속적이나 신경은 일시적이다. 중 두 가지

채점 기준	배점
호르몬과 신경을 통한 신호 전달의 차이점 두 가지를 모두 옳게 설명한 경우	100 %
호르몬과 신경을 통한 신호 전달의 차이점을 한 가지만 옳게 설명한 경우	50 %

3 갑상샘이 제거되면 티록신이 분비되지 않아 혈액 속 티록신 농도는 낮아진다.

모범 답안 갑상샘이 제거되면 혈액 중 티록신 농도가 매우 낮아지고 뇌하수체에서 갑상샘 자극 호르몬의 분비가 증가하여 갑상샘 자극 호르몬의 농도는 높아진다.

채점 기준	배점
두 가지 호르몬의 농도 변화를 옳게 설명한 경우	100 %
한 가지 호르몬의 농도 변화만 옳게 설명한 경우	50 %

4 아이오딘이 결핍되면 갑상샘에서 티록신이 정상적으로 합성되지 않아 혈액 중 티록신 농도가 낮다.

모범 답안 아이오딘 결핍으로 갑상샘에서 티록신이 제대로 합성되지 않으면 혈액 중 티록신 농도가 낮아진다. 그에 따라 뇌하수체에서 갑상샘 자극 호르몬의 분비가 증가하여 갑상샘을 계속 자극하므로 갑상샘이 비대해진다.

채점 기준	배점
티록신의 분비 조절 과정을 근거로 갑상샘종의 원인을 옳게 설명한 경우	100 %
갑상샘 자극 호르몬의 분비가 증가하기 때문이라고만 설명한 경우	50 %

5 피부 근처 혈관이 수축하면 피부 근처로 흐르는 혈액의 양이 감소하여 열 발산량이 감소한다. 세포 호흡과 근육 떨림은 열 발생량을 증가시킨다.

모범 답안 (가)의 결과 피부를 통한 열 발산량이 감소하고, (나)와 (다)의 결과 체내 열 발생량이 증가한다.

채점 기준	배점
(가)~(다)의 결과를 열 발산량과 열 발생량 변화로 구분하여 모두 옳게 설명한 경우	100 %
(가)~(다)의 결과를 두 가지만 옳게 설명한 경우	60 %
(가)~(다)의 결과 중 한 가지만 옳게 설명한 경우	30 %

6 세포 호흡 촉진은 티록신의 작용이고, 몸을 덜덜 떠는 것은 자율 신경의 조절을 받아 일어나는 작용이다.

모범 답안 (나)는 갑상샘에서 분비되는 호르몬인 티록신의 작용으로 세포 호흡이 촉진되는 반응이고, (다)는 자율 신경의 조절을 받아 나타나는 근육 떨림 반응이다.

채점 기준	배점
(나)와 (다)를 신경과 호르몬에 의한 반응으로 구분하여 옳게 설명한 경우	100 %
(나)와 (다) 중 한 가지만 옳게 설명한 경우	50 %

7 더울 때 땀을 흘리면 땀 속의 물이 수증기로 증발하면서 주변의 열을 빼앗는다.

모범 답안 더울 때 땀을 흘리면 열 발산량이 증가하여 체온이 낮아진다.

채점 기준	배점
열 발산량 증가를 포함하여 옳게 설명한 경우	100 %
열 발산량 증가를 포함하지 않고 땀 분비로 체온이 낮아진다고만 설명한 경우	50 %

8 호르몬 A는 혈당량을 감소시키는 작용을 하는 인슐린이고, 호르몬 B는 혈당량을 증가시키는 작용을 하는 글루카곤이다.

모범 답안 A는 인슐린이고, B는 글루카곤이다. 인슐린은 간에서 포도당을 글리코젠으로 전환하는 작용을 촉진하여 혈당량을 감소시키고, 글루카곤은 간에서 글리코젠을 포도당으로 전환하는 과정을 촉진하여 혈당량을 증가시키는 작용을 한다.

채점 기준	배점
A, B의 이름을 옳게 쓰고, 간에서 하는 작용을 옳게 설명한 경우	100 %
A, B의 이름과 간에서 하는 작용 중 한 가지만 옳게 설명한 경우	50 %

9 인슐린과 글루카곤은 서로 반대되는 작용을 하여 혈당량을 조절한다.

모범 답안 인슐린(A)은 혈당량을 낮추고 글루카곤(B)은 혈당량을 높인다. 인슐린과 글루카곤은 간에서 서로 반대되는 작용을 하여 혈당량을 낮추거나 높여서 혈당량이 일정 수준으로 유지되도록 조절한다.

채점 기준	배점
인슐린과 글루카곤의 반대 작용으로 혈당량이 조절되는 원리를 옳게 설명한 경우	100 %
인슐린과 글루카곤이 서로 반대되는 작용을 한다고만 설명한 경우	50 %

10 호르몬 (가)를 주사하였을 때 혈당량이 감소하였으므로 호르몬 (가)는 인슐린이다. 인슐린은 간에서 포도당이 글리코젠으로 합성되는 반응을 촉진하고, 혈액 속의 포도당이 조직 세포로 흡수되도록 하여 혈당량을 낮춘다.

모범 답안 인슐린, 인슐린이 결핍될 경우 혈당량이 높은 상태가 지속되어 오줌으로 포도당이 배설되는 당뇨병이 나타날 수 있다.

채점 기준	배점
인슐린을 옳게 쓰고, 인슐린이 결핍될 경우 나타나는 증상과 질병을 옳게 설명한 경우	100 %
인슐린을 옳게 쓰고, 인슐린이 결핍될 경우 나타나는 증상과 질병 중 한 가지만 옳게 설명한 경우	60 %
인슐린만 옳게 쓴 경우	30 %

최상위권 도전 문제

1권 226쪽~229쪽

1 ②	**2** ②	**3** ③	**4** ①	**5** ①, ⑤
6 ⑤	**7** ④	**8** ⑤		

1 자료 분석하기

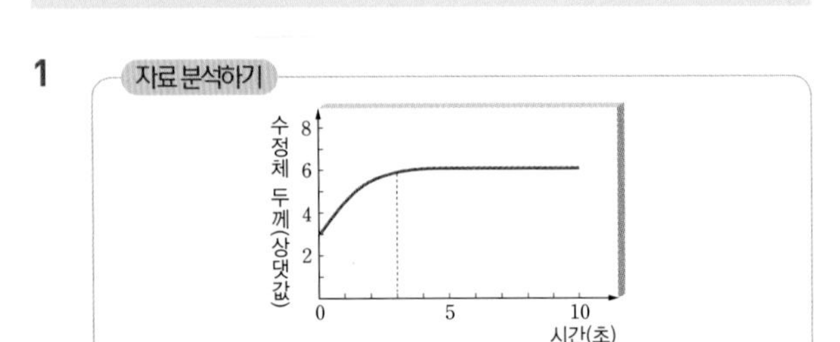

- 0~3초: 수정체 두께가 두꺼워지고 있으므로 사람과 물체 사이의 거리가 가까워지고 있다.
- 3~10초: 수정체 두께가 변하지 않으므로 사람과 물체 사이의 거리는 변화 없이 유지되고 있다.

ㄱ. 0~3초 동안 사람과 물체는 가까워지고 있다.

ㄴ. 0~3초 동안 섬모체가 수축하여 수정체가 두꺼워지고 있다.

ㄷ. 3~10초에 이 사람이 물체를 볼 수 있는 것은 상이 망막에 맺혀 있기 때문이다.

| 도움이 되는 배경 지식 | 눈의 원근 조절
- 가까운 곳의 물체를 볼 때: 섬모체가 수축하여 수정체가 두꺼워진다.
- 먼 곳의 물체를 볼 때: 섬모체가 이완하여 수정체가 얇아진다.

2 자료 분석하기

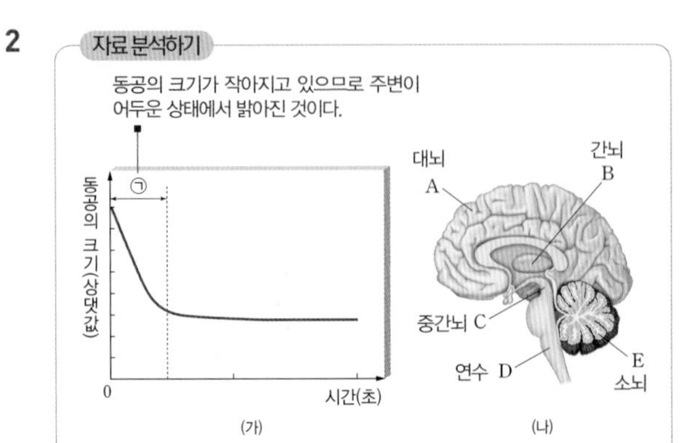

ㄱ. 구간 ㉠에서 홍채가 확장하여 면적이 넓어지면서 동공의 크기가 작아진다.

ㄴ. 구간 ㉠에서 주변 밝기에 따라 홍채의 축소와 확장이 일어나는 동공 반사는 중간뇌(C)의 조절을 받아 일어나는 무조건 반사이다.

ㄷ. 시각 세포에서 받아들인 자극은 시각 신경을 통해 대뇌(A)로 전달된다.

| 도움이 되는 배경 지식 | 눈의 명암 조절
- 어두운 곳: 홍채가 축소되어 동공이 커져서 눈으로 들어오는 빛의 양이 증가한다.
- 밝은 곳: 홍채가 확장되어 동공이 작아져서 눈으로 들어오는 빛의 양이 감소한다.

3 A는 수정체와 망막 사이의 거리가 짧아 가까이 있는 물체를 볼 때 상이 망막의 뒤에 맺혀 잘 볼 수 없고 멀리 있는 물체를 볼 때 상이 망막에 맺혀 잘 볼 수 있다. B는 수정체와 망막 사이의 거리가 길어 가까이 있는 물체는 잘 보이지만, 멀리 있는 물체를 볼 때 상이 망막의 앞에 맺혀 잘 보이지 않는다.

ㄱ. A는 가까이 있는 물체를 볼 때 상이 망막의 뒤에 맺히므로 잘 보이지 않는다.

ㄴ. B는 멀리 있는 물체를 볼 때 상이 망막의 앞에 맺히므로 오목 렌즈로 교정한다.

ㄷ. 맹점에는 시각 세포가 없어 상이 맹점에 맺히면 물체를 볼 수 없다. A는 멀리 있는 물체를 볼 때, B는 가까이 있는 물체를 볼 때 잘 볼 수 있다.

| 도움이 되는 배경 지식 | 근시와 원시
- 근시: 수정체가 얇아지지 않거나 수정체와 망막 사이의 거리가 길어 먼 곳의 물체를 볼 때 상이 망막보다 앞에 맺혀 잘 볼 수 없는 시력 이상으로, 오목 렌즈로 시력을 교정한다.
- 원시: 수정체가 두꺼워지지 않거나 수정체와 망막 사이의 거리가 짧아 가까운 곳의 물체를 볼 때 상이 망막의 뒤에 맺혀 잘 볼 수 없는 시력 이상으로, 볼록 렌즈로 시력을 교정한다.

4 자료 분석하기

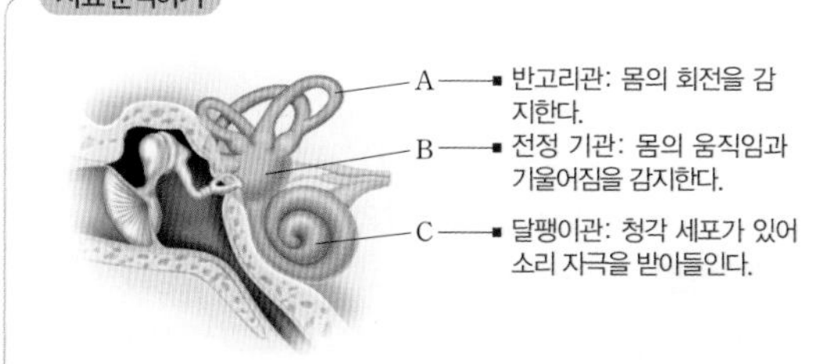

ㄱ. 반고리관(A)에는 림프가 들어 있어 몸이 회전하거나 운동 방향이나 속력이 변하면 안쪽에 있는 감각 세포가 몸의 회전 자극을 받아들이고, 이 자극이 신경을 통해 뇌로 전달된다.

ㄴ. 기압 변화에 민감하게 반응하여 귀 내부 압력을 조절하는 것은 귀인두관이다.

ㄷ. 달팽이관(C)에서 받아들인 소리 자극은 청각 신경을 통해 대뇌로 전달되어 소리를 들을 수 있게 된다.

5 A는 연수이고, B는 척수이다.

① 대뇌와 연결된 신경의 좌우 교차가 일어나는 A는 연수이다.

② 연수는 심장 박동과 호흡 운동을 조절한다. 체온 조절과 같은 항상성을 유지하는 중추는 간뇌이다.

③ 척수는 중추 신경계로, 연합 뉴런이 있다.

④ 손의 의식적인 움직임을 조절하는 중추는 대뇌이다. 척수는 무릎 반사나 회피 반사와 같은 무조건 반사의 중추이다.

⑤ 대뇌 우반구의 감각령이 손상되면 몸의 왼쪽에서 받아들인 자극을 감각하지 못한다. 그러나 왼쪽 손이 가시에 찔리면 손을 움츠리는 것과 같은 척수가 중추가 되는 무조건 반사는 일어난다.

| 도움이 되는 배경 지식 | 무조건 반사

감각 기관에서 받아들인 자극이 대뇌에 도달하기 전에 일어나는 반응으로, 척수, 연수, 중간뇌의 명령이 운동 기관에 전달되어 나타나는 무의식적인 반응이다.

6 (가)는 심장 박동을 촉진하는 교감 신경이고, (나)는 심장 박동을 억제하는 부교감 신경이다.

ㄴ. 심장 박동 조절의 중추는 연수이다.

ㄷ. 운동을 할 때는 (가)의 작용이 촉진되고 (나)의 작용은 억제된다.

| 도움이 되는 배경 지식 | 자율 신경계

자율 신경계에는 교감 신경과 부교감 신경이 있으며, 교감 신경과 부교감 신경은 같은 내장 기관에 분포하여 서로 반대되는 작용(길항 작용)을 한다.

7 자료 분석하기

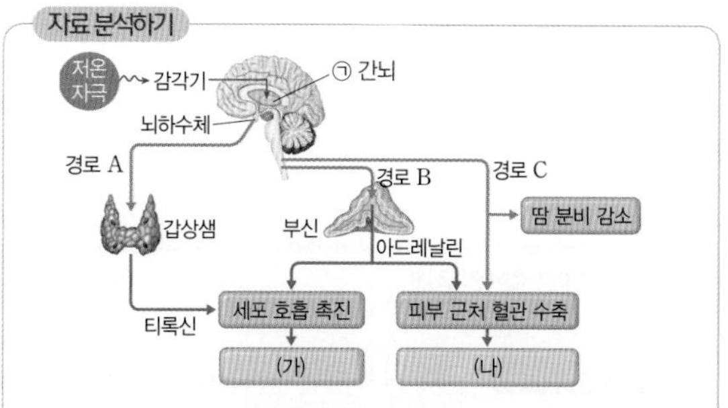

- 경로 A: 뇌하수체에서 분비된 갑상샘 자극 호르몬이 갑상샘에서 티록신을 분비하도록 촉진하므로 호르몬에 의한 조절이다.
- 경로 B: 자율 신경 중 교감 신경에 의한 조절이다.
- 경로 C: 자율 신경 중 교감 신경에 의한 조절이다.
- (가): 세포 호흡이 촉진되면 열 발생량이 증가한다.
- (나): 피부 근처 혈관이 수축하면 체외로의 열 발산량이 감소한다.

ㄱ. ㉠은 간뇌이며, 체온 조절과 같은 항상성 유지에 관여한다. 복잡한 정신 활동의 중추는 대뇌이다.

ㄴ. 경로 A는 갑상샘 자극 호르몬에 의한 조절이고, 경로 B와 C는 자율 신경 중 교감 신경에 의한 조절이다.

ㄷ. 저온 자극이 오면 열 발생량은 증가하고, 열 발산량은 감소하여 체온을 일정하게 유지한다.

| 도움이 되는 배경 지식 | 체온 조절

- 더울 때: 피부 근처의 혈관이 확장되어 피부로 흐르는 혈액의 양이 증가하고 땀 분비량이 증가함으로써 열 발산량이 증가한다.
- 추울 때: 피부 근처의 혈관이 수축하여 피부로 흐르는 혈액의 양이 감소하므로 열 발산량이 감소한다. 또한 근육의 떨림이 증가하고, 갑상샘에서 티록신의 분비량이 증가하여 세포 호흡을 촉진함으로써 열 발생량이 증가한다.

8 자료 분석하기

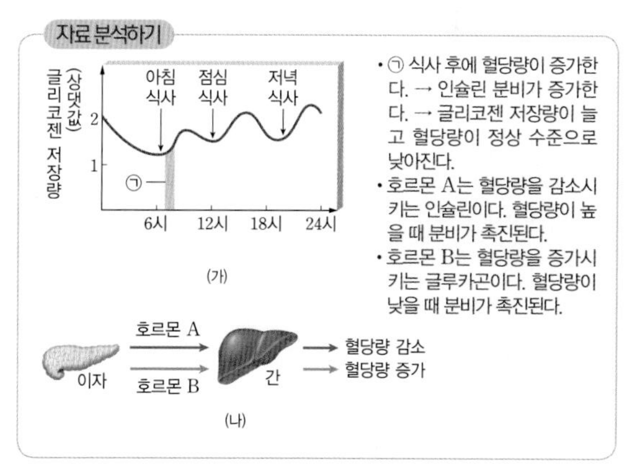

ㄱ. 식사 후에는 혈당량이 높아지므로 구간 ㉠에서는 혈당량을 감소시키는 호르몬인 인슐린(A)의 분비량이 증가하여 간에서 포도당을 글리코젠으로 저장한다.

ㄴ. 호르몬 B는 혈당량을 증가시키는 이자 호르몬이므로 글루카곤이다. 글루카곤은 간에 저장된 글리코젠을 포도당으로 전환하여 혈액으로 방출하는 작용을 촉진한다.

ㄷ. 인슐린과 글루카곤은 간에서 서로 반대되는 작용을 하여 혈당량이 일정하게 유지되도록 조절한다.

창의·사고력 향상 문제

1권 231쪽~233쪽

1 문제 해결 가이드 철수의 안경이 나타내는 특성에 근거하여 철수가 근시인지 원시인지를 다음과 같은 과정으로 설명한다.

• 철수의 안경으로 보면 글씨가 작아지므로 안경 렌즈가 오목 렌즈이고, •• 오목 렌즈로 교정하는 눈은 근시이며, ••• 근시의 원인은 수정체와 망막 사이가 길거나 수정체가 두꺼워 상이 망막의 앞에 맺히는 데 있다는 점을 연결하여 설명한다.

모범 답안 철수는 멀리 있는 물체를 볼 때 상이 망막의 앞에 맺히는 근시이며, 근시는 오목 렌즈로 교정하므로 안경을 통해 보이는 글씨의 크기가 작다.

채점 기준	배점
눈의 이상과 오목 렌즈를 들어 옳게 설명한 경우	100 %
눈의 이상만 옳게 쓴 경우	30 %

2 문제 해결 가이드 림프와 같은 액체는 몸의 움직임이 멈추더라도 관성에 의해 움직이던 방향으로 움직인다는 것을 알 수 있어야 한다.

• 몸이 회전하고 있을 때 반고리관의 림프도 같은 방향으로 회전하고 있다는 점, •• 림프의 움직임으로 감각모가 구부러지면 회전 감각을 느낀다는 점, ••• 몸이 멈추더라도 림프는 회전하던 방향으로 한동안 움직인다는 점을 알아야 한다.

모범 답안 몸이 회전을 멈추어도 림프는 관성에 의해 몸이 회전하던 A 방향으로 한동안 움직이고, 그에 따라 감각모가 ㉡ 방향으로 구부러져 몸이 여전히 도는 것 같이 느끼게 된다.

채점 기준	배점
관성에 의한 림프의 움직임과 감각모의 움직임의 방향을 들어 옳게 설명한 경우	100 %
림프와 감각모가 움직이는 방향을 제시하지 않고 관성에 의한 림프의 움직임으로 감각모가 구부러져 회전 감각을 느낀다고 설명한 경우	50 %
감각모가 ㉡ 방향으로 구부러져 회전 감각을 느낀다고 설명한 경우	50 %

3 문제 해결 가이드 단어를 듣거나 보고 말하기까지의 경로를 생각하고, 두 과정에서 공통적으로 거치는 과정과 다르게 거치는 과정을 다음과 같은 과정으로 구분하여 설명한다.

• 단어를 듣고 말하는 것은 청각 중추(C)로부터 시작한다는 점, •• 단어를 보고 말하는 것은 시각 중추(E)로부터 시작한다는 점, ••• 감각 중추는 다르지만 단어를 인지하고 말하기까지의 과정인 D → B → A는 동일하다는 점을 연결하여 A, C, E 영역의 기능을 설명한다.

모범 답안 단어를 듣고 말할 때 가장 먼저 활성화되는 C는 청각 중추이고, 단어를 보고 말할 때 가장 먼저 활성화되는 E는 시각 중추이다. 그리고 단어를 인지하고 말할 때 가장 나중에 활성화되는 A는 말하기 중추이다.

채점 기준	배점
근거를 들어 A, C, E 영역의 기능을 모두 옳게 설명한 경우	100 %
근거를 들어 A, C, E 영역 중 두 가지 영역의 기능을 옳게 설명한 경우	60 %
근거를 들어 A, C, E 영역 중 한 가지만 기능을 옳게 설명한 경우	30 %

4 문제 해결 가이드 신경 A와 B가 흥분할 때 평상시에 비해 심장 박동 주기가 어떻게 변하였는지를 파악한다.

• 신경 A가 흥분하면 평상시보다 심장 박동이 느려진다는 점, •• 신경 B가 흥분하면 평상시보다 심장 박동이 빨라진다는 점, ••• 자율 신경 중 심장 박동을 촉진하는 것과 억제하는 것이 무엇인지를 설명한다.

모범 답안 신경 A가 흥분하면 평상시보다 심장 박동이 느려지므로 A는 심장 박동을 억제하는 부교감 신경이다. 신경 B가 흥분하면 평상시보다 심장 박동이 빨라지므로 B는 심장 박동을 촉진하는 교감 신경이다.

채점 기준	배점
근거를 들어 신경 A와 B를 모두 옳게 설명한 경우	100 %
근거를 들지 않고 신경 A와 B의 이름만 옳게 쓴 경우	50 %

5 자료 분석하기

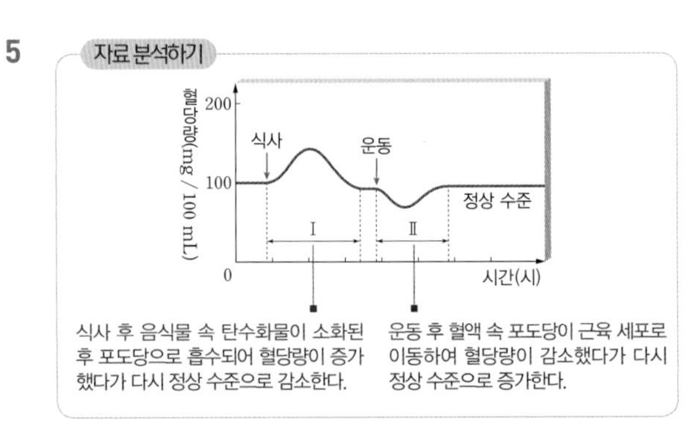

문제 해결 가이드 혈당량 조절에 관여하는 이자 호르몬인 인슐린과 글루카곤의 작용을 생각하여 다음과 같은 과정으로 설명한다.

(1) • 식사 후에 혈당량이 높아진다는 점, •• 혈당량이 높아지면 이자에서 혈당량 감소 호르몬의 분비가 촉진된다는 점, ••• 호르몬의 작용으로 혈당량이 정상 수준으로 낮아진다는 점을 연결하여 설명한다.
(2) • 운동 후에 혈당량이 낮아진다는 점, •• 혈당량이 낮아지면 이자에서 혈당량 증가 호르몬의 분비가 촉진된다는 점, ••• 호르몬의 작용으로 혈당량이 정상 수준으로 높아진다는 점을 연결하여 설명한다.

모범 답안 (1) 식사 후 혈당량이 높아지면 이자에서 인슐린 분비가 촉진되며, 인슐린이 혈액 속의 포도당을 세포로 이동시키고 간에서 포도당을 글리코젠으로 전환시켜 혈당량이 정상 수준으로 회복된다.
(2) 운동 후 혈당량이 낮아지면 이자에서 글루카곤 분비가 촉진되며, 글루카곤이 간에 저장된 글리코젠을 포도당으로 전환시켜 포도당이 혈액으로 방출되므로 혈당량이 정상 수준으로 회복된다.

	채점 기준	배점
(1)	이자 호르몬의 이름과 작용을 들어 혈당량을 회복하는 과정을 옳게 설명한 경우	50 %
	이자 호르몬의 이름을 쓰고, 혈당량을 낮춘다고만 설명한 경우	30 %
	이자 호르몬의 이름만 쓴 경우	10 %
(2)	이자 호르몬의 이름과 작용을 들어 혈당량을 회복하는 과정을 옳게 설명한 경우	50 %
	이자 호르몬의 이름을 쓰고, 혈당량을 높인다고만 설명한 경우	30 %
	이자 호르몬의 이름만 쓴 경우	10 %

6 **문제 해결 가이드** 체온은 간뇌의 조절을 받아 신경과 호르몬의 작용으로 일정하게 유지된다는 것을 생각한다.
• 항상성 유지는 신경과 호르몬의 작용으로 이루어진다는 점과 •• 신경과 호르몬에 의한 작용의 차이점을 연결하여 설명한다.

모범 답안 A는 신경에 의한 조절 경로이고, B는 호르몬에 의한 조절 경로이다. 신경에 의한 신호 전달은 신경 세포인 뉴런을 통해 빠르게 일어나지만 적용 범위가 좁고 효과가 일시적이다. 호르몬에 의한 신호는 혈액을 통해 전달되어 표적 기관에 작용하므로 상대적으로 효과가 느리게 나타나지만 넓은 범위에 걸쳐 지속적인 효과를 나타낸다.

채점 기준	배점
A와 B의 신호 전달의 경로, 속도, 효과의 범위와 지속성을 모두 옳게 설명한 경우	100 %
A와 B의 신호 전달의 경로, 속도, 효과의 범위와 지속성 중 두 가지만 옳게 설명한 경우	60 %
A와 B의 신호 전달의 경로, 속도, 효과의 범위와 지속성 중 한 가지만 옳게 설명한 경우	30 %

V 생식과 유전

01 생장과 생식

학습 내용 Check

2권 013쪽	1 세포	2 모세포, 딸세포
	3 작을	4 염색체
	5 염색 분체	6 상동 염색체
	7 46, 44, 2	
2권 015쪽	1 세포 주기	2 간기
	3 핵막, 염색체	4 중기, 후기
	5 세포판	6 같다
2권 017쪽	1 상동, 2가	2 상동 염색체, 염색 분체
	3 2, 절반($\frac{1}{2}$)	4 2, 4
2권 019쪽	1 정소, 난소	2 많아, 작아
	3 포배, 착상	4 266, 출산

탐구 확인 문제

2권 020쪽

1 (1) × (2) ○ (3) ○ (4) × (5) ×
2 (1) ㉠ 24 ㉡ 8 ㉢ 3 (2) $\frac{\text{표면적}}{\text{부피}}$ 값이 클수록 물질 교환이 원활한데, A는 $\frac{\text{표면적}}{\text{부피}}$ 값이 6이지만, B는 3이다. 따라서 A가 B보다 물질 교환의 효율이 높다.

1 (1) A와 B에서 우무 조각 전체의 부피는 8 cm^3로 같다.
(2) 우무 전체의 표면적은 A는 24 cm^2이고, B는 48 cm^2로 B가 A의 2배이다.
(3) 우무 조각 전체로 고르게 식용 색소가 들어가도록 해야 하므로 식용 색소 용액은 우무 조각이 잠기도록 넣는다.
(4) 크기가 작은 B의 한 조각은 중심까지 색소로 물들었지만, 크기가 큰 A의 한 조각은 중심까지 색소로 물들지 않았다. 우무 조각이 클수록 물질 교환의 효율이 낮아 중심까지 물질이 이동하기 어렵다.
(5) 우무 조각으로 스며드는 식용 색소의 양은 표면적에 비례하므로 B가 A의 2배이다.

2 (1) 정육면체의 한 변의 길이가 1 cm에서 2 cm로 2배 증가하면 표면적은 4배 증가하고, 부피는 8배 증가한다.
(2) 세포의 부피가 증가함에 따라 필요로 하는 물질이나 생

성되는 노폐물이 많아지는데, 세포 안팎으로의 물질 이동은 세포 표면을 통해 이루어진다. 따라서 단위 부피당 표면적 값이 클수록 세포의 물질 교환 효율이 높다고 할 수 있다.

탐구 확인 문제

2권 021쪽

1 (1) ○ (2) × (3) ○ (4) × (5) ○

2 (가)를 생략할 경우 세포벽이 단단한 상태로 유지되어 세포들이 잘 분리되지 않는다. (나)를 생략할 경우 핵과 염색체가 뚜렷하게 관찰되지 않는다.

1 (1) 양파 뿌리를 에탄올과 아세트산을 섞은 용액에 넣으면 분열되고 있던 상태 그대로 고정된다.
(2) 묽은 염산에 넣고 물 중탕하는 것은 세포벽을 연하게 만들어 세포가 잘 분리되도록 하는 과정이다.
(3) 아세트산 카민 용액은 핵과 염색체를 붉은색으로 염색한다.
(4) 해부 침으로 잘게 찢는 것은 세포들을 분리하기 위한 것이다.
(5) 덮개유리에 거름종이를 올려놓고 엄지손가락으로 지그시 눌러 압착하는 것은 세포를 한 층으로 얇게 펴기 위한 것이다.

2 (가) 과정(해리)을 생략하면 세포들을 분리하여 한 층으로 얇게 펴기 어렵기 때문에 선명한 상을 얻을 수 없다.
(나) 과정(염색)을 생략하면 핵과 염색체가 투명해서 관찰하기가 어렵다.

개념 확인 문제

2권 026쪽~029쪽

01 ⑤	**02** ④	**03** A: 단백질, B: DNA		
04 ①	**05** ②	**06** ③	**07** ③	
08 (나)-(라)-(다)-(가)-(마)			**09** ⑤	**10** ⑤
11 ①	**12** ②	**13** 정소	**14** ③	**15** ⑤
16 ③	**17** ㄹ	**18** ㄱ, ㄴ	**19** ③	**20** ③

01 ㄱ. 세포 분열은 하나의 세포가 둘로 나누어지는 것이다.
ㄴ. 세포의 크기가 커질 때 표면적은 길이의 제곱, 부피는 길이의 세제곱으로 증가하므로 세포의 크기가 증가할수록 $\frac{표면적}{부피}$ 값은 작아진다.
ㄷ. 다세포 생물은 몸집의 크기와 관계없이 세포의 크기가 비슷하다. 이것은 생장이 일어날 때 세포가 일정 크기 이상으로 커지지 않고 분열을 하여 세포 수를 늘리기 때문이다.

02 ㄱ. 우무 조각의 단면에서 색소가 이동한 거리는 우무 조각의 크기에 관계없이 같다.
ㄴ. A는 우무 조각의 중심까지 색소가 이동하였으므로, A가 B보다 물질 교환이 효율적으로 일어났음을 알 수 있다. 즉, 세포의 크기가 작을수록 세포 안팎으로 물질 교환이 원활하게 일어난다.
ㄷ. A와 B의 표면적과 부피는 다음과 같다.

구분	A	B
표면적(cm^2)	6	24
부피(cm^3)	1	8
$\frac{표면적}{부피}$	6	3

03 자료 분석하기

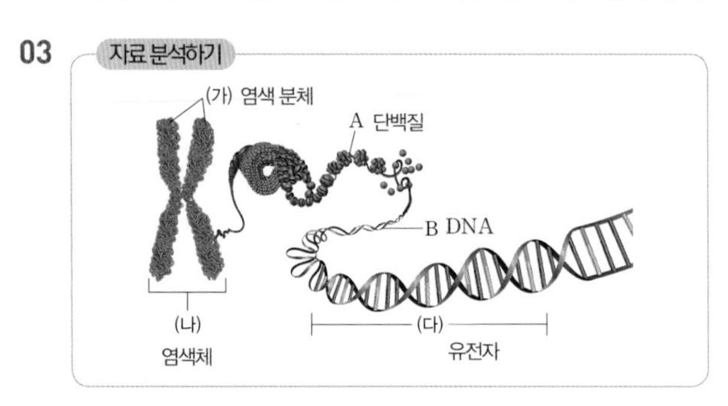

염색체는 긴 사슬 모양의 유전 물질인 DNA(B)와 단백질(A)로 이루어져 있다.

04 ① (가)는 복제되어 만들어진 염색 분체이다.
②, ③ (나)는 염색체이며, 염색체는 핵 속에서 가느다란 실 모양으로 풀어져 있다가 세포가 분열할 때 응축되어 막대 모양이 된다.
④ (다)는 유전 정보가 저장되어 있는 유전자이다.
⑤ 염색체는 DNA와 단백질로 구성되며, DNA의 특정 부분이 유전 정보를 담은 유전자이다. 따라서 유전자(다)는 염색체(나)에 포함되어 있다.

05 ㄱ. 염색체는 간기가 아닌 분열기에 관찰할 수 있다. 간기에는 염색체가 실처럼 풀려 있어 관찰되지 않는다.
ㄴ, ㄷ. (가)와 (나)는 부모로부터 각각 한 개씩 물려받은 상동 염색체로 (가)가 복제되어 (나)가 형성되는 것이 아니다.

06 ① 사람의 체세포에는 22쌍(44개)의 상염색체가 있다.
② (가)는 성염색체 구성이 XY이므로 남자이고, (나)는 XX이므로 여자이다.

③ 남자의 X 염색체(A)는 어머니에게서, Y 염색체(B)는 아버지에게서 물려받은 것이다.
④ (가)와 (나)에는 상염색체 22쌍과 성염색체 1쌍, 총 23쌍의 상동 염색체가 있다.
⑤ 1쌍의 성염색체는 부모에게서 하나씩 물려받은 것이다.

07 ① 간기에는 염색체가 관찰되지 않고 핵이 관찰된다.
② 세포 주기에서 간기는 분열기보다 소요 시간이 길다.
③ 유전 물질의 복제는 간기에 일어나며, 이후 세포 분열을 준비하여 핵분열이 진행된다.
④ 세포 분열은 핵분열이 먼저 일어나고 그 후 세포질 분열이 일어난다.
⑤ 분열기 중 핵분열은 염색체의 행동에 따라 전기, 중기, 후기, 말기로 구분한다.

08 (가)는 후기, (나)는 간기, (다)는 중기, (라)는 전기, (마)는 말기이다.

09 ① 체세포 분열 후기에는 염색 분체가 분리되어 세포의 양쪽 끝으로 이동한다.
② 간기에는 핵이 관찰되고 염색체는 보이지 않는다.
③ 중기에는 염색체가 세포의 가운데에 배열된다.
④ 전기에는 핵막이 사라지고 염색체가 응축되어 나타난다. 유전 물질은 간기에 복제된다.
⑤ 말기에는 핵막이 다시 나타나 딸핵이 형성되고 세포질 분열이 일어난다.

10 (가)는 세포질이 밖에서 안으로 들어가며 분리되므로 동물 세포의 세포질 분열이다. (나)는 세포판(A)이 형성되므로 식물 세포의 세포질 분열이다. 세포판은 자라서 새로운 세포막과 세포벽이 된다.

11 자료 분석하기

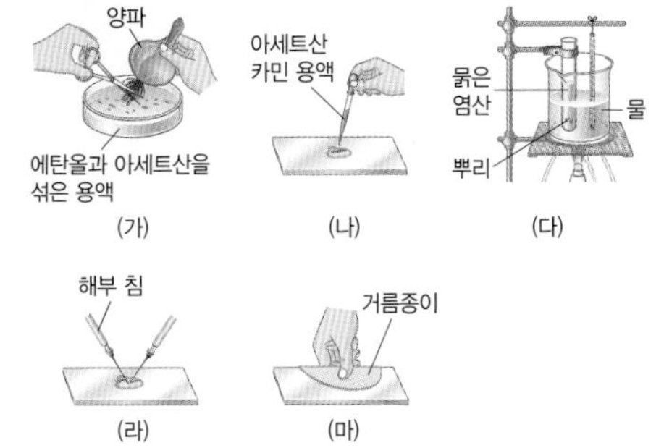

(가) 고정: 세포를 살아 있을 때와 같은 모습으로 고정한다.
(나) 염색: 아세트산 카민 용액은 핵과 염색체를 붉은색으로 염색한다.
(다) 해리: 양파 뿌리를 묽은 염산에 넣고 물 중탕하면 세포벽이 연해진다.
(라) 분리: 해부 침으로 세포를 분리한다.
(마) 압착: 덮개유리에 거름종이를 덮고 엄지손가락으로 지그시 눌러 세포를 한 층으로 얇게 편다.

⑤ 체세포 분열 관찰 실험은 고정(가) → 해리(다) → 염색(나) → 분리(라) → 압착(마)의 순으로 진행한다.

12 ①, ② 감수 1분열 전기에 2가 염색체가 형성되고 후기에 상동 염색체가 분리된다.
③ 감수 1분열이 끝난 후 유전 물질의 복제 없이 감수 2분열이 시작된다.
④ 감수 2분열에서 염색 분체가 분리된다.
⑤ 감수 2분열에서는 염색체 수가 변하지 않는다.

13 상동 염색체가 접합하였다가 분리되고, 연속해서 2회의 분열을 하므로 생식세포 분열을 나타낸 것이다. 동물에서 수컷은 정소, 암컷은 난소에서 생식세포 분열이 일어난다.

14 ① (가)에서 DNA가 복제되어 유전 물질의 양이 2배로 증가한다. 그러나 염색체 수는 모세포와 동일하게 유지된다.
② (나)에서 상동 염색체가 접합하여 2가 염색체를 형성하므로 유전 물질의 양이나 염색체 수에는 변화가 없다.
③ (다)에서는 상동 염색체가 분리되어 각각 다른 딸세포로 들어가므로 염색체 수가 반으로 줄어든다.
④, ⑤ (라)는 감수 2분열 과정으로, 염색 분체가 분리된다. 이때는 염색체 수는 변하지 않고, 유전 물질(DNA)의 양만 반으로 줄어든다.

15 체세포 분열 과정에서는 2가 염색체가 형성되지 않으며, 딸세포의 염색체 수는 모세포와 같다. 반면에 생식세포 분열 과정에서는 2가 염색체가 형성된 후 연속해서 2회 분열이 일어나 딸세포의 염색체 수는 모세포의 절반이 된다.

16 ①, ② (가)는 염색 분체가 분리되어 분열 전과 후의 염색체 수가 같게 유지되는 체세포 분열이다. 생물이 생장할 때 체세포 분열이 활발히 일어나 세포 수를 늘린다.
③ (나)는 연속해서 2회 분열이 일어나 염색체 수가 절반으로 줄어드는 생식세포 분열(감수 분열)이다. 식물에서는 밑씨나 꽃밥에서 생식세포 분열이 일어난다.
④ 감수 1분열(B) 과정에서 상동 염색체끼리 접합하여 2가 염색체가 형성된다.
⑤ 감수 2분열 결과 염색체 수는 변하지 않고, DNA양은 반으로 줄어든다.

17 체세포 분열로 생성된 딸세포는 모세포와 염색체 구성이 같으므로 ㄹ과 같은 염색체 구성을 갖는다.

18 생식세포 분열이 완료되면 딸세포는 상동 염색체 중 한 개씩만 갖게 되므로 ㄱ, ㄴ과 같은 염색체 구성을 가질 수 있다. 생식세포 분열 결과 생긴 딸세포는 ㄷ과 같이 한 쌍의 상동 염색체를 가질 수 없다.

19 (가)는 정자이고, (나)는 난자이다. 정자는 난자보다 세포질과 양분이 적지만, 염색체 수는 난자와 같이 23개이다. 정자는 정소에서 만들어지며 운동성이 있고, 난자는 난소에서 만들어지며 운동성이 없다.

20 ①, ②, ④ 난할이 일어날 때는 세포의 생장이 일어나지 않으므로 난할이 거듭될수록 세포 한 개의 세포질의 양이 점점 감소하여 세포 한 개의 크기는 점점 작아지지만 배 전체의 크기는 거의 일정하게 유지된다.
③ 난할은 발생 초기에 일어나는 세포 분열로 기본적으로 체세포 분열과 같다. 따라서 난할이 거듭되더라도 세포 한 개의 염색체 수는 수정란과 같게 유지된다.
⑤ 난할이 한 번 일어날 때마다 세포의 수가 2배씩 증가하므로 난할이 거듭될수록 배를 구성하는 세포의 수가 점점 증가한다.

실력 **강화** 문제

2권 030쪽~031쪽

01 ②	**02** ②, ③	**03** ④	**04** ④	**05** ⑤
06 ③, ④	**07** ③	**08** ④		

01 ㄱ. 총 부피는 (가)는 $1\times1\times1=1\ \text{cm}^3$, (나)는 $2\times2\times2=8\ \text{cm}^3$, (다)는 $1\ \text{cm}^3\times8=8\ \text{cm}^3$이다. 따라서 (가)~(다)의 총 부피를 비교하면 (가)<(나)=(다)이다.
ㄴ. 총 표면적은 (가)는 $6\ \text{cm}^2$, (나)는 $24\ \text{cm}^2$, (다)는 $48\ \text{cm}^2$이다. $\dfrac{\text{총 표면적}}{\text{총 부피}}$의 값은 (가)는 $\dfrac{6}{1}=6$, (나)는 $\dfrac{24}{8}=3$, (다)는 $\dfrac{48}{8}=6$으로 (가)=(다)>(나)이다.
ㄷ. 정육면체가 세포라고 하면, 세포에서의 물질 교환 효율은 (가)와 (다)가 (나)보다 크다.

02 ① 염색체는 (가)와 (나) 2개이다.
② 하나의 염색체를 구성하는 A와 B는 복제되어 형성된 염색 분체이다.
③ C와 D는 복제되어 형성되었으므로 유전 정보가 같다.
④ 체세포 분열에서는 (가)와 (나)의 상동 염색체의 접합이 일어나지 않고, 염색 분체가 분리된다. 상동 염색체의 접합으로 2가 염색체를 형성하는 것은 감수 1분열이다.
⑤ (가)와 (나)는 상동 염색체이며, 각각 부모에게서 한 개씩 물려받은 것이다.

03 ㄱ. ⓐ와 ⓑ는 상동 염색체이며, 부모에게서 한 개씩 물려받은 것이다.
ㄴ. 남자의 X 염색체는 어머니에게서, Y 염색체는 아버지에게서 물려받은 것이다.
ㄷ. 상염색체는 모두 22쌍(44개)인데, 각 염색체는 2개의 염색 분체로 이루어져 있으므로 염색 분체 수는 88개이다.

04 자료 분석하기

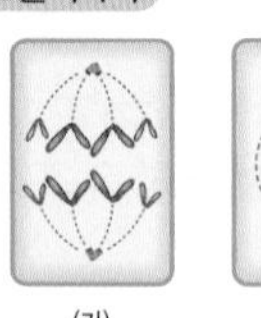
(가)

(나)

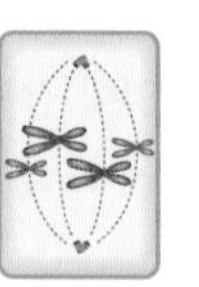
(다)

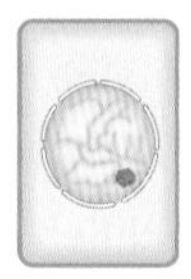
(라)

(가) 후기: 염색 분체가 분리되어 세포의 양쪽 끝으로 이동한다.
(나) 전기: 핵막이 사라지고 두 가닥의 염색 분체로 이루어진 염색체가 나타난다.
(다) 중기: 염색체가 세포의 가운데에 배열된다.
(라) 간기: 핵막이 뚜렷하게 관찰되고 유전 물질이 복제된다.

ㄱ. 체세포 분열에서는 염색 분체가 분리된다.
ㄴ. 체세포 분열에서는 상동 염색체가 접합하지 않으므로 2가 염색체가 관찰되지 않는다.
ㄷ. 세포 분열은 간기(라) → 전기(나) → 중기(다) → 후기(가)의 순으로 일어난다.

05 자료 분석하기

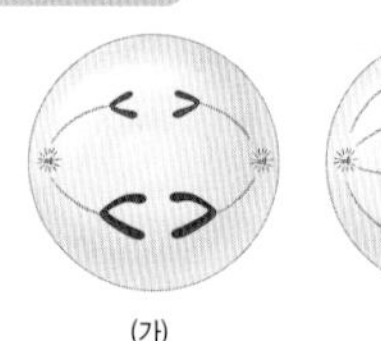
(가)

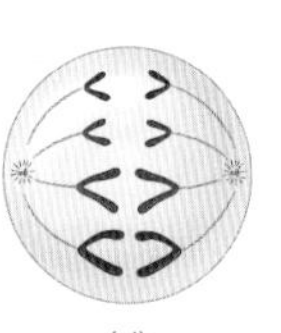
(나)

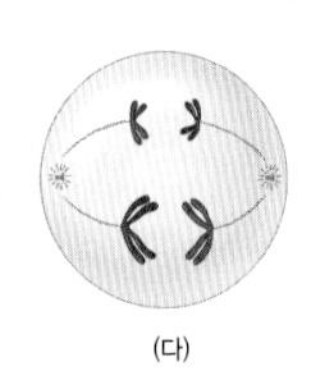
(다)

(가) 상동 염색체가 없고 염색 분체가 분리되어 세포의 양쪽 끝으로 이동하고 있으므로 감수 2분열 후기이다.
(나) 상동 염색체가 있으며 염색 분체가 분리되어 세포의 양쪽 끝으로 이동하고 있으므로 체세포 분열 후기이다.
(다) 상동 염색체가 분리되어 세포의 양쪽 끝으로 이동하고 있으므로 감수 1분열 후기이다.

ㄱ. 동물의 수컷에서 생식세포 분열은 정소에서 관찰된다.
ㄴ. 체세포 분열로 생긴 딸세포에는 상동 염색체가 있다.
ㄷ. 감수 1분열 결과 염색체 수는 반으로 줄어든다.

06 (가)는 체세포 분열, (나)는 생식세포 분열이다.
① A에는 상동 염색체가 있지만, 상동 염색체끼리 접합하여 2가 염색체를 형성하지는 않는다.
② 체세포 분열에서는 염색 분체가 분리된다.
③ C가 D로 될 때 상동 염색체가 분리되어 각각 딸세포로 들어가므로 염색체 수가 반으로 줄어든다.
④ E의 유전 물질의 양을 1이라고 하면 C의 유전 물질의 양은 4이다. 따라서 C의 유전 물질의 양은 E의 4배이다.

⑤ 뿌리 끝에서는 체세포 분열(가)을 관찰할 수 있고, 생식 세포 분열(나)은 생식 기관인 꽃밥에서 관찰할 수 있다.

07 ㄱ. 사람 체세포의 염색체 수는 46개이며, 난자의 염색체 수는 그 절반인 23개이다.
ㄴ. (나)는 난할 과정이며, 이때는 체세포 분열과 마찬가지로 DNA가 복제된 후 염색 분체가 분리된다. 그러나 일반적인 체세포 분열과는 달리 생장기를 거치지 않으므로 난할이 거듭될수록 세포 1개의 크기는 작아진다.
ㄷ. 착상(다)이 일어날 때 배의 발생 단계는 안쪽에 빈 공간이 있는 포배이다.

08 (가) 분열이 거듭될수록 값이 증가하는 것은 세포의 수이다.
(나) 난할이 일어날 때는 세포의 생장기가 거의 없으므로 분열이 거듭될수록 값이 감소하는 것은 세포 1개의 크기이다.
(다) 세포의 생장이 거의 일어나지 않으므로 분열이 거듭되더라도 값이 일정하게 유지되는 것은 배의 크기이다.

서술형 문제

2권 032쪽~033쪽

1 세포의 부피에 대한 표면적의 비가 커야 물질 교환이 효율적으로 일어난다. 세포의 크기가 증가할 때 표면적이 증가하는 비율보다 부피가 증가하는 비율이 크므로 세포가 커질수록 물질 교환의 효율은 감소한다.

모범 답안 (1) 세포의 크기가 커짐에 따라 $\frac{\text{표면적}}{\text{부피}}$ 값이 감소하여 물질 교환 효율이 낮아지므로 분열하여 세포 수를 늘리는 것이 물질 교환에 유리하다.

(2)

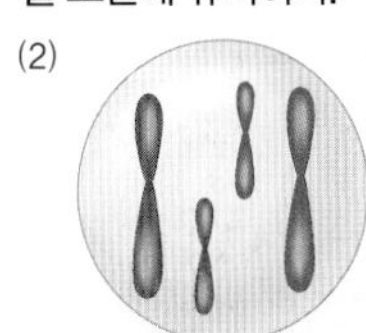

체세포 분열이 일어날 때는 간기에 유전 물질이 복제되어 하나의 염색체가 2개의 염색 분체로 이루어지고, 분열기에 염색 분체가 분리된다.

	채점 기준	배점
(1)	세포가 클수록 단위 부피당 표면적의 비율이 작아져서 물질 교환 효율이 낮다는 것을 옳게 설명한 경우	50 %
	세포가 클수록 물질 교환 효율이 낮다고만 설명한 경우	25 %
(2)	딸세포의 염색체 구성을 옳게 그리고, 그렇게 표현한 까닭을 염색 분체의 분리와 관련지어 옳게 설명한 경우	50 %
	딸세포의 염색체 구성만 옳게 그린 경우	25 %
	그림 없이 체세포 분열에서 염색 분체가 분리되어 모세포와 염색체 구성이 같은 딸세포가 형성된다고만 설명한 경우	25 %

2 (가)는 고정, (나)는 해리, (다)는 염색 단계이다.

모범 답안 (가)는 세포 분열이 일어나던 상태 그대로 고정하고, (나)는 단단한 세포벽을 연하게 하는 해리 과정이다. (다)는 핵과 염색체를 염색하여 뚜렷하게 관찰하기 위한 과정이다.

채점 기준	배점
(가)~(다) 과정을 거치는 까닭을 모두 옳게 설명한 경우	100 %
(가)~(다) 과정을 거치는 까닭 중 두 가지만 옳게 설명한 경우	60 %
(가)~(다) 과정을 거치는 까닭 중 한 가지만 옳게 설명한 경우	30 %

3 사람의 몸을 이루는 체세포에는 23쌍(46개)의 염색체가 있다. 이 중에서 22쌍은 성별에 관계없이 공통으로 갖는 상염색체이고, 1쌍은 성별에 따라 다르게 갖는 성염색체이다. 남자는 성염색체 1쌍의 크기와 모양이 다르고 여자는 성염색체의 크기와 모양이 같다.

모범 답안 이 사람은 성염색체로 크기와 모양이 서로 다른 X 염색체와 Y 염색체를 갖고 있으므로 남자이다.

채점 기준	배점
성염색체의 크기와 모양이 다르기 때문에 또는 성염색체 구성이 XY이기 때문에 성별이 남자라고 설명한 경우	100 %
남자라고만 쓴 경우	50 %

4 상처 부위의 재생, 어린아이의 생장 등이 일어날 때는 체세포 분열이 일어나 세포의 수가 증가한다.

모범 답안 조직의 재생, 개체의 생장이 일어날 때는 체세포 분열이 활발하게 일어나 세포 수가 증가한다.

채점 기준	배점
재생과 생장은 체세포 분열을 통해 세포 수가 증가하여 일어난다는 것을 설명한 경우	100 %
재생과 생장이 일어날 때 세포 수가 증가한다고만 설명한 경우	60 %

5 핵분열은 염색체의 행동에 따라 전기, 중기, 후기, 말기로 구분한다. 전기에는 핵막이 사라지고 두 가닥의 염색 분체로 이루어진 염색체가 나타나며, 중기에는 염색체가 세포 가운데에 배열된다. 후기에는 염색 분체가 분리되어 각각 세포의 양쪽 끝으로 이동하며, 말기에는 핵막이 다시 나타나고 염색체가 풀어진다.

모범 답안 (가)는 전기이며 핵막이 사라지고 응축된 염색체가 나타난다. (나)는 중기이며 염색체가 세포의 가운데에 배열된다. (다)는 후기이며 염색 분체가 분리되어 방추사에 의해 각각 세포의 양쪽 끝으로 이동한다. (라)는 말기이며 염색체가 풀리고 핵막이 다시 나타나 딸핵이 만들어진다.

채점 기준	배점
(가)~(라) 시기의 이름을 쓰고, 핵막의 유무와 염색체의 행동을 중심으로 각 시기의 특징을 옳게 설명한 경우	100 %
(가)~(라) 시기의 이름을 쓰고, 핵막의 유무와 염색체의 행동을 중심으로 각 시기의 특징을 설명하였으나 일부만 옳은 경우	60 %
(가)~(라) 시기의 이름만 옳게 쓴 경우	30 %

6 그림에서는 상동 염색체가 접합한 2가 염색체가 관찰된다. 2가 염색체는 감수 1분열 전기에 형성되며, 감수 1분열 중기까지 관찰된다. 그림에서 2가 염색체가 세포 가운데에 나란히 배열되어 있지 않으므로, 그림은 감수 1분열 전기의 세포를 나타낸 것이다. 감수 2분열에서는 하나의 염색체를 이루고 있던 두 가닥의 염색 분체가 분리되어 이동한다. 생식세포 분열이 완료되면 딸세포는 두 개의 상동 염색체 중 한 개씩만을 갖는다. 상동 염색체는 부모에게서 한 개씩 물려받은 것이므로 n쌍의 염색체 조합에 따라 생식세포의 염색체 조합은 2^n개가 가능하다.

모범 답안 (1) 상동 염색체가 접합하여 2가 염색체를 형성하였고, 2가 염색체가 세포 가운데에 나란히 배열되어 있지 않으므로 감수 1분열 전기의 세포이다.

(2) 감수 1분열에서는 상동 염색체가 분리되어 염색체 수와 유전 물질의 양이 모세포의 반으로 줄어든 딸세포가 형성되지만, 감수 2분열에서는 염색 분체가 분리되어 염색체 수는 그대로 유지되고 유전 물질의 양만 반으로 줄어든 딸세포가 형성된다.

(3)

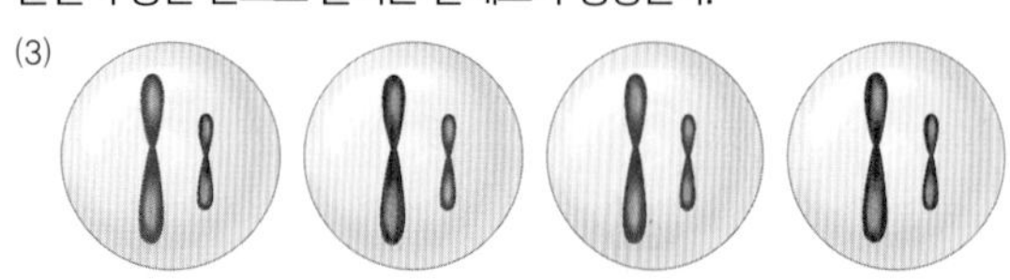

	채점 기준	배점
(1)	감수 1분열 전기의 세포라는 것을 2가 염색체의 형성 및 배열과 관련지어 옳게 설명한 경우	30 %
	감수 1분열 전기라고만 설명한 경우	15 %
(2)	감수 1분열과 감수 2분열의 차이점을 염색체의 분리, 염색체 수와 유전 물질 양의 변화 측면에서 옳게 설명한 경우	40 %
	감수 1분열과 감수 2분열의 차이점을 염색체의 분리, 염색체 수와 유전 물질 양의 변화 중 한 가지 측면에서만 옳게 설명한 경우	20 %
(3)	형성될 수 있는 생식세포의 염색체 조합을 모두 옳게 나타낸 경우	30 %
	형성될 수 있는 생식세포의 염색체 조합을 두 가지만 옳게 나타낸 경우	15 %

7 생식세포 분열에서는 유전 물질이 1회 복제된 후 연속 2회 분열이 일어나므로 생식세포 분열로 형성되는 딸세포는 일반적인 체세포와는 달리 염색체 수가 반으로 줄어든다. 따라서 암수 생식세포의 수정에 의해 형성된 자손은 염색체 수가 부모와 같게 된다.

모범 답안 생식세포 분열을 통해 염색체 수가 체세포의 절반인 암수 생식세포가 만들어지고, 이들의 수정으로 형성되는 자손의 염색체 수는 체세포와 같아진다. 그 결과 자손의 염색체 수는 부모 세대와 같게 유지되고 자손은 부모의 유전 정보를 반씩 물려받아 새로운 유전자 조합을 갖게 된다.

채점 기준	배점
염색체 수가 반감된 생식세포가 만들어진 후 수정되어 자손이 형성되므로 자손의 염색체 수는 부모와 같게 유지되고 새로운 유전자 조합을 갖게 된다는 것을 옳게 설명한 경우	100 %
암수 생식세포의 수정으로 자손의 염색체 수가 부모와 같게 유지된다고 설명한 경우	50 %
암수 생식세포의 수정으로 자손의 유전 정보가 다양해진다고 설명한 경우	25 %
생식세포 분열로 생식세포의 염색체 수와 유전 정보의 양이 부모의 체세포의 반으로 줄어든다고 설명한 경우	25 %

8 정자는 꼬리로 운동하여 난자에게 접근하고, 난자는 운동성이 없고 수정 후 초기 발생에 필요한 양분을 많이 포함하고 있어서 크기가 크다. 수정란의 초기 발생 과정에서는 난할이 일어난다. 난할은 유전 물질을 복제한 후 1회의 분열이 일어나서 세포당 염색체 수는 유지되므로 기본적으로 체세포 분열에 해당하지만 세포의 생장기가 거의 없어 난할이 거듭될수록 세포 하나의 크기는 감소한다.

모범 답안 (1) 정자는 꼬리로 운동할 수 있고, 난자는 운동성이 없다. 난자는 초기 발생에 필요한 양분을 많이 포함하고 있어 정자에 비해 크기가 훨씬 크다.

(2) ㉠ 46 ㉡ 46 ㉢ 46 ㉣ $\frac{1}{2}$ ㉤ $\frac{1}{4}$ ㉥ $\frac{1}{8}$, 난할은 기본적으로 체세포 분열에 해당하므로 난할이 일어나더라도 배를 구성하는 세포 하나의 염색체 수는 변하지 않는다. 그러나 난할 과정에서 세포의 생장이 거의 일어나지 않으므로 난할이 거듭될수록 세포 하나의 크기는 점점 작아진다.

	채점 기준	배점
(1)	정자와 난자의 차이점을 크기와 운동성의 측면에서 옳게 비교하여 설명한 경우	50 %
	정자와 난자의 차이점을 크기와 운동성 중 한 가지만 비교하여 옳게 설명한 경우	25 %
(2)	㉠~㉥을 옳게 쓰고, 그렇게 생각한 까닭을 난할의 특징과 관련지어 옳게 설명한 경우	50 %
	㉠~㉥을 옳게 쓰고, 그렇게 생각한 까닭을 염색체 수와 세포의 크기 중 어느 하나와만 관련지어 옳게 설명한 경우	30 %
	㉠~㉥만 옳게 쓴 경우	15 %

02 유전의 원리

학습 내용 Check

2권 034쪽	1 대립 형질	2 표현형, 유전자형
	3 우성, 열성	
2권 036쪽	1 우열	2 분리의 법칙
	3 독립의 법칙	

탐구 확인 문제

2권 037쪽

1 (1) ○ (2) ○ (3) × (4) × **2** ⑤

1 (1) 수술 주머니에 넣은 바둑알은 꽃가루, 암술 주머니에 넣은 바둑알은 난세포, 즉 생식세포를 의미한다.
(2) 바둑알에 쓴 R와 r는 대립유전자를 나타낸다.
(3) 바둑알을 하나씩 꺼내는 것은 생식세포 분열로 생식세포가 형성되는 것을 나타낸다.
(4) 완두의 유전자형이 각각 Rr이므로 실험 횟수가 많을수록 자손의 표현형은 둥근 완두 : 주름진 완두=3 : 1이 된다.

2 제시된 실험은 완두 씨의 모양이라는 한 가지 형질의 유전에 대해 알아보고 있으므로 두 가지 형질의 유전 현상에서 알 수 있는 독립의 법칙은 확인할 수 없다.

개념 확인 문제

2권 040쪽~041쪽

01 ② **02** ㄱ, ㄴ, ㄹ **03** ⑤ **04** ①
05 ④ **06** ④ **07** ④ **08** ④ **09** RrYy
10 RY, Ry, rY, ry **11** ⑤ **12** ①

01 완두는 구하기 쉽고, 한 세대가 짧아서 유전 실험 결과를 비교적 빠르게 얻을 수 있으며, 자유롭게 교배할 수 있다. 또한, 대립 형질이 뚜렷하게 구별되고, 자손의 수가 많아서 유용한 통계 자료를 얻을 수 있으며, 자가 수분이 잘되어 순종을 얻기 쉽다.

02 하나의 형질을 결정하는 대립유전자 쌍이 같은 RR, rrYY, aaBBdd는 순종이다. Rryy는 하나의 형질을 결정하는 대립유전자 구성이 Rr로 다르므로 잡종이다.

03 씨 색깔은 형질이고, 씨 색깔이라는 하나의 형질에 대해 서로 다른 특징을 나타내는 노란색과 초록색은 대립 형질이다. 겉으로 드러나는 노란색과 초록색은 표현형이고, YY, Yy, yy와 같이 기호로 나타낸 것은 유전자형이다. 순종의 대립 형질끼리 교배하였을 때 잡종 1대에서 나타나는 형질을 우성, 나타나지 않는 형질을 열성이라고 한다.

04 우열의 원리에 따르면 순종인 우성과 열성 형질을 가진 어버이를 교배했을 때 잡종 1대에서는 우성 형질만 나온다. 따라서 잡종 1대에는 우성 형질인 둥근 완두만 나온다.

05 씨 모양이 둥근 유전자를 R, 주름진 유전자를 r라고 할 때, 잡종 1대의 유전자형은 Rr이다. 잡종 1대를 자가 수분하면 Rr×Rr → RR, Rr, Rr, rr로 둥근 완두 : 주름진 완두=3 : 1로 나온다. 따라서 잡종 2대의 완두 800개 중 $\frac{3}{4}$인 600개가 둥근 완두이다.

06 멘델은 자신의 실험 결과를 설명하기 위해 몇 가지 가설을 제시하였지만, 형질을 결정하는 유전 인자가 어디에 있는지는 알지 못하였다.

07 우성 형질끼리 교배하면 자손은 우성만 나오거나 우성과 열성이 함께 나올 수 있다. 그러나 열성 형질끼리 교배하면 자손은 모두 열성 형질을 나타낸다.
① 우성 형질인 매끈한 콩깍지끼리 교배하면 유전자형이 잡종일 경우 자손 중에 열성 형질인 잘록한 콩깍지가 나올 수 있다.
② 노란색 콩깍지는 유전자형이 열성 순종이어서 초록색 콩깍지 대립유전자를 가진 것이 없다.
③ 보라색 꽃과 흰색 꽃을 교배할 때 보라색 꽃의 유전자형이 잡종이면 보라색 꽃과 흰색 꽃이 1 : 1로 나온다.
④ 꽃이 줄기 끝에 달리는 완두는 모두 열성 순종이므로 자가 수분하면 자손은 모두 꽃이 줄기 끝에 달린다.
⑤ 순종인 키 큰 완두와 키 작은 완두를 교배하면 잡종 1대에서 우성 형질인 키 큰 완두만 나온다.

08 자료 분석하기

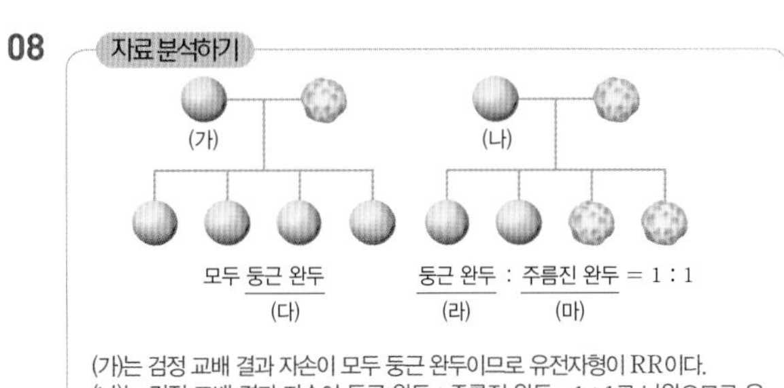

(가)는 검정 교배 결과 자손이 모두 둥근 완두이므로 유전자형이 RR이다.
(나)는 검정 교배 결과 자손이 둥근 완두 : 주름진 완두=1 : 1로 나왔으므로 유전자형이 Rr이다.
(다), (라)의 유전자형은 Rr이고, (마)의 유전자형은 rr이다.

ㄱ. (가)는 유전자형이 RR이고, (나)는 Rr이다.
ㄴ. (다)의 유전자형은 Rr이므로 주름진 유전자를 갖는다.
ㄷ. (라)와 (마)의 유전자형은 각각 Rr, rr이므로 이들을 교배하면 둥근 완두 : 주름진 완두=1 : 1로 나온다.

09 어버이의 생식세포 유전자형은 각각 RY, ry이다.

10 RrYy에서 만들어지는 생식세포는 RY, Ry, rY, ry의 4종류이다.

11 잡종 1대를 자가 수분하면 다음과 같이 나타난다.

♂ \ ♀	RY	Ry	rY	ry
RY	RRYY	RRYy	RrYY	RrYy
Ry	RRYy	RRyy	RrYy	Rryy
rY	RrYY	RrYy	rrYY	rrYy
ry	RrYy	Rryy	rrYy	rryy

따라서 잡종 2대의 표현형 분리비는 둥글고 노란색(R_Y_) : 둥글고 초록색(R_yy) : 주름지고 노란색(rrY_) : 주름지고 초록색(rryy)=9 : 3 : 3 : 1이다.

12 ㄱ, ㄷ. 잡종 2대에서 둥근 완두 : 주름진 완두=3 : 1이고, 노란색 완두 : 초록색 완두=3 : 1이다. 즉, 완두 씨의 모양과 색깔 유전자는 서로 영향을 주지 않고 각각 분리의 법칙에 따라 독립적으로 유전된다.
ㄴ. 잡종 2대의 둥글고 노란색인 완두의 유전자형은 RRYY, RRYy, RrYY, RrYy로 순종인 것도 있고, 잡종인 것도 있다.

실력 강화 문제

2권 042쪽

01 ②, ④ **02** ⑤ **03** ②, ③ **04** RRYy

01 자료 분석하기
- (가)와 (나)를 교배했을 때 자손에서 회색 : 흰색=3 : 1로 나왔으므로 회색이 우성이고 흰색이 열성이며, (가)와 (나)의 유전자형은 Bb이다.
- (다)와 (라)를 교배했을 때 자손이 모두 회색이므로 (다)와 (라) 중 적어도 하나는 유전자형이 BB이다.
- (마)와 (바)를 교배했을 때 자손이 모두 회색이므로 (마)의 유전자형은 BB이고, (바)의 유전자형은 bb이다.
- (사)와 (아)를 교배했을 때 자손이 회색 : 흰색=1 : 1이므로 (사)의 유전자형은 Bb이고, (아)의 유전자형은 bb이다.

① 털 색깔은 회색이 우성이고, 흰색이 열성이다.
② (가)와 (나) 사이에서 흰색인 자손이 태어났으므로 이들의 유전자형은 둘 다 Bb이다.
③ (다)와 (라) 중 하나만 순종이어도 자손에서 회색만 나온다.
④ (마)는 BB, (바)는 bb로, 둘 다 털 색깔 유전자형이 순종이다.
⑤ (사)는 B, b 두 종류의 생식세포를 형성하지만, (아)는 b 한 종류의 생식세포를 형성한다.

02 ㄱ. 잡종 1대에서 보라색 꽃만 나왔으므로, 꽃 색깔은 보라색이 우성 형질이고 흰색이 열성 형질이다.
ㄴ. 우성 대립유전자를 B, 열성 대립유전자를 b라고 하면 잡종 1대의 유전자형은 Bb이다. 따라서 잡종 1대는 흰색 대립유전자를 가지고 있다.
ㄷ. 잡종 2대에서 BB : Bb : bb=1 : 2 : 1로 나오므로, 보라색 꽃 중에서 유전자형이 순종인 것과 잡종인 것의 비율, 즉 BB : Bb=1 : 2이다.

03 ① 어버이의 둥글고 노란색인 완두의 유전자형은 RRYY 이므로 생식세포는 RY 한 종류만 만들어진다.
② 잡종 1대의 유전자형은 RrYy이므로 씨의 모양과 색깔은 각각 우성 형질인 둥글고 노란색을 나타낸다.
③ 완두 씨의 모양과 색깔은 독립적으로 유전되므로 잡종 2대에서 둥근 완두와 주름진 완두는 3 : 1의 비율로 나타난다.
④ 잡종 2대의 주름지고 노란색인 완두의 유전자형은 rrYY 또는 rrYy로, 순종도 있지만 잡종도 있다.
⑤ 완두 씨의 모양을 결정하는 주름진 유전자와 색깔을 결정하는 초록색 유전자는 독립적으로 행동한다.

04 완두 씨의 모양과 색깔은 독립적으로 유전하는데, 검정 교배 결과 자손에서 둥근 완두만 나왔으므로 (가)의 완두 씨 모양에 대한 유전자형은 RR이고, 자손에서 노란색 : 초록색=1 : 1로 나왔으므로 (가)의 완두 씨 색깔에 대한 유전자형은 Yy이다. 따라서 (가)의 유전자형은 RRYy이다.

서술형 문제

2권 043쪽

1 멘델은 하나의 형질을 결정하는 한 쌍의 유전 인자는 생식세포를 형성할 때 서로 분리되어 각각 다른 생식세포로 들어간다는 가설을 세웠다. (가)~(라)는 암수 생식세포의 수정으로 만들어진다.

모범 답안 (1) 순종의 노란색 완두와 초록색 완두를 교배했을 때 잡종 1대에서 노란색 완두만 나왔으므로 노란색이 우성, 초록색이 열성이다.
(2) 하나의 형질을 결정하는 대립유전자 쌍이 생식세포를 형성할 때 서로 분리되어 각각 다른 생식세포로 들어가는 것을 분리의 법칙이라고 한다.

(3) 유전자형은 (가) YY, (나)와 (다) Yy, (라) yy이고, 표현형은 (가)~(다)는 노란색, (라)는 초록색이다. 따라서 유전자형의 분리비는 YY : Yy : yy=1 : 2 : 1이고, 표현형의 분리비는 노란색 : 초록색=3 : 1이다.

	채점 기준	배점
(1)	노란색이 우성, 초록색이 열성인 것을 근거를 들어 옳게 설명한 경우	30 %
	노란색이 우성, 초록색이 열성이라고만 설명한 경우	15 %
(2)	분리의 법칙을 옳게 설명한 경우	30 %
	분리의 법칙이라고만 쓴 경우	15 %
(3)	(가)~(라)의 유전자형을 쓰고 유전자형과 표현형의 분리비를 모두 옳게 설명한 경우	40 %
	(가)~(라)의 유전자형만 옳게 쓴 경우	20 %

2 (1) 우성 형질인 개체의 유전자형은 우성 순종과 잡종이 있고, 열성 형질인 개체의 유전자형은 열성 순종만 있다.
(2) 표현형이 우성인 개체의 유전자형을 알아보기 위해서는 열성인 개체와 교배하여 자손에서 어떤 형질이 나타나는지를 알아본다.

모범 답안 (1) 콩깍지 색깔이 초록색인 완두의 유전자형은 GG 또는 Gg이고, 노란색인 완두의 유전자형은 gg이다.
(2) 콩깍지가 초록색인 완두를 열성 형질인 콩깍지가 노란색인 완두와 교배한다. 만일 자손의 콩깍지 색깔이 모두 초록색이면 어버이에서 콩깍지가 초록색인 완두의 유전자형은 GG이고, 자손의 콩깍지 색깔이 초록색 : 노란색=1 : 1로 나오면 어버이에서 콩깍지가 초록색인 완두의 유전자형은 Gg이다.

	채점 기준	배점
(1)	콩깍지 색깔이 초록색인 완두의 유전자형을 GG 또는 Gg, 노란색인 완두의 유전자형을 gg라고 모두 옳게 설명한 경우	40 %
	콩깍지 색깔이 초록색인 완두의 유전자형을 GG, 노란색인 완두의 유전자형을 gg라고만 쓴 경우	20 %
(2)	검정 교배 방법과 그 결과를 들어 유전자형을 알아보기 위한 방법을 옳게 설명한 경우	60 %
	콩깍지 색깔이 노란색인 완두와 교배한다고만 설명한 경우	30 %

3 잡종 2대에서 한 가지 형질에 대해 우성과 열성이 3 : 1로 분리되어 나타나는 것은 생식세포 형성 시 대립유전자가 분리되어 각각 다른 생식세포로 들어갔기 때문이다. 또, 잡종 2대에서 완두 씨의 모양과 색깔 형질이 각각 우성 : 열성=3 : 1로 나타나는 것은 완두 씨의 모양과 색깔 형질을 결정하는 유전자가 서로 영향을 미치지 않고 독립적으로 행동하기 때문이다.

모범 답안 잡종 2대에서 완두 씨의 모양과 색깔 형질이 각각 우성 : 열성=3 : 1로 나타났으므로 생식세포 형성 시 대립유전자가 분리되어 각각 다른 생식세포로 들어가 잡종 2대에서 일정한 표현형 비가 나타난다는 분리의 법칙이 적용된다. 또, 완두 씨의 모양과 색깔 형질은 서로 영향을 주지 않고 독립적으로 유전된다는 독립의 법칙도 적용된다.

채점 기준	배점
실험 결과를 근거로 분리의 법칙과 독립의 법칙을 옳게 설명한 경우	100 %
실험 결과를 근거로 분리의 법칙과 독립의 법칙 중 한 가지만 옳게 설명한 경우	50 %

03 사람의 유전

학습 내용 Check

2권 045쪽	1 길고, 적기	2 가계도
	3 통계	4 쌍둥이
2권 047쪽	1 같다	2 복대립
	3 반성	

개념 확인 문제

2권 050쪽~051쪽

01 ⑤	02 ③	03 ①	04 ③	05 ②
06 ④	07 ⑤	08 ③	09 ④	10 ④
11 ②, ⑤				

01 사람은 한 세대가 길고, 자손의 수가 적으며, 자유로운 교배가 불가능하다. 또 형질의 수가 많고 복잡하며, 형질 발현에 환경의 영향을 많이 받는다. 따라서 사람의 유전 현상은 완두와 같은 방법으로 연구하는 것이 어렵다.

02 사람의 형질이 유전자에 의해 나타난 것인지, 환경의 영향을 받아 나타난 것인지 알아볼 때는 유전자 구성이 동일한 1란성 쌍둥이를 연구한다. 서로 다른 환경에서 자란 1란성 쌍둥이와 같은 환경에서 자란 1란성 쌍둥이의 특정 형질을 비교 연구하면 그 형질이 유전과 환경 중 어느 쪽의 영향을 더 많이 받는지 알 수 있다.

03 A와 B는 하나의 수정란이 발생 초기에 분리되어 각각 발생한 1란성 쌍둥이고, C와 D는 동시에 배란된 2개의 난자가 각각 정자와 수정하여 발생한 2란성 쌍둥이다.

① A와 B는 1란성 쌍둥이다. 따라서 유전자 구성이 같다.
② A와 B가 성별이 같을 확률은 100 %이다.
③ A와 B는 1란성 쌍둥이, C와 D는 2란성 쌍둥이다.
④, ⑤ C와 D는 2란성 쌍둥이기 때문에 유전자 구성이 다르다. 따라서 혈액형이 같을 수도 있고 다를 수도 있으므로 혈액형이 같을 확률은 100 %보다 작다.

04 ㄱ. 가계도에서 부모와 자손의 형질을 통해 특정 형질의 우성과 열성을 판별할 수 있다. 표현형이 같은 부모 사이에서 부모와 다른 표현형의 자손이 태어난 경우 부모의 형질이 우성, 자손의 형질이 열성이다.
ㄴ. 특정 형질을 결정하는 유전자에 대한 구체적인 유전 정보를 알기 위해서는 유전자 분석을 해야 한다.
ㄷ. 가계도 분석을 통해 형질의 우열 관계를 판별하고 부모의 유전자형을 알 수 있으면, 장래 태어날 자손에서 특정 형질이 나타날 확률을 유추할 수 있다.

05 자료 분석하기

- 부모(1, 2)가 젖은 귀지인데 마른 귀지의 딸(4)이 태어났다.
  → 귀지 형질의 유전자는 상염색체에 있으며, 젖은 귀지가 우성, 마른 귀지가 열성이다.
- 우성 대립유전자를 A, 열성 대립유전자를 a라고 하면 가족 구성원의 유전자형은 그림과 같다.

Aa 1 / 2 Aa / AA 또는 Aa 3 / 4 aa
젖은 귀지 남자 / 젖은 귀지 여자 / 마른 귀지 여자

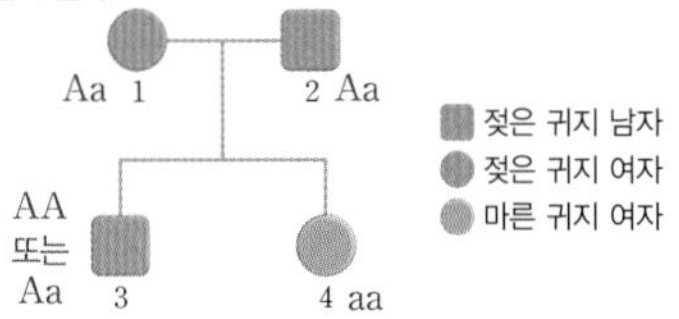

① 젖은 귀지는 우성 형질이다.
② 1의 유전자형은 Aa로 마른 귀지 대립유전자를 가지고 있다.
③ 2의 귀지 유전자형은 Aa로 잡종이다.
④ 3의 귀지 유전자형은 가계도만으로는 AA, Aa 중 어느 것인지 확실히 알 수 없다.
⑤ 4는 1과 2에게서 열성 대립유전자(마른 귀지 대립유전자)를 각각 하나씩 물려받았다.

06 ① ABO식 혈액형의 표현형은 A형, B형, AB형, O형의 4가지이다.
② ABO식 혈액형의 유전자형은 AA, AO, BB, BO, AB, OO의 6가지이다.
③ ABO식 혈액형 유전자는 상염색체에 있다.
④ 한 사람은 ABO식 혈액형을 결정하는 대립유전자를 2개 가진다.
⑤ AB형이 있는 것은 대립유전자 A와 B 사이에 우열 관계가 없어 둘 다 표현되기 때문이다.

07 자료 분석하기

- 부모는 분리형인데 부착형인 딸이 태어났다.
  → 귓불 모양 유전자는 상염색체에 있으며, 분리형이 우성이고, 부착형이 열성이다.
- 우성 대립유전자를 E, 열성 대립유전자를 e라고 하면 가족 구성원의 유전자형은 그림과 같다.

Ee (가) / Ee / ee / ee / (나) Ee / (다) Ee / ee
분리형 남자 / 분리형 여자 / 부착형 남자 / 부착형 여자

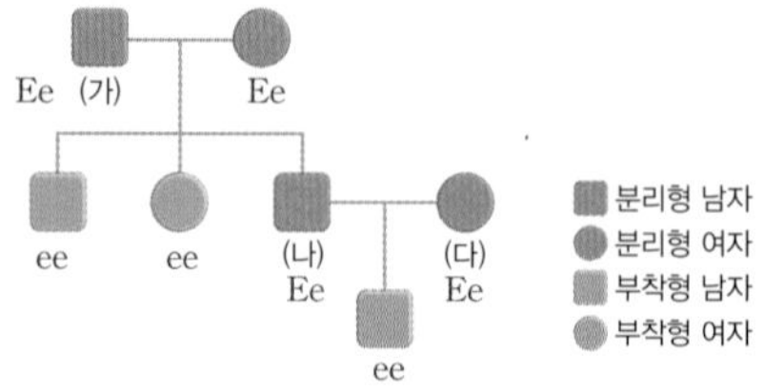

① 귓불 모양은 부착형이 열성 형질이다.
② 귓불 모양 유전자는 상염색체에 있어서 이론적으로 남녀에서 발현되는 빈도가 같다.
③ (가)와 (나)의 귓불 모양 유전자형은 Ee로 같다.
④ 귓불 모양 형질은 멘델의 우열의 원리와 분리의 법칙을 따라 유전된다.
⑤ (나)와 (다) 사이에서 둘째 아이가 태어날 때, Ee×Ee → EE, Ee, Ee, ee로 이 아이가 분리형일 확률은 $\frac{3}{4}$이다.

08 ㄱ. AB형인 1과 B형인 2 사이에서 A형인 자녀가 나왔으므로, 2는 유전자형이 BO이다.
ㄴ. 3과 4는 아버지로부터 대립유전자 A를, 어머니로부터 대립유전자 O를 물려받아 유전자형이 AO이다.
ㄷ. AO×OO → AO, OO이므로, 4와 5 사이에서 태어난 아이가 A형일 확률은 50 %이다.

09 ① (가)와 (나)의 염색체 수는 46개로 같다.
② (가)의 성염색체 구성은 XY이므로 남자이고, (나)의 성염색체 구성은 XX이므로 여자이다.
③ 남자는 난자가 Y 염색체를 가진 정자와 수정하여 태어난다.
④ A는 남녀에 공통으로 있는 성염색체인 X 염색체이다. 남자는 X 염색체가 1개이고, 여자는 X 염색체가 2개이므로, 유전자가 X 염색체에 있는 형질은 남녀에서 다른 비율로 나타난다.
⑤ B는 남자에게만 있는 성염색체인 Y 염색체이다. 유전자가 Y 염색체에 있는 형질은 남자에서만 나타난다.

10 적록 색맹은 유전자가 X 염색체에 있어 남녀에 따라 형질이 발현되는 빈도가 다른 반성유전 형질이다. 적록 색맹은 정상에 대해 열성 형질인데, 어머니가 적록 색맹이면 아들은 어머니에게서 적록 색맹 대립유전자를 물려받아 반드시 적록 색맹이 된다. 그런데 아버지가 적록 색맹일 경우에 딸은 아버지에게서 적록 색맹 대립유전자를 물려받아도 어머니에게서 정상 대립유전자를 물려받으면 정상이 된다.

11 자료 분석하기

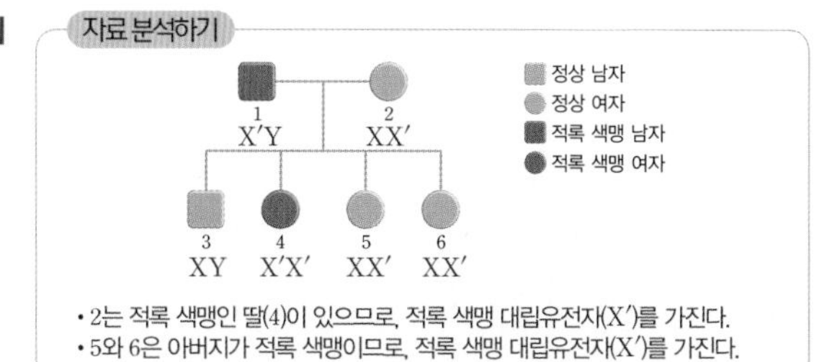

① 1의 적록 색맹 대립유전자는 딸인 4, 5, 6에게는 전달되지만, 아들 3에게는 전달되지 않는다.
② 2는 정상이지만 적록 색맹 대립유전자를 갖고 있는 보인자이다.
③ 4는 여자이며 적록 색맹이므로, 적록 색맹 대립유전자를 2개 갖는다.
④ 여자의 적록 색맹 대립유전자는 아들과 딸에게 모두 물려질 수 있다.
⑤ 6은 1에게서 적록 색맹 대립유전자를 물려받았지만, 2에게서 정상 대립유전자를 물려받아 정상이다.

실력 강화 문제

2권 052쪽

01 ③, ⑤ **02** ②, ⑤ **03** ③ **04** ⑤

01 ① 알코올 중독은 남자에서는 1란성 쌍둥이가 2란성 쌍둥이보다 일치율이 많이 높지만, 여자에서는 큰 차이가 없으므로 남녀에 따른 유전적 차이가 일부 있다.
② 여자에서는 알코올 중독이 1란성 쌍둥이와 2란성 쌍둥이의 일치율에 큰 차이가 없으므로 유전적 요인보다는 환경적 요인에 의해 주로 나타난다고 할 수 있다.
③ 치매는 1란성 쌍둥이에서 일치율이 높으므로 유전적 요인의 영향을 받는다.
④, ⑤ 낫 모양 적혈구 빈혈증의 발현은 1란성 쌍둥이에서 일치율이 1이므로 유전적 요인에 의해서만 결정된다. 따라서 유전자 구성이 동일한 1란성 쌍둥이는 성장 환경이 달라도 낫 모양 적혈구 빈혈증의 표현형이 같다.

02 자료 분석하기

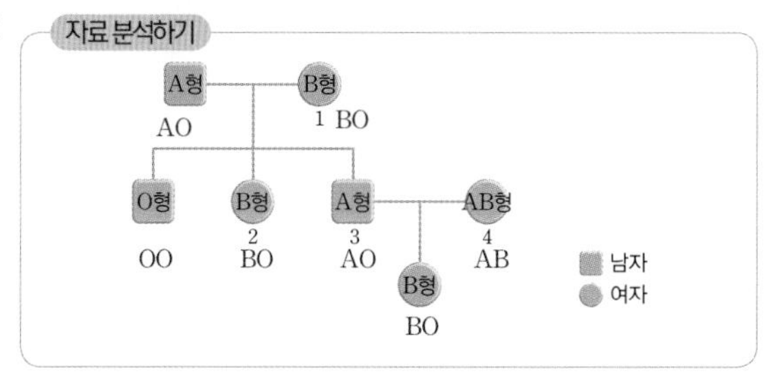

① 1은 반드시 대립유전자 O를 가진다.
② 1과 2의 ABO식 혈액형 유전자형은 BO로 같다.
③ 3은 아버지로부터 대립유전자 A를, 어머니인 1로부터 대립유전자 O를 물려받았다.
④ 4는 상동 염색체의 같은 위치에 각각 대립유전자 A와 B가 있다.
⑤ 3과 4가 둘째 아이를 낳을 때, AO×AB → AA, AB, AO, BO이므로 이 아이가 A형일 확률은 $\frac{1}{2}$이다.

03 자료 분석하기

• 유전병 A: 남녀의 형질 발현 비율이 비슷하므로 A를 결정하는 유전자는 상염색체에 있다. 자녀가 A를 나타내도 부모는 모두 A를 나타내지 않을 수 있으므로 A는 열성 형질이다.
• 유전병 B: 부모가 B이면 자녀도 항상 B를 나타내므로 B는 열성 형질이다. 아버지가 정상이면 딸이 정상이고, 어머니가 B이면 아들은 B이므로 B를 결정하는 유전자는 X 염색체에 있다.

ㄱ. 유전병 A는 열성 형질이다.
ㄴ. 유전병 A의 유전자는 상염색체에, 유전병 B의 유전자는 X 염색체에 있다.
ㄷ. A의 유전자는 상염색체에 있으므로 남자에게 있는 A의 유전자는 아들과 딸 모두에게 전달될 수 있다. 그런데 B의 유전자는 X 염색체에 있으므로 남자에게 있는 B의 유전자는 X 염색체와 함께 딸에게는 전달되지만, 아들에게는 전달되지 않는다.

04 자료 분석하기

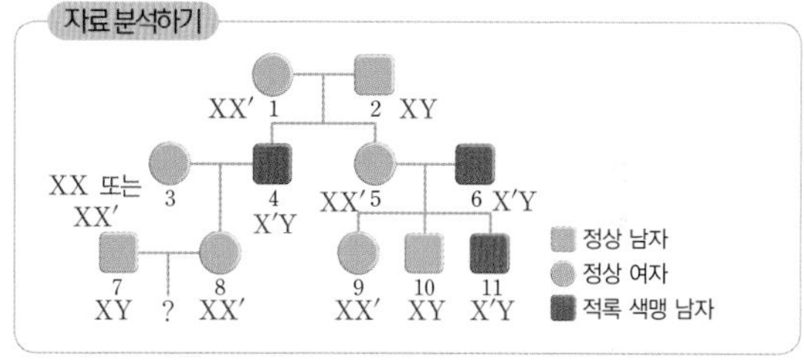

ㄱ. 9는 6에게서 적록 색맹 대립유전자를 물려받아 유전자형이 XX′이므로, 보인자이다.
ㄴ. 11의 적록 색맹 대립유전자는 어머니인 5에게서 물려받은 것이고, 5는 그 어머니인 1에게서 물려받은 것이다.
ㄷ. 7과 8 사이에서 적록 색맹인 아들이 태어날 확률은 XY×XX′ → XX, XX′, XY, X′Y로 $\frac{1}{4}$이다.

서술형 문제

2권 053쪽

1 (1) 표현형이 같은 부모에게서 부모와는 다른 표현형을 나타내는 자손이 태어나면 부모의 형질이 우성이고, 자손의 형질이 열성이다.

(2) 우성 형질인 부모에게서 열성인 딸이 태어났으므로 유전병 유전자는 상염색체에 있다. 영희의 어머니의 유전자형은 aa이고, 아버지의 유전자형은 Aa이다.

모범 답안 (1) 정상인 부모로부터 유전병인 자손이 태어났으므로 정상이 우성이고, 유전병이 열성이다.
(2) 유전병 유전자는 상염색체에 있으며, 정상 대립유전자가 A이고 유전병 대립유전자가 a이다. 어머니의 유전자형이 aa이므로, 영희는 어머니에게서 a를 물려받아 유전자형이 Aa이다.

채점 기준		배점
(1)	근거를 들어 유전병이 열성이라는 것을 옳게 설명한 경우	50 %
	유전병이 열성이라고만 쓴 경우	25 %
(2)	영희의 유전자형과 근거를 옳게 설명한 경우	50 %
	영희의 유전자형만 옳게 쓴 경우	25 %

2 (1) 가족 4명의 혈액형이 모두 다르므로 철수의 여동생은 A형이고 부모는 각각 AB형, O형이다.
(2) ABO식 혈액형을 결정하는 대립유전자는 상동 염색체의 동일한 위치에 있다.

모범 답안 (1) 가족 4명의 혈액형이 모두 다르므로 철수가 B형이면 부모는 각각 AB형, O형이다. 부모 중 한 명이 O형이므로 철수는 대립유전자 O를 물려받아 혈액형 유전자형이 BO이다.
(2)

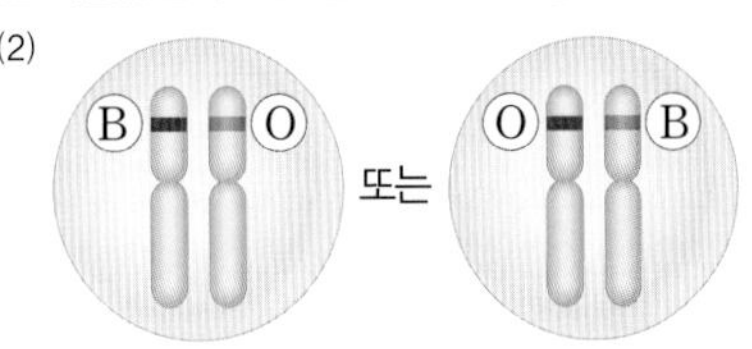

철수의 ABO식 혈액형 유전자형은 BO이고, 대립유전자 B와 O는 상동 염색체의 동일한 위치에 있다.

채점 기준		배점
(1)	근거를 들어 철수의 ABO식 혈액형 유전자형을 옳게 설명한 경우	50 %
	철수의 ABO식 혈액형 유전자형만 옳게 쓴 경우	25 %
(2)	철수의 유전자 구성을 염색체에 옳게 나타내고, 근거를 타당하게 설명한 경우	50 %
	철수의 유전자 구성을 염색체에 옳게 나타냈으나 근거가 타당하지 않은 경우	25 %
	대립유전자는 상동 염색체의 동일한 위치에 있다고만 설명한 경우	25 %

3 (1) 적록 색맹 유전자는 X 염색체에 있으며, 정상에 대해 열성이다. 적록 색맹인 남자의 유전자형은 X′Y이고, 정상인 여자의 유전자형은 XX 또는 XX′이다.
(2) (가)와 (나)의 유전자형을 이용하여 자손에서 적록 색맹이 나타날 확률을 구할 수 있다.

모범 답안 (1) 남자는 X 염색체를 하나만 가지므로 적록 색맹인 남자 (가)의 유전자형은 X′Y이다. 여자는 X 염색체를 2개 가지는데, (나)는 적록 색맹인 아버지에게서 적록 색맹 대립유전자를 물려받아 유전자형이 XX′로 보인자이다.
(2) X′Y × XX′ → XX′, X′X′, XY, X′Y로 적록 색맹인 아들(X′Y)이 태어날 확률은 $\frac{1}{4}$이다.

채점 기준		배점
(1)	근거를 들어 (가)와 (나)의 유전자형을 옳게 설명한 경우	50 %
	(가)와 (나)의 유전자형만 옳게 쓴 경우	25 %
(2)	과정을 포함하여 적록 색맹인 아들이 태어날 확률을 옳게 설명한 경우	50 %
	적록 색맹인 아들이 태어날 확률만 옳게 쓴 경우	25 %

최상위권 도전 문제

2권 054쪽~057쪽

1 ① 2 ②, ③ 3 ④ 4 ② 5 ③
6 ② 7 ③, ④ 8 ③

1 자료 분석하기

뉴클레오솜: DNA가 히스톤 단백질을 감싸고 있다.
A
B
염색체: 핵 속에 실처럼 풀어져 있다가 세포가 분열할 때 응축되어 형성된다.
㉠ ㉡
하나의 염색체를 구성하는 염색 분체로, 복제되어 형성된다.

ㄱ. A(뉴클레오솜)는 DNA가 히스톤 단백질을 감싸고 있는 구조이다.
ㄴ. B(염색체)는 분열기에 관찰된다. 간기에는 염색체가 핵 속에 실처럼 풀어져 있어 B와 같은 상태의 염색체가 관찰되지 않는다.
ㄷ. ㉠과 ㉡은 복제되어 형성된 염색 분체로, 유전자 구성이 동일하다. 대립유전자는 상동 염색체의 같은 위치에 있다.

도움이 되는 배경 지식 | 염색체와 염색 분체
- 염색체: DNA와 단백질로 구성되며, 세포가 분열할 때 짧고 굵게 응축된다.
- 염색 분체: 하나의 염색체를 구성하는 동원체 부분에서 연결되어 완전히 분리되지 않은 상태의 각 가닥으로, 복제되어 형성되므로 하나의 염색체를 구성하는 두 염색 분체는 유전자 구성이 같다.

2

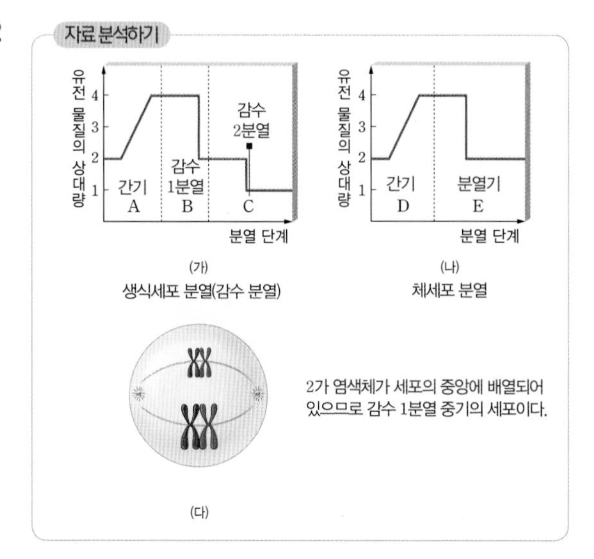

① A와 D는 간기이며, 간기에는 염색체가 관찰되지 않는다. 염색체가 가장 응축되는 시기는 분열기의 중기이다.
② (다)의 2가 염색체는 감수 1분열(B) 시기에만 관찰된다.
③ C(감수 2분열)와 E(체세포 분열) 시기에 염색 분체의 분리가 일어난다.
④ 생식세포 분열(가)은 생식 기관인 정소와 난소에서 일어나고, 체세포 분열(나)은 온몸에서 일어난다.
⑤ 감수 1분열(B)에서는 상동 염색체가 분리되므로 염색체 수가 반감되고, 체세포 분열(E)에서는 염색체 수가 변하지 않는다.

| 도움이 되는 배경 지식 | **체세포 분열과 생식세포 분열 비교**

구분	체세포 분열	생식세포 분열
분열 횟수	1회	연속 2회
딸세포 수	2개	4개
2가 염색체 형성	형성 안 함	감수 1분열에 형성
상동 염색체 분리	안 일어남	감수 1분열에 일어남
염색 분체 분리	일어남	감수 2분열에 일어남
염색체 수 변화	변화 없음	반으로 감소

3

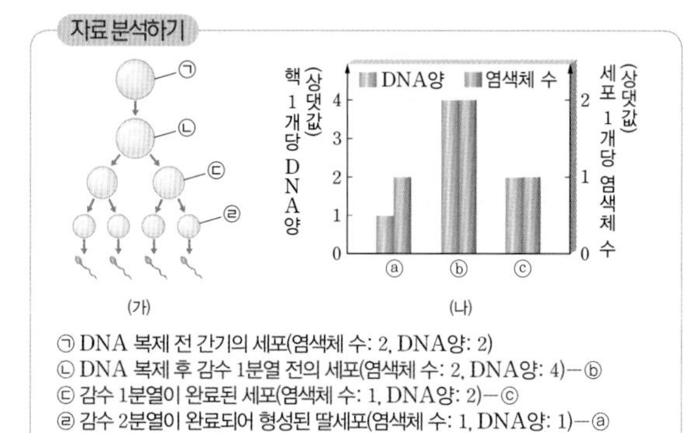

ㄱ. ㉠, ㉡, ⓑ의 염색체 수는 2로 같다.
ㄴ. ⓐ는 ㉣이고, ⓒ는 ㉢이다.
ㄷ. ㉡에서 ㉢이 되는 감수 1분열에서는 염색체 수와 DNA양이 모두 반으로 줄어들고, ㉢에서 ㉣이 되는 감수 2분열에서는 DNA양만 반으로 줄어든다.

| 도움이 되는 배경 지식 | **감수 1분열과 감수 2분열 비교**

구분	감수 1분열	감수 2분열
염색체 분리	상동 염색체 분리	염색 분체 분리
염색체 수 변화	반감	변화 없음
DNA 상대량 변화	반감	반감

4 ㄱ은 감수 1분열 중기, ㄴ은 감수 2분열 중기, ㄷ은 체세포 분열 중기이다. 난소 속에서는 생식세포 분열이 일어나는데, 배란이 일어나기 전의 A에서는 감수 1분열이 진행되므로 A에서 ㄴ이 관찰되지는 않는다. B는 수정란이 체세포 분열로 세포 수를 늘리고 있는 상태이므로 ㄷ이 관찰된다.

| 도움이 되는 배경 지식 | **사람의 수정에서 착상까지의 과정**

- 배란: 난소에서 난자가 배출되는 현상이다.
- 수정: 배란된 난자가 수란관 앞부분에서 정자와 만나 수정한다.
- 난할: 수정란에서 발생 초기에 일어나는 세포 분열로, 난할이 반복될수록 세포 수는 많아지고 세포 각각의 크기는 작아진다. 수정란은 난할을 반복하여 세포 수를 늘리면서 자궁 쪽으로 이동한다.
- 착상: 수정란은 수정 후 5~7일쯤에 포배가 되어 자궁 내벽에 파묻히는데, 이를 착상이라고 한다. 착상이 일어난 때부터 임신되었다고 한다.

5 ㄱ. 난할이 일어나는 동안 세포는 거의 생장하지 않으므로 난할이 거듭되더라도 배 전체의 크기는 일정하게 유지된다. 따라서 배 전체의 크기 변화는 A와 같이 나타난다.
ㄴ. 난할이 거듭될 때마다 세포 1개당 세포질의 양은 반씩 줄어들게 되므로 세포 1개당 세포질의 양 변화는 B와 같이 나타난다.
ㄷ. 난할이 거듭되더라도 세포 1개당 염색체 수는 일정하게 유지되므로 A와 같이 나타난다. C는 난할이 거듭될수록 배로 증가하므로, 세포 수의 변화를 나타낸 것이다.

| 도움이 되는 배경 지식 | **난할 과정에서의 변화**

구분	수정란	2세포 배	4세포 배	8세포 배
배를 구성하는 세포의 수	1	2	4	8
세포 하나의 상대적인 크기	1	$\frac{1}{2}$	$\frac{1}{4}$	$\frac{1}{8}$
배 전체의 크기 (세포 수×세포 하나의 크기)	1	1	1	1
세포 하나의 염색체 수	46	46	46	46

6

자료 분석하기

정상 남자 / 정상 여자 / 유전병 여자 / ㉠

정상인 부모에게서 유전병인 딸이 태어났다.
→ 유전병 유전자는 상염색체에 있다.
→ 정상이 우성이고, 유전병이 열성이다.

정상 대립유전자를 A, 유전병 대립유전자를 a라고 할 때 부모의 유전자형은 각각 Aa이다. 따라서 Aa×Aa → AA, Aa, Aa, aa로 ㉠이 유전병 대립유전자를 가지고 있는 정상 여자일 확률은 정상이면서 유전병 대립유전자를 가질(Aa) 확률 $\frac{1}{2}$과 여자일 확률 $\frac{1}{2}$의 곱인 $\frac{1}{4}$이다.

| 도움이 되는 배경 지식 | 가계도 분석

- 우성과 열성의 구분: 표현형이 같은 부모 사이에서 부모와는 다른 표현형의 자손이 태어나면, 부모의 형질이 우성이고 자손의 형질이 열성이다.
- 염색체 상의 유전자의 위치: 우성 형질인 부모 사이에서 열성 형질인 딸이 태어나면 유전자는 상염색체에 있다.

7

자료 분석하기

1 OO/X′Y O형 — 2 AB형 AB/XX 또는 XX′

3 B형 BO/XX′ / 4 AO/XX′ — 5 B형 BO/XY

6 O형 OO/X′Y / 7 A형 AO/XX 또는 XX′

정상 남자 / 정상 여자 / 적록 색맹 남자

① 2의 적록 색맹 유전자형이 XX인지, XX′인지 제시된 자료만으로는 확실히 알 수 없다.

② 3은 아버지 1이 O형이므로 ABO식 혈액형 유전자형이 BO이고, 5는 O형인 아들이 태어난 것으로 보아 ABO식 혈액형 유전자형이 BO이다. 따라서 3과 5의 ABO식 혈액형 유전자형은 같다.

③ 4와 5 사이에서 셋째 아이가 태어날 때, 이 아이가 혈액형이 A형일 확률은 AO×BO → AB, AO, BO, OO로 $\frac{1}{4}$이고, 적록 색맹인 아들일 확률은 XX′×XY → XX, XX′, XY, X′Y로 $\frac{1}{4}$이므로 이를 곱하면 $\frac{1}{4}\times\frac{1}{4}=\frac{1}{16}$이다.

④ ABO식 혈액형 유전자는 상염색체에 있고, 적록 색맹 유전자는 X 염색체에 있다. 6은 4에게서 대립유전자 O가 있는 상염색체와 적록 색맹 대립유전자가 있는 X 염색체를 물려받았다.

⑤ ABO식 혈액형 유전자와 적록 색맹 유전자는 서로 다른 염색체에 있으므로 함께 행동하지 않고 독립적으로 행동한다.

| 도움이 되는 배경 지식 | 적록 색맹 유전

- 적록 색맹 유전자는 X 염색체에 있어 남녀에 따라 형질이 나타나는 비율이 다르다. → 반성유전
- 정상 대립유전자(X)가 우성이고, 적록 색맹 대립유전자(X′)가 열성이다.
- 남자는 유전자형이 XY(정상), X′Y(적록 색맹), 여자는 XX(정상), XX′(정상, 보인자), X′X′(적록 색맹)로 나타나므로 적록 색맹은 여자보다 남자에서 많이 나타난다.

8

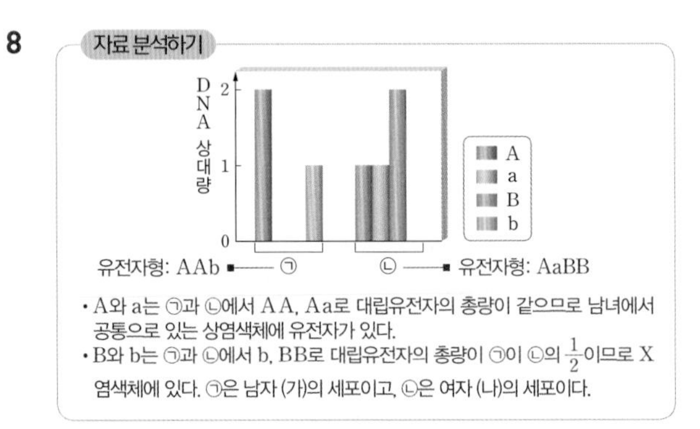

- A와 a는 ㉠과 ㉡에서 AA, Aa로 대립유전자의 총량이 같으므로 남녀에서 공통으로 있는 상염색체에 유전자가 있다.
- B와 b는 ㉠과 ㉡에서 b, BB로 대립유전자의 총량이 ㉠이 ㉡의 $\frac{1}{2}$이므로 X 염색체에 있다. ㉠은 남자 (가)의 세포이고, ㉡은 여자 (나)의 세포이다.

ㄱ. b는 X 염색체에 있고, 남자 (가)의 X 염색체는 어머니에게서 물려받은 것이다.

ㄴ. 여자 (나)의 유전자형은 BB이므로 부모님은 모두 대립유전자 B가 있는 X 염색체를 가진다.

ㄷ. (나)의 X 염색체에는 모두 B가 있으므로 (나)에서 형성되는 생식세포가 A와 B를 모두 가질 확률은 $\frac{1}{2}$이다.

| 도움이 되는 배경 지식 | 독립의 법칙

- 다른 형질을 결정하는 유전자가 서로 다른 염색체에 있으면 이들 형질은 서로 영향을 주지 않고 각각 분리의 법칙에 따라 독립적으로 유전된다.
- 서로 다른 상염색체에 있는 유전자, 상염색체에 있는 유전자와 성염색체에 있는 유전자는 독립적으로 유전된다.

창의·사고력 향상 문제

2권 059쪽~061쪽

1 **문제 해결 가이드** 제시된 세포 (가)에는 상동 염색체가 없다는 것에 착안하여 다음과 같은 과정으로 설명한다.

• (가)는 상동 염색체가 없으므로 생식세포라는 점 • • 6개의 염색체 중 한 개는 성염색체라는 점 • • • 체세포의 염색체 수는 생식세포의 2배이며, 성염색체 구성은 사람과 같다는 점을 연결하여 설명한다.

모범 답안 (가)에는 상동 염색체가 없으므로 (가)는 염색체 수가 6개인 생식세포이고, 이 동물의 체세포에는 12개의 염색체가 있다. 그 중 5쌍(10개)은 상염색체이고, 1쌍(2개)은 성염색체인데, 성염색체 구성이 수컷은 XY이고, 암컷은 XX이다.

채점 기준	배점
체세포의 염색체 수, 상염색체 수, 성염색체 구성을 모두 옳게 설명한 경우	100 %
체세포의 염색체 수와 상염색체 수만 옳게 설명한 경우	60 %
체세포의 염색체 수만 옳게 설명한 경우	30 %

2 문제 해결 가이드 그림은 체세포 분열과 생식세포 분열 두 가지 과정을 모두 나타낸다는 것을 먼저 이해하고, B, C, D가 체세포 분열, 감수 1분열, 감수 2분열 중 어떤 과정에서 볼 수 있는 염색체 배열인지를 찾아 다음과 같은 과정으로 설명한다.

• (나)는 체세포 분열, (다)는 감수 1분열, (라)는 감수 2분열이라는 점 •• B는 상동 염색체가 없고 C는 상동 염색체가 있다는 점 ••• (가)~(라)에 해당하는 세포를 연결하고 그 까닭을 염색체의 구성이나 배열을 들어 설명한다.

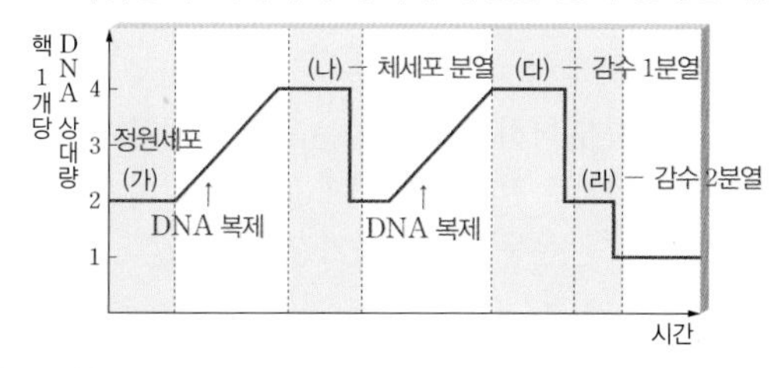

모범 답안 A-(가), B-(라), C-(나), D-(다), (가)는 DNA 복제 전의 간기이고, (나)는 DNA양이 1회 반감하므로 체세포 분열이다. (다)와 (라)는 생식세포 분열(감수 분열) 과정인데, (다)는 감수 1분열, (라)는 감수 2분열이다. A는 핵이 관찰되므로 간기(가)이고, B는 상동 염색체가 없고 각 염색체가 2개의 염색 분체로 이루어져 있으므로 감수 2분열(라) 중기이다. C는 상동 염색체가 있지만 접합하지 않고 세포 가운데에 일렬로 배열하였으므로 체세포 분열(나) 중기이다. D는 2가 염색체가 세포 가운데에 배열하였으므로 감수 1분열(다) 중기이다.

채점 기준	배점
각 세포가 해당하는 시기를 옳게 찾아 쓰고, 그렇게 판단한 까닭을 각 세포의 염색체 구성이나 배열 상태를 근거로 들어 옳게 설명한 경우	100 %
각 세포가 해당하는 시기를 옳게 찾아 썼지만, 그렇게 판단한 까닭을 각 세포 중 일부에 대해서만 염색체 구성이나 배열 상태를 근거로 들어 옳게 설명한 경우	70 %
각 세포가 해당하는 시기만 옳게 찾아 쓴 경우	40 %

3 문제 해결 가이드 난할은 체세포 분열이지만 세포의 생장기가 거의 없다는 것을 생각하고, 체세포 분열과의 공통점과 차이점을 구분하여 다음과 같은 과정으로 설명한다.

(1) • 체세포 분열은 DNA 복제 후 분열이 일어나 유전적으로 동일한 딸세포가 2개 만들어진다는 점 •• 난할도 체세포 분열과 같이 DNA 복제 후 분열이 일어나 유전적으로 동일한 딸세포가 2개 만들어진다는 점을 연결하여 설명한다.

(2) • 난할은 체세포 분열이지만, 세포의 생장기가 거의 없다는 점 •• 난할은 일반적인 체세포 분열보다 세포 주기가 짧다는 점 ••• 난할은 체세포 분열보다 분열 속도가 빠르다는 점을 연결하여 설명한다.

모범 답안 (1) 체세포 분열과 난할은 모두 DNA 복제 후 염색 분체가 분리되어 유전적으로 동일한 2개의 딸세포를 만든다. 체세포 분열과 난할은 모두 분열 후 딸세포의 염색체 수와 DNA양이 모세포와 같다. 중 한 가지

(2) 난할은 체세포 분열과는 달리 세포의 생장기가 거의 없으므로 분열 속도가 빨라 세포 수가 빠르게 증가한다.

	채점 기준	배점
(1)	분열 후에 염색체 수, DNA양, 유전자 구성이 변하지 않는다는 것 중 한 가지를 옳게 설명한 경우	50 %
	분열 후에 생긴 딸세포가 모세포와 같다고만 설명한 경우	25 %
(2)	세포의 생장기가 거의 없어 세포 수가 빠르게 증가한다고 옳게 설명한 경우	50 %
	세포의 생장기에 관한 언급 없이 세포 수가 빠르게 증가한다고만 설명한 경우	30 %

4 문제 해결 가이드 콩깍지 모양과 색깔 유전자는 서로 다른 염색체에 있으므로 독립의 법칙이 성립한다는 것에 착안하여 다음과 같은 과정으로 설명한다.

• 콩깍지 모양과 색깔 유전자는 서로 다른 염색체에 있다는 점 •• (가)와 (나)의 교배 결과 자손의 콩깍지 모양은 매끈한 것과 잘록한 것의 비율이 3 : 1이라는 점 ••• (가)와 (나)의 교배 결과 자손의 콩깍지 색깔은 모두 초록색이라는 점을 연결하여 설명한다.

모범 답안 (가)의 유전자형은 AaBB이고 표현형은 매끈하고 초록색이다. 콩깍지 모양과 색깔 유전자는 서로 다른 염색체에 있어 독립적으로 유전된다. 따라서 콩깍지 모양은 (가)×Aa 결과 매끈한 것과 잘록한 것이 3 : 1이므로 (가)의 유전자형은 Aa이고 매끈한 것이 우성이다. 콩깍지 색깔은 (가)×Bb 결과 모두 초록색이므로 (가)의 유전자형은 BB이며 콩깍지 색깔은 초록색이 우성이다.

채점 기준	배점
근거를 들어 (가)의 유전자형과 표현형을 모두 옳게 설명한 경우	100 %
(가)의 유전자형과 표현형만 옳게 쓴 경우	50 %

5 문제 해결 가이드 가계도에서 우성과 열성 형질을 구분하는 방법과 유전자가 상염색체와 성염색체 중 어느 것에 있는지 알 수 있는 방법을 생각하여 다음과 같은 과정으로 설명한다.
• 표현형이 같은 부모에게서 표현형이 다른 자손이 태어난 것을 통해 우성과 열성을 파악할 수 있다는 점 • • 우성 형질인 부모에게서 열성 형질인 딸이 태어나면 유전자가 상염색체에 있다는 점을 연결하여 설명한다.

모범 답안 정상인 부모 3과 4 사이에서 청각 장애인 딸 10이 태어났으므로 부모에게 청각 장애 유전자가 있었지만 표현되지 않았던 것이다. 즉, 청각 장애는 정상에 대해 열성이다. 또한, 아버지가 우성 형질인데 딸에게 열성 형질이 나타났으므로 청각 장애 유전자는 X 염색체나 Y 염색체 같은 성염색체가 아닌 상염색체에 있다는 것을 알 수 있다.

채점 기준	배점
정상인 부모 사이에서 청각 장애인 딸이 태어났다는 내용을 포함하여 옳게 설명한 경우	100 %
표현형이 같은 부모 사이에서 부모와 다른 표현형을 가진 자손이 태어났다고만 설명한 경우	50 %

6 문제 해결 가이드 가계도에서 형질을 결정하는 유전자가 성염색체에 있다는 것을 기준으로 형질의 우열을 판단하고 이러한 유전 현상의 특징을 다음과 같은 과정으로 설명한다.
(1) • 유전병의 유전자가 성염색체에 있다는 점 • • 가계도를 통해 유전병이 우성인지 열성인지를 판단할 수 있다는 점을 연결하여 설명한다.
(2) • 유전병 유전자가 성염색체에 있다는 점 • • 유전자가 성염색체에 있을 경우 유전병 발현 비율이 남녀에 따라 다르다는 점을 연결하여 설명한다.

모범 답안 (1) 유전병이 여자에게도 나타나므로 유전병 유전자는 X 염색체에 있으며, 어머니가 유전병인데 아들 중에 정상이 있으므로 어머니는 정상 유전자와 유전병 유전자를 모두 갖고 있고 유전병이 정상에 대해 우성이다.
(2) 유전병 유전자가 X 염색체에 있고 우성이므로, 남자는 X 염색체에 정상 유전자가 있으면 정상이지만 여자는 2개의 X 염색체에 모두 정상 유전자가 있을 때만 정상이다. 그러므로 이 유전병은 남자보다 여자에게 더 많이 나타난다.

채점 기준		배점
(1)	근거를 들어 유전병이 우성 형질이라는 것을 옳게 설명한 경우	50 %
	유전병이 우성이라고만 설명한 경우	25 %
(2)	근거를 들어 유전병은 남자보다 여자에게 더 많이 나타난다고 옳게 설명한 경우	50 %
	유전병은 남녀에 따라 나타나는 비율이 다르다고만 설명한 경우	25 %

VI 에너지 전환과 보존

01 역학적 에너지 전환과 보존

학습 내용 Check

2권 066쪽 **1** 역학적 **2** 운동 에너지, 전환 **3** 운동, 위치
2권 067쪽 **1** 위치, 운동 **2** 일정
2권 069쪽 **1** 위치, 운동, 역학적 **2** 위치, 운동 **3** 감소, 감소, 증가, 증가 **4** 공기 저항

탐구 확인 문제 2권 070쪽

1 (1) 위치, 운동 (2) 위치, 운동 **2** (1) ○ (2) ×
3 ④

1 물체가 자유 낙하 운동을 하는 동안 물체의 위치 에너지는 운동 에너지로 전환된다. 이때 두 지점 사이에서 위치 에너지 감소량은 운동 에너지 증가량과 같다.

2 (1) 자유 낙하 운동 하는 물체의 역학적 에너지는 보존된다.
(2) 역학적 에너지는 어느 지점에서나 같다.

3 공기 저항과 마찰을 무시한다면 낙하하는 선수의 속력은 빨라지면서 위치 에너지가 운동 에너지로 전환되고 역학적 에너지는 보존된다.

개념 확인 문제 2권 074쪽~076쪽

01 ② **02** ④ **03** ④ **04** ⑤ **05** ⑤
06 ⑤ **07** ③ **08** ① **09** ④ **10** ③
11 ① **12** ② **13** ① **14** ② **15** ③
16 ⑤

01 낙하하는 공의 감소한 위치 에너지는 증가한 운동 에너지와 같다. 공이 1 m를 낙하하는 동안 감소한 위치 에너지는 $9.8 \times 1 \times 1 = 9.8$(J)이므로 정지해 있던 공이 1 m 낙하하는 동안 증가한 운동 에너지는 9.8 J이다.

02 ① A점에서는 속력이 0이므로 운동 에너지가 최소이다.
② 역학적 에너지는 보존되므로 낙하하는 동안 일정하다.

③ E점에서 높이가 가장 낮으므로 위치 에너지가 최소이다.
④ B → C 구간에서는 속력이 증가하므로 운동 에너지가 증가한다.
⑤ D → E 구간에서는 높이가 낮아지므로 위치 에너지가 감소한다.

03 ㄱ. C점은 최고 높이의 $\frac{1}{2}$인 지점이므로 운동 에너지와 위치 에너지가 같다.
ㄴ. A점에서의 위치 에너지는 D점에서의 위치 에너지와 운동 에너지의 합과 같다.
ㄷ. B → C 구간과 C → D 구간에서는 같은 거리를 낙하하였으므로 감소한 위치 에너지와 증가한 운동 에너지가 같다.

04 공기 저항을 무시할 때 역학적 에너지는 항상 보존되므로 물체가 운동하는 동안 역학적 에너지는 지면에서의 운동 에너지인 $\frac{1}{2}\times1\times10^2=50$(J)이다.

05 수평으로 움직이는 물체가 경사면을 따라 올라갔으므로 수평면에서의 운동 에너지가 위치 에너지로 전환된다. 최고점에서 위치 에너지는 처음 위치에서 운동 에너지와 같다.
ㄱ, ㄴ. 최고 높이에서 위치 에너지는 $9.8\times2\times1=19.6$(J)이고, 역학적 에너지는 보존되므로 수평면에서 운동 에너지도 19.6 J이다.
ㄷ. $9.8\times2\times1=\frac{1}{2}\times2\times v^2$에서 $v=\sqrt{19.6}$ m/s이다.

06 ① 물체가 연직 위로 올라갔다가 내려올 때 같은 높이에서는 속력이 같아 운동 에너지가 같다.
② 물체가 최고점(C)에 도달했을 때는 속력이 0이다.
③ 공기 저항을 무시하므로 전 구간에서 역학적 에너지는 같다.
④ A → B 구간에서는 높이가 증가하므로 위치 에너지가 증가한다.
⑤ C → D 구간에서는 속력이 증가하므로 운동 에너지가 증가한다.

07 자료분석하기

A m B
O

공기 저항이나 마찰을 무시하면 반원형 그릇에서 운동하는 물체의 역학적 에너지는 보존된다.

A → O 구간	위치 에너지 → 운동 에너지
O → B 구간	운동 에너지 → 위치 에너지

①, ② A점과 B점에서 운동 에너지는 최소이고, 위치 에너지는 최대이다.
③ 가장 낮은 곳에서는 운동 에너지가 최대이므로 O점에서 속력이 가장 빠르다.
④ A → O 구간에서는 속력이 증가하므로 운동 에너지가 증가한다.
⑤ O → B 구간에서는 높이가 증가하므로 위치 에너지가 증가한다.

08 스키 선수가 비탈면을 내려오는 동안 위치 에너지가 운동 에너지로 전환된다. 따라서 운동 에너지는 증가하고 위치 에너지는 감소한다. 이때 위치 에너지가 감소한 만큼 운동 에너지가 증가하고, 이 과정에서 역학적 에너지는 보존된다.

09 자료분석하기

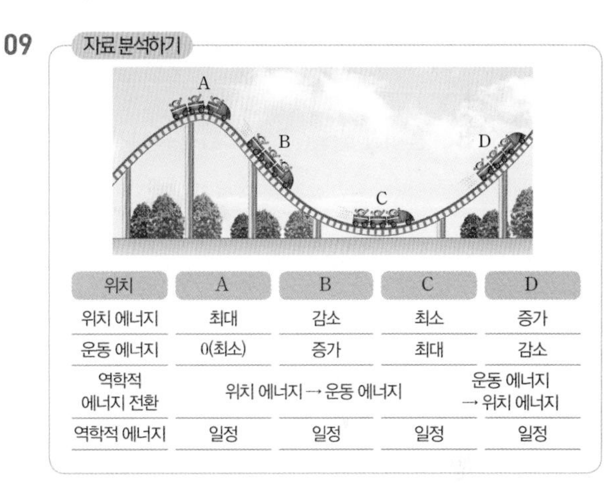

위치	A	B	C	D
위치 에너지	최대	감소	최소	증가
운동 에너지	0(최소)	증가	최대	감소
역학적 에너지 전환	위치 에너지 → 운동 에너지			운동 에너지 → 위치 에너지
역학적 에너지	일정	일정	일정	일정

운동 에너지가 위치 에너지로 전환되는 구간은 위로 올라가는 구간이므로 C → D 구간에 해당한다.

10 속력이 가장 빠른 지점은 운동 에너지가 최대인 곳이므로 가장 낮은 C점이다.

11 ㄱ. 마찰과 공기 저항이 없으므로 전 구간에서 역학적 에너지는 보존되므로 일정하다.
ㄴ. B점의 역학적 에너지는 D점의 역학적 에너지와 같다.
ㄷ. C → D 구간은 높이가 증가하는 구간이므로 운동 에너지가 감소한다. 그러나 역학적 에너지는 일정하다.

12 ㄱ. 물체의 높이는 높아지고, 속력은 작아지므로 운동 에너지가 위치 에너지로 전환된다.
ㄴ. 역학적 에너지는 일정하다.
ㄷ. 최고점에서는 속력이 0이고, 운동 에너지도 0이다.

13 ㄱ. 물체의 속력이 가장 빠른 곳은 높이가 가장 낮은 지점이므로 A이다.

ㄴ. 운동 에너지가 가장 큰 곳은 속력이 가장 빠른 A이다.
ㄷ. 공기 저항과 마찰이 없으므로 역학적 에너지는 전 구간에서 일정하게 보존된다.

14 역학적 에너지가 보존되므로 A점에서 감소한 위치 에너지만큼 B점에서 운동 에너지가 증가한다. 따라서 A점에서 운동 에너지=B점에서 운동 에너지−A점에서 위치 에너지$=\frac{1}{2}\times1\times5^2-9.8\times1\times1=2.7$(J)이다.

15 역학적 에너지가 보존되므로 최고점에서의 위치 에너지는 지면에서의 운동 에너지와 같다. 따라서 운동 에너지의 비는 최고점에서의 위치 에너지의 비와 같다.
$\mathrm{A}:\mathrm{B}=9.8\times m\times 2h:9.8\times m\times h=2:1$

16 ㄱ. 지면으로부터 높이는 A가 B보다 크므로 위치 에너지는 A가 B보다 크다.
ㄴ. 질량은 A, B가 같지만 처음 높이는 A가 B의 2배이므로 역학적 에너지도 A가 B의 2배이다.
ㄷ. A와 B의 높이가 h로 같으므로 위치 에너지는 같다.

실력 강화 문제

2권 077쪽

01 ③ **02** ④ **03** ⑤ **04** ⑤ **05** ④

01 마찰이 없는 레일이므로 역학적 에너지는 모두 일정하다. 높이가 가장 낮은 곳(C)의 운동 에너지가 가장 크고, 가장 높은 곳(D)의 위치 에너지가 가장 크다.

02 물체가 내려오면서 위치 에너지가 운동 에너지로 전환되고 올라가면서 운동 에너지가 위치 에너지로 전환된다.
④ 같은 구간에서는 위치 에너지와 운동 에너지의 변화량이 같으므로 C → D 구간에서 감소한 운동 에너지는 C → D 구간에서 증가한 위치 에너지와 같다.

03 자료분석하기

역학적 에너지$=H$에서의 위치 에너지
역학적 에너지
=위치 에너지(E_p)+운동 에너지(E_k)
H
h
기준면

h에서 물체의 위치 에너지(E_p)가 운동 에너지(E_k)의 4배이므로, $E_\mathrm{p}=4E_\mathrm{k}$이고, 역학적 에너지는 $E_\mathrm{p}+E_\mathrm{k}=E_\mathrm{p}+\frac{1}{4}E_\mathrm{p}=\frac{5}{4}E_\mathrm{p}$이다. H와 h에서 위치 에너지의 비를 구하면 $H:h=\frac{5}{4}E_\mathrm{p}:E_\mathrm{p}=5:4$이므로 $h=\frac{4}{5}H$이다.

04 ㄱ. 위치 에너지가 줄어든 정도는 B점에서가 A점에서의 2배이므로 운동 에너지가 증가한 정도도 2배이다. 그러나 운동 에너지는 속력의 제곱에 비례하므로 속력은 B점에서가 A점에서의 $\sqrt{2}$배이다.
ㄴ. A점의 높이가 B점의 2배이므로 위치 에너지는 A점에서가 B점에서의 2배이다.
ㄷ. 낙하 높이가 (나)가 (가)의 2배이므로 (나)에서 줄어든 위치 에너지는 (가)의 2배가 된다.

05 ㄱ. 같은 높이에서 질량이 B가 A의 2배이므로 위치 에너지도 B가 A의 2배이다.
ㄴ. 역학적 에너지는 B가 A의 2배이다.
ㄷ. 낙하 높이의 중간 지점에서의 B의 위치 에너지는 $9.8\times2m\times\frac{h}{2}=9.8mh$로, B의 운동 에너지도 이와 같고 그 값은 A의 역학적 에너지 $9.8mh$와 같다.

서술형 문제

2권 078쪽~079쪽

1 두 물체는 질량이 같고 같은 높이에서 물체의 속력이 같으므로 역학적 에너지가 같다. 따라서 지면에서 운동 에너지도 같아야 한다.

모범 답안 $E_\mathrm{A}=E_\mathrm{B}$, 두 물체의 처음 높이가 같으므로 위치 에너지가 같고, 속력이 같으므로 운동 에너지도 같다. 따라서 역학적 에너지가 같기 때문에 지면에서 운동 에너지도 모두 같다.

채점 기준	배점
운동 에너지의 크기를 옳게 비교하고, 역학적 에너지 보존과 관련지어 설명한 경우	100 %
운동 에너지의 크기를 옳게 비교하였으나 역학적 에너지 보존과 관련짓지 않고 설명한 경우	50 %

2 최고점까지의 높이가 중간인 10 m 지점에서는 위치 에너지와 운동 에너지 값이 같다. 따라서 위치 에너지와 운동 에너지는 각각 전체 역학적 에너지의 $\frac{1}{2}$이 된다.

모범 답안 ㉠ 196, ㉡ 196, ㉢ 0

중간 높이에서는 위치 에너지와 운동 에너지 값이 같으므로 위치 에너지와 운동 에너지는 각각 전체 역학적 에너지의 $\frac{1}{2}$이 된다. 역학적 에너지는 보존되므로 지면에서 위치 에너지는 0이 된다.

채점 기준	배점
㉠, ㉡, ㉢을 모두 옳게 쓰고, 역학적 에너지 보존을 이용하여 그 까닭을 설명한 경우	100 %
㉠, ㉡, ㉢ 중 두 개만 옳게 쓰고, 역학적 에너지 보존을 이용하여 그 까닭을 설명한 경우	70 %
㉠, ㉡, ㉢은 모두 옳게 썼지만, 역학적 에너지 보존을 이용하여 설명하지 못한 경우	50 %

3 동일한 구슬이므로 질량이 같고, 같은 높이에서 내려오므로 역학적 에너지가 같다. 따라서 바닥에서 운동 에너지도 같고 속력도 같다.

모범 답안 (1) $v_A = v_B$, 같은 높이에서 출발했으므로 처음 위치에서 위치 에너지가 같고 역학적 에너지 보존에 의해 바닥에서 운동 에너지가 같다. 따라서 속력이 같다.
(2) $E_A = E_B$, 역학적 에너지가 보존되므로 바닥에서 역학적 에너지는 같다.

	채점 기준	배점
(1)	두 구슬의 속력을 옳게 비교하고 역학적 에너지 보존을 이용하여 옳게 설명한 경우	50 %
	두 구슬의 속력만 옳게 비교한 경우	25 %
(2)	두 구슬의 역학적 에너지를 옳게 비교하고 역학적 에너지 보존을 이용하여 옳게 설명한 경우	50 %
	두 구슬의 역학적 에너지만 옳게 비교한 경우	25 %

4 지면에서 운동 에너지와 최고점에서 위치 에너지가 같다면 역학적 에너지가 보존된다.
지면에서 운동 에너지는 $\frac{1}{2} \times 2 \times 14^2 = 196$(J)이고, 최고점에서 위치 에너지는 $9.8 \times 2 \times 9.5 = 186.2$(J)이므로 역학적 에너지가 보존되지 않는다. 즉, 역학적 에너지의 일부가 다른 에너지로 전환되었다.

모범 답안 역학적 에너지는 보존되지 않는다. 지면에서 역학적 에너지는 $\frac{1}{2} \times 2\,\text{kg} \times (14\,\text{m/s})^2 = 196\,\text{J}$에서 196 J이지만 최고점에서 역학적 에너지는 $(9.8 \times 2)\text{N} \times 9.5\,\text{m} = 186.2\,\text{J}$에서 186.2 J이므로 역학적 에너지는 보존되지 않는다.

채점 기준	배점
운동 에너지와 위치 에너지를 계산 과정과 함께 계산하여 역학적 에너지가 보존되지 않음을 설명한 경우	100 %
위치 에너지와 운동 에너지의 계산 과정 없이 역학적 에너지가 보존되지 않음을 설명한 경우	50 %

5 A에서 출발하여 같은 높이인 B까지 올라왔으므로 역학적 에너지는 보존됨을 알 수 있다.

모범 답안 ㉠ 증가, ㉡ 증가
A, B에서 운동 에너지는 0이고, A에서 출발한 물체가 같은 높이인 B까지 올라왔으므로 위치 에너지가 같다. 따라서 역학적 에너지는 같으므로, 보존된다.

채점 기준	배점
㉠, ㉡을 모두 옳게 쓰고 역학적 에너지가 보존됨을 논리적으로 설명한 경우	100 %
㉠, ㉡만 옳게 쓴 경우	50 %

6 높이가 같고 질량이 B가 A의 2배이므로, 위치 에너지도 B가 A의 2배가 되며 바닥에서의 운동 에너지도 2배가 된다. 바닥에 닿는 순간 A, B의 속력을 각각 v_A, v_B라고 할 때

A: $9.8 \times m \times h = \frac{1}{2} \times m \times {v_A}^2$

B: $9.8 \times 2m \times h = \frac{1}{2} \times 2m \times {v_B}^2$

이므로 위의 식을 만족하려면 $v_A = v_B$이어야 한다.

모범 답안 바닥에 닿는 순간의 속력은 B와 A가 같다. 위치 에너지는 B가 A의 2배가 되어 바닥에서의 운동 에너지도 2배가 되지만 운동 에너지가 2배가 된 것은 질량이 2배이기 때문이므로 속력의 변화는 없다.

채점 기준	배점
잘못된 부분을 찾고 역학적 에너지 보존을 이용해서 속력이 같음을 옳게 설명한 경우	100 %
잘못된 부분만 옳게 찾은 경우	50 %

7 자료 분석하기

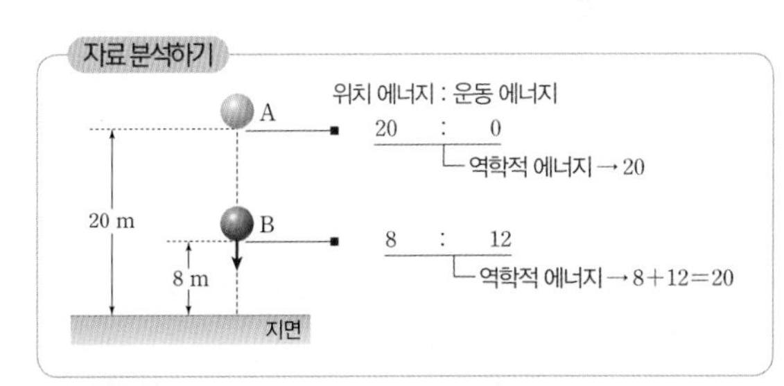

모범 답안 물체의 위치 에너지는 물체의 높이에 비례한다. 또한 물체가 자유 낙하 운동을 할 때 물체의 역학적 에너지는 보존되므로 물체의 위치 에너지가 감소한 만큼 물체의 운동 에너지가 증가한다. 즉, 물체의 운동 에너지는 낙하한 높이에 비례하게 된다. 따라서 B에서 물체의 위치 에너지 : B에서 물체의 운동 에너지=B에서 물체의 높이 : 물체가 B까지 낙하한 높이=8 m : 20 m−8 m=8 m : 12 m=2 : 3이다.

채점 기준	배점
역학적 에너지 보존을 언급하여 옳게 설명한 경우	100 %
역학적 에너지 보존을 언급하지 않고 설명한 경우	50 %

8 공이 튕기면서 역학적 에너지의 일부분이 다른 에너지로 전환되어 점점 줄어들므로 올라오는 최고 높이가 줄어든다.

모범 답안 역학적 에너지의 일부분이 충돌 과정에서 다른 에너지로 전환되어 최고점의 높이가 낮아진다.

채점 기준	배점
역학적 에너지가 충돌 과정에서 다른 에너지로 전환됨을 설명한 경우	100 %
역학적 에너지가 줄어드는 것만 설명한 경우	50 %

02 전기 에너지의 발생과 이용

학습 내용 Check

2권 081쪽	1 화학	2 유도 전류
	3 반대	4 발전기
2권 083쪽	1 역학적, 전기	2 전기
	3 빛에너지	4 전환, 에너지 보존 법칙
2권 085쪽	1 소비 전력, W(와트)	2 작은
	3 소비 전력, 전력량, Wh(와트시)	
	4 6 kWh(=6000 Wh)	

탐구 확인 문제

2권 086쪽

1 (1) 1초 (2) 클 **2** (1) ○ (2) ○ (3) × **3** ③

1 소비 전력은 1초 동안 사용한 전기 에너지이고, 소비 전력이 클수록 전기 에너지를 많이 사용한다.

2 ⑵ 다리미, 전기난로와 같이 열에너지로 전환되는 가전제품의 소비 전력은 텔레비전, 조명과 같이 빛에너지로 전환되는 가전 제품에 비해 크다.
⑶ 텔레비전 화면이 클수록, 세탁기의 용량이 클수록 대체적으로 소비 전력이 크다.

3 ①, ② 사용한 전기 에너지의 양인 전력량은 사용 시간과도 관련이 있다.
③ 소비 전력은 선풍기가 40 W, 에어컨이 2000 W이므로 에어컨은 소비 전력이 선풍기의 50배이다.
④ 선풍기의 소비 전력은 40 W이므로 1초당 40 J의 전기 에너지를 사용한다.
⑤ 같은 시간 동안 사용한다면 소비 전력이 큰 에어컨이 더 많은 전기 에너지를 사용한다.

개념 확인 문제

2권 090쪽~092쪽

01 ②	02 ③	03 ①	04 ④	05 ④
06 ②	07 ①	08 ③	09 ③	10 ①
11 ④	12 ④	13 ③	14 ②	15 ②

01 전기 에너지는 전자의 이동으로 일을 하거나 다른 에너지를 발생시킬 수 있는 에너지로, 다른 에너지로 전환하기 쉬워 가장 많이 이용하는 에너지 형태이다.

02 전자기 유도는 코일과 자석의 상대적인 운동에 의해 자기장이 변하면서 유도 전류가 생기는 것이다. 따라서 코일 속에 자석을 넣고 가만히 있으면 자기장의 변화가 생기지 않아 유도 전류가 발생하지 않는다.

03 발전기는 전자기 유도 현상을 이용해 역학적 에너지로 전기 에너지를 만들어 내는 장치이다. 따라서 ㉠은 전자기 유도, ㉡은 유도 전류, ㉢은 전기 에너지이다.

04 태양광 발전은 태양의 빛에너지가 직접 전기 에너지로 전환되므로 발전기가 필요 없다.

05 ㄱ, ㄴ. 수력 발전은 물의 위치 에너지로부터 전기 에너지를 얻는 것이다. 따라서 물의 높이 차이가 클수록 더 많은 전기 에너지를 얻을 수 있다.
ㄷ. 발전기의 터빈에서는 전자기 유도에 의해 역학적 에너지가 전기 에너지로 전환된다.

06 전동기는 전기 에너지로부터 역학적 에너지를 얻는 장치이다. 전기 난로, 전기 주전자, 헤어드라이어, 토스터기는 전기 에너지가 주로 열에너지로 전환된다.

07 텔레비전을 볼 때는 화면에서 빛이 나오고 스피커에서 소리가 난다. 그리고 화면이 켜져 있으면 열이 발생한다. 따라서 전기 에너지가 빛에너지, 소리 에너지, 열에너지로 전환된다.

08 건전지는 화학 에너지가 전기 에너지로 전환된다. 충전시에는 전기 에너지가 화학 에너지로 저장된다.

09

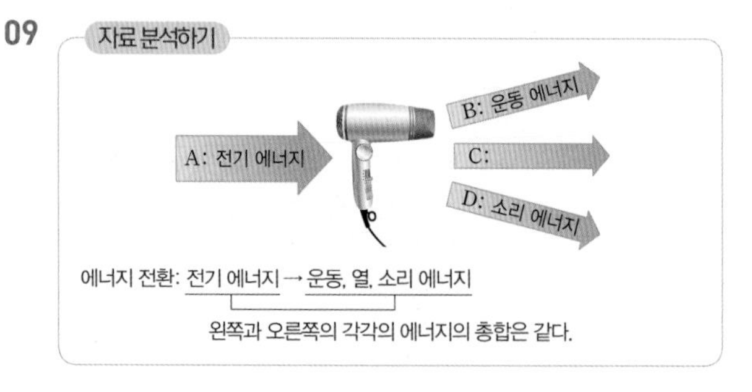

ㄱ. 헤어드라이어를 사용하면 더운 바람이 나오고 큰 소리가 난다. 따라서 공급된 전기 에너지가 열에너지, 바람의 운동 에너지, 그리고 소리 에너지로 전환됨을 알 수 있다. 따라서 C는 열에너지이다.
ㄴ. 에너지 보존 법칙에 의해 A값은 B, C, D를 합한 값과 같다.
ㄷ. 전원이 꺼져도 B, C, D가 전기 에너지로 전환되지는 않는다.

10 (가) 전기 에너지에서 역학적 에너지로 전환되는 것은 세탁기, 전기 자동차, 전동기 등이 있다.
(나) 전기 에너지에서 열에너지로 전환되는 것은 다리미, 전기 난로, 전기 장판 등이 있다.
(다) 전기 에너지에서 소리 에너지로 전환되는 것은 스피커, 텔레비전, 이어폰 등이 있다.

11 ㄱ. 진공 청소기는 전동기가 돌아가면서 먼지를 빨아들이는 것이므로 전기 에너지를 주로 운동 에너지로 전환시켜 이용한다.
ㄴ. 세탁기와 텔레비전의 소비 전력이 같으므로 같은 시간 동안 사용한다면 같은 양의 전기 에너지가 소모된다.
ㄷ. 진공 청소기의 소비 전력은 다리미의 $\frac{1}{2}$이므로, 사용 시간이 진공 청소기가 다리미의 2배라면 같은 양의 전기 에너지를 소모한다.

12 ㄱ. 다리미의 소비 전력이 1500 W로 가장 크므로 다리미가 1초당 전기 에너지를 가장 많이 사용한다.
ㄴ. 텔레비전이 선풍기보다 소비 전력이 크므로 같은 시간 동안 사용한다면 텔레비전이 더 많은 전기 에너지를 사용한다.
ㄷ. 냉장고를 하루 종일 사용하면 전력량은 $100\text{ W}\times 24\text{ h}=2400\text{ Wh}$, 세탁기를 2시간 동안 사용하면 전력량은 $1100\text{ W}\times 2\text{ h}=2200\text{ Wh}$이므로 냉장고를 하루 종일 사용하는 것이 더 많은 전기 에너지를 사용한다.

13 전력량=소비 전력×시간(h)이므로, 총 전력량$=150\text{ W}\times 1\text{ h}+1100\text{ W}\times 1\text{ h}+1500\text{ W}\times 0.5\text{ h}+100\text{ W}\times 24\text{ h}=4400\text{ Wh}=4.4\text{ kWh}$이다.

14 ㄱ. 형광등은 12 J, LED 전구는 8 J의 전기 에너지를 사용하므로 전기 에너지 사용량은 다르다.
ㄴ. 형광등은 공급된 전기 에너지 12 J 중 6 J이 빛에너지로 전환되므로 절반만 필요한 에너지로 전환된다.
ㄷ. LED 전구는 공급된 전기 에너지 8 J 중 2 J이 열에너지로 낭비되므로 공급된 전기 에너지의 $\frac{1}{4}$이 열에너지로 낭비된다.

15 ① 형광등의 소비 전력은 12 W, LED 전구의 소비 전력은 8 W이다.
② 두 전구가 내는 빛에너지는 6 J로 같다.
③ 형광등은 공급된 에너지의 $\frac{1}{2}$을 빛에너지로 사용하고, LED 전구는 공급된 에너지의 $\frac{3}{4}$을 빛에너지로 사용하므로 LED 전구의 에너지 효율이 형광등보다 높다.
④ 전환된 열에너지는 형광등이 6 J, LED 조명이 2 J이므로 형광등에서 더 많은 열이 발생한다.
⑤ 단위 시간당 형광등은 12 J의 에너지를 사용하므로 8 J을 사용하는 LED 전구보다 더 많은 전기 에너지를 사용한다.

실력 강화 문제

2권 093쪽

01 ④ **02** ① **03** ⑤ **04** ②

01 ①, ② 발전기는 전자기 유도 현상을 이용해 역학적 에너지가 전기 에너지로 전환되는 장치이다.
③, ④ 코일이 회전하면서 만들어진 유도 전류는 방향이 계속 바뀐다.
⑤ 코일을 회전시킬 때 마찰과 공기 저항 때문에 역학적 에너지는 보존되지 않지만 에너지는 보존된다.

02 ㄱ. 자동차 연료의 화학 에너지가 운동 에너지와 열에너지 등으로 전환되지만 전체 에너지는 보존된다.
ㄴ. 자동차의 운행과 관련된 운동 에너지로의 전환이 많을수록 효율이 높다.
ㄷ. 에너지의 총합은 보존되므로 운동 에너지, 열에너지, 기타 에너지의 총합은 화학 에너지와 같다. 따라서 자동차가 움직이는 데 사용하는 운동 에너지는 $100\%-(45\%+10\%+20\%)=25\%$이다.

03 ① 역학적 에너지가 아니라 에너지가 보존된다.
② 에너지는 전환 과정에서 보존된다.
③ A는 열에너지로, $100\%-(40\%+30\%)=30\%$가 전환된다.
④, ⑤ 텔레비전의 기능과 관계없는 열에너지로 30 %가 전환되므로 열에너지를 줄일 수 있다면 빛이나 소리를 내는 데 사용할 수 있어 효율을 높일 수 있다.

04 ㄱ. kWh는 전력량의 단위이다.
ㄴ. 당월 사용량은 124 kWh이므로 전기 요금은 $124\times 100=12400$원이다.

ㄷ. 전력량은 전월보다 줄어들었으므로 전기 에너지의 사용량은 줄어들었다.

서술형 문제

2권 094쪽~095쪽

1 바퀴가 굴러가면 빛이 나는 킥보드는 전자기 유도 현상을 이용한 것이다. 이 과정에서 역학적 에너지가 전기 에너지로 전환되어 불이 켜진다.

모범 답안 바퀴가 회전하면 전자기 유도에 의해 운동 에너지(역학적 에너지)가 전기 에너지로 전환되어 전구에 불이 켜진다.

채점 기준	배점
불이 켜지는 과정을 단계별로 에너지 전환 과정을 포함하여 옳게 설명한 경우	100 %
에너지 전환 과정만 쓴 경우	50 %

2 자석이 낙하하면서 역학적 에너지의 일부가 전기 에너지로 전환되므로 역학적 에너지는 점점 줄어든다.

모범 답안 $E_a > E_b > E_c$, 역학적 에너지의 일부가 코일에서 전기 에너지로 전환되므로 코일을 지날 때마다 역학적 에너지가 줄어든다.

채점 기준	배점
에너지의 크기를 옳게 비교하고 그 까닭을 옳게 설명한 경우	100 %
에너지의 크기는 옳게 비교했지만 역학적 에너지가 보존되지 않는다고만 한 경우	70 %
에너지의 크기만 옳게 비교한 경우	50 %

3 마이크 앞에서 소리를 내면 원형 도선에 유도 전류가 흘러 전기 에너지로 전환된다.

모범 답안 소리 에너지(파동 에너지)가 마이크에서 전기 에너지로 전환된다.

채점 기준	배점
에너지 전환 과정을 옳게 설명한 경우	100 %
전기 에너지가 생긴다고만 설명한 경우	50 %

4 발전 과정에서 바람의 속력이 줄어들었으므로 역학적 에너지가 보존되지 않는다. 또한, 전환된 모든 에너지를 합하면 처음의 에너지와 같으므로 에너지는 보존된다.

모범 답안 (1) 발전 과정에서 바람의 운동 에너지가 줄어들었으므로 역학적 에너지는 보존되지 않는다.

(2) 전환된 다른 에너지를 합하면 처음 바람의 운동 에너지와 같으므로 에너지는 보존된다.

채점 기준		배점
(1)	바람의 운동 에너지가 줄어들어서 역학적 에너지가 보존되지 않음을 설명한 경우	50 %
	역학적 에너지가 보존되지 않음만 설명한 경우	25 %
(2)	에너지가 보존됨을 그 까닭과 함께 옳게 설명한 경우	50 %
	에너지가 보존된다고만 쓴 경우	25 %

5 발전소에서는 매우 큰 발전기를 빠르게 회전시켜 전기 에너지를 생산한다. 수력 발전소에서는 댐에 있는 물을 흘려 보내 발전기를 회전시킨다.

모범 답안 댐의 물을 흘려 보내 발전기를 회전시켜 전기를 생산한다. 이 과정에서 물의 역학적 에너지가 전기 에너지로 전환된다.

채점 기준	배점
발전 원리와 에너지 전환 과정을 모두 옳게 설명한 경우	100 %
발전 원리와 에너지 전환 과정 중 한 가지만 옳게 설명한 경우	50 %

6 헤어드라이어와 선풍기를 사용한 시간만 주어지고 헤어드라이어와 선풍기에서 사용한 총 전력량은 주어지지 않았으므로 총 전력량을 비교하기 위해 같은 시간 동안 사용하는 전기 에너지의 양을 비교할 수 있어야 한다.

모범 답안 전기 에너지를 어느 쪽이 더 적게 사용하는지 알 수 없다. 전기 에너지를 비교할 때는 1초 동안 사용한 전기 에너지인 소비 전력의 개념이 필요하기 때문이다.

채점 기준	배점
같은 시간 동안 사용하는 전기 에너지에 대해 알 필요성이 있어서 소비 전력이 필요함을 설명한 경우	100 %
어느 경우가 전기 에너지를 더 적게 사용하는지 판단하기 위해 필요하다고만 설명한 경우	50 %

7 크기가 같은 텔레비전인데도 제조사마다 소비 전력이 다르므로 효율적 에너지 전환이 가능한 제품에 인증 마크를 붙여주는 방식으로 에너지 절약 제품을 개발하도록 유도한다.

모범 답안 에너지를 절약하기 위해 제품의 생산 단계부터 에너지 소비 효율이 높은 제품을 개발하도록 유도하기 위해서이다.

채점 기준	배점
에너지 전환 효율과 연관지어 옳게 설명한 경우	100 %
전기 에너지를 효율적으로 사용하는 제품에 인증 마크를 붙인다고만 설명한 경우	50 %

8 전기 제품을 사용하지 않는데도 불필요하게 열에너지로 낭비되므로 플러그를 뽑아 대기전력을 줄여야 한다.

모범 답안 전기 제품을 사용하지 않아도 전기 에너지가 불필요한 열에너지로 전환되어 낭비되기 때문이다.

채점 기준	배점
사용하지 않아도 전기 에너지가 열에너지로 전환됨을 설명한 경우	100 %
에너지 전환 개념을 설명하지 않고 대기전력을 줄여야 한다고만 설명한 경우	50 %

최상위권 도전 문제

2권 096쪽~099쪽

1 ⑤	2 ⑤	3 ③	4 ③	5 ③
6 ④	7 ②	8 ⑤		

1 자료 분석하기

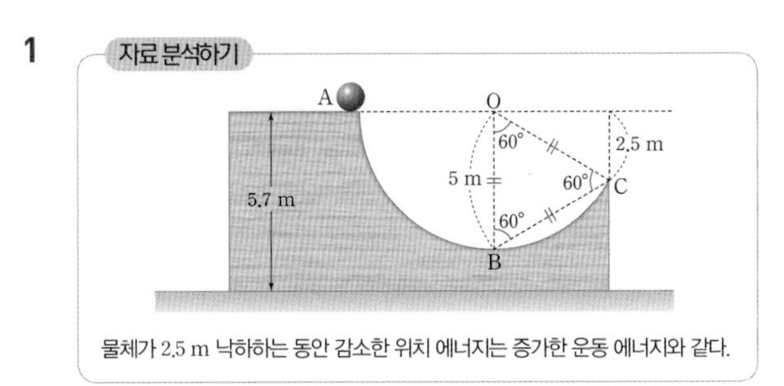

물체가 2.5 m 낙하하는 동안 감소한 위치 에너지는 증가한 운동 에너지와 같다.

두 변의 길이가 같고 사잇각이 60°이면 ΔOBC는 정삼각형이므로 A점에서 C점까지의 높이 차는 2.5 m가 된다. A점에서 C점으로 내려오면서 감소한 위치 에너지가 C의 운동 에너지로 전환된 것이므로 물체의 질량을 m이라고 하면

$9.8\times m\times 2.5=\frac{1}{2}\times m\times v^2$이 성립한다. 따라서 C점에서의 속력 $v=7$ m/s이다.

2 

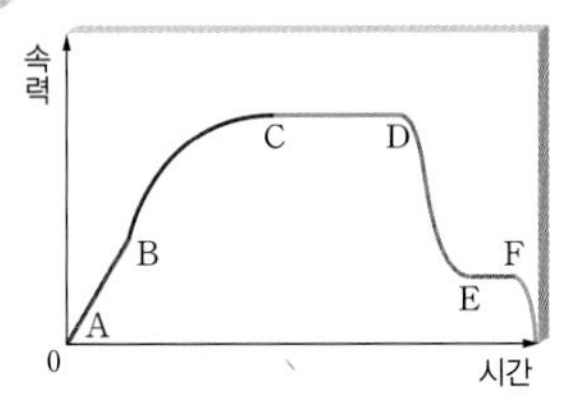

- A → B 구간은 속력이 일정하게 증가한다.
- B → C 구간은 공기 저항이 커지면서 속력이 증가하는 정도가 줄어들다가 C → D 구간에서 일정한 속력으로 낙하한다. 이 부분을 종단 속도에 도달했다고 표현하기도 한다.
- D → E 구간에서는 낙하산을 펴서 갑자기 속력이 줄어들었다.

ㄱ. A → B 구간은 내려오면서 속력이 빨라지므로 위치 에너지가 운동 에너지로 전환된다.

ㄴ. C → D 구간에서는 공기 저항이 존재하므로 역학적 에너지의 일부가 마찰로 손실된다.

ㄷ. D → E 구간은 속력이 줄어들기 때문에 낙하산을 편 구간이다.

3 물체의 질량을 m이라고 할 때 각 지점에서 역학적 에너지는 A: $9.8mh_1$, B: $9.8mh_2+\frac{1}{2}mv^2$, C: $\frac{1}{2}m(2v)^2$이다. A, B, C점에서 역학적 에너지는 같으므로 B=C에서 $9.8mh_2+\frac{1}{2}mv^2=2mv^2$, $9.8mh_2=\frac{3}{2}mv^2$, $\frac{1}{2}mv^2=\frac{9.8}{3}mh_2$이고, A=B에서 $9.8mh_1=9.8mh_2+\frac{1}{2}mv^2=9.8mh_2+\frac{9.8}{3}mh_2$이므로 $9.8mh_1=\frac{4}{3}\times 9.8mh_2$에서 $h_1=\frac{4}{3}h_2$, $\frac{h_2}{h_1}=\frac{3}{4}$이다.

[다른 풀이]

물체가 A에서 B로 내려올 때보다 A에서 C로 내려올 때 속력이 2배 증가하였으므로 운동 에너지는 4배 증가하였다. 따라서 B점에서 운동 에너지와 위치 에너지의 비는 1 : 3이 되므로 전체 높이와의 비율은 $\frac{3}{4}$이 된다.

4 자료 분석하기

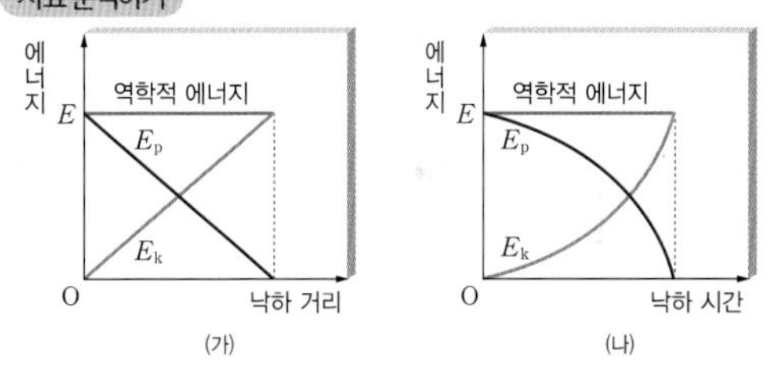

(가) 낙하 거리는 감소한 위치 에너지에 비례하므로 기울기가 일정하다.
(나) 시간에 따라 내려오는 속력은 점점 빨라지므로 운동 에너지의 기울기가 점점 커진다.

ㄱ. 낙하 거리의 중간에서는 위치 에너지와 운동 에너지가 같다. (가)에서 그래프의 기울기가 일정하므로 중간 지점에서 두 그래프가 만난다.

ㄴ. (나)에서 낙하하는 동안 운동 에너지는 시간에 따라 일정하게 증가하지 않고 급격하게 증가한다.

ㄷ. (가), (나)에서 E_k와 E_p의 합은 항상 일정하게 유지되므로 역학적 에너지는 보존된다.

5 ㄱ. 코일에 N극이 다가가면 N극을 밀어내는 방향으로 유도 전류가 흐르고, S극이 멀어지면 S극을 당기는 방향으로 유도 전류가 흐른다. 따라서 자석이 p점을 지날 때는 위쪽에 N극이, q점을 지날 때는 아래쪽에 N극이 유도되는 방향으로 전류가 흐르므로 유도 전류의 방향은 반대이다.

ㄴ. 자석을 더 높은 곳에서 떨어뜨리면 떨어지는 빠르기가 증가하므로 유도 전류의 세기가 증가한다.
ㄷ. 자석이 떨어지는 과정에서 코일을 지나며 역학적 에너지의 일부가 전기 에너지로 전환되므로 역학적 에너지는 보존되지 않는다.

6 ㄱ. 자석이 운동하는 동안 마찰로 인한 열에너지, 전자기 유도로 인한 전기 에너지로 에너지가 전환되므로 역학적 에너지는 보존되지 않는다.
ㄴ. B점을 지난 후 운동 에너지의 일부가 전기 에너지와 마찰로 인한 열에너지로 전환되므로 C점에서보다 유도 전류의 세기가 세다.
ㄷ. A점에서 자석의 역학적 에너지는 전기 에너지와 열에너지로 모두 전환되고 C점에서 멈추었다.

7 자료 분석하기

자석
플라스틱 관
알루미늄 관
구리 관
자유 낙하를 한다.
유도 전류가 흐른다.

자석을 금속관 속으로 낙하시킬 경우 표면으로 유도 전류가 흘러 자석의 운동을 방해하게 된다. 이때 흐르는 유도 전류는 금속의 저항이 작을수록 크다.

ㄱ. 구리관에서는 자석의 역학적 에너지의 일부가 전기 에너지로 전환된다.
ㄴ. 플라스틱은 부도체(절연체)이므로 유도 전류가 흐르지 않아 자석이 자유 낙하 한다.
ㄷ. 금속관에서 감소한 역학적 에너지는 유도 전류의 전기 에너지로 전환된다. 이때 알루미늄 관보다 구리관에서 역학적 에너지가 전기 에너지로 많이 전환되어 자석이 늦게 통과하므로 구리관에서 역학적 에너지가 더 많이 줄어든다.

8 다리미를 연결할 경우 병렬 회로에 저항 한 개가 병렬로 연결되는 것과 같으므로 전체 저항은 줄어들고 전체 전류는 커진다. 전체 소비 전력은 사용하는 가전제품의 수가 늘어나므로 커지게 된다. 병렬연결이므로 전압은 일정하다.

창의·사고력 향상 문제

2권 101쪽~103쪽

1 문제 해결 가이드 역학적 에너지가 마찰로 인해 보존되지 않음을 알고 이를 설계에 반영해야 한다.
• 롤러코스터와 레일에 마찰이 존재한다는 점 •• 마찰이 있으면 역학적 에너지의 일부가 열에너지로 전환된다는 점을 고려한다.

모범 답안 레일과 롤러코스터 사이의 마찰로 인해 역학적 에너지의 일부가 열에너지로 전환되므로 역학적 에너지가 보존되지 않아 처음 출발하는 높이보다 최고점이 낮아야 한다. 따라서 (나)의 설계가 좀 더 적합한 것이다.

채점 기준	배점
역학적 에너지가 보존되지 않음을 설명하면서 (나)의 설계가 적합하다고 설명한 경우	100 %
(나)를 선택하였으나 그 까닭을 설명하지 못한 경우	50 %

2 문제 해결 가이드 역학적 에너지는 보존되므로 최고점에서 위치 에너지와 바닥에서 운동 에너지가 같다.
• 자유 낙하 운동에서 위치 에너지가 운동 에너지로 전환된다는 점 •• 역학적 에너지가 보존되므로 최고점에서의 위치 에너지가 바닥에서의 운동 에너지와 같다는 점을 고려한다.

모범 답안 역학적 에너지 보존에 의해 최고점에서의 위치 에너지와 바닥에서의 운동 에너지가 같으므로 물체가 떨어진 높이를 h라고 할 때 $9.8m_1h=\frac{1}{2}m_1v_1^2$, $9.8m_2h=\frac{1}{2}m_2v_2^2$ 에서 $v_1=\sqrt{2\times9.8\times h}$, $v_2=\sqrt{2\times9.8\times h}$이다. 따라서 바닥에서의 속력이 $v_1=v_2$이므로 질량에 관계없이 두 물체의 속력은 같다.

채점 기준	배점
역학적 에너지 보존을 이용하여 수식을 정리하고 결과를 옳게 얻어 설명한 경우	100 %
역학적 에너지 보존 식을 정리하지 않고 결과만 설명한 경우	50 %

3 문제 해결 가이드 무선 충전기가 전자기 유도에 의해 충전되는 것임을 이해하고 전자기 유도의 원리를 고려해야 한다.
• 전자기 유도는 자기장의 변화로 유도 전류가 흐른다는 점 •• 자기장이 세면 유도 전류의 세기도 커진다는 점 ••• 에너지 전환 과정에서 열에너지로 전환되는 에너지가 있다는 점을 고려해야 한다.

모범 답안 ㉠ 자기장의 세기가 줄어든다, 전자기파의 세기가 줄어든다, 자기장의 변화가 줄어든다 등
㉡ 열에너지로 전환된다, 열에너지로 소모된다, 열로 빠져 나간다 등

채점 기준		배점
㉠	자기장의 변화를 언급하여 설명한 경우	50 %
	전자기 유도가 적게 일어난다라고 설명한 경우	20 %
㉡	전기 에너지가 열에너지로 전환됨을 설명한 경우	50 %
	전기 에너지가 다른 에너지로 전환된다라고만 설명한 경우	20 %

4 문제 해결 가이드 화력, 조력, 태양광 발전의 특징을 파악하고 에너지 전환을 고려한다.

• 화력 발전은 전자기 유도를 이용하고 화석 연료를 사용한다는 점 • • 조력 발전과 태양광 발전은 화력과 달리 재생 가능한 에너지를 사용한다는 점 • • • 태양광 발전은 빛에너지를 이용하며 전자기 유도를 이용하지 않는다는 점을 고려해야 한다.

모범 답안 (가) 화석 연료를 이용하는가? 또는 재생 가능하지 않은 에너지를 이용하는가? 등
(나) 전자기 유도 원리를 이용하여 전기를 생산하는가? 또는 물의 위치 에너지를 이용하는가? 등

채점 기준	배점
(가), (나) 모두 옳게 설명한 경우	100 %
(가), (나) 중 한 가지만 옳게 설명한 경우	50 %

5 문제 해결 가이드 전기 에너지뿐만 아니라 다른 에너지로 전환되는 것을 제시된 기사로부터 유추할 수 있어야 한다.

• 바람의 속력이 느려진다는 점으로부터 바람의 운동 에너지가 줄어든다는 점 • • 소음이 발생하는 것으로부터 소리 에너지로 전환된다는 점 • • • 거의 모든 에너지 전환 과정에서 열이 발생하므로 열에너지로도 전환된다는 점을 고려해야 한다.

모범 답안 바람의 운동 에너지의 일부가 소리 에너지와 전기 에너지, 열에너지 등으로 전환된다.

채점 기준	배점
운동 에너지의 일부가 전기 에너지, 소리 에너지, 열에너지 등으로 전환됨을 설명한 경우	100 %
운동 에너지에서 전환되는 에너지를 두 개 이상을 쓴 경우	50 %

6 문제 해결 가이드 전력이 같을 때, 열에너지로 전환되는 비율이 높을수록 효율이 낮다는 것을 이해해야 한다.

• 형광등과 LED등의 전력이 같다는 것으로부터 같은 양의 에너지가 공급된다는 점 • • 온도가 더 높을수록 전기 에너지가 열에너지로 전환되는 비율이 더 높다는 점 • • • 에너지는 항상 보존된다는 점을 고려해야 한다.

모범 답안 공급된 에너지는 같은데 LED등이 열에너지로 전환되는 비율이 작으므로 빛에너지로 전환되는 비율이 높아 더 밝다.

채점 기준	배점
열에너지 전환 비율이 작은 LED등이 더 밝다고 설명한 경우	100 %
LED등이 더 밝다는 것만 쓴 경우	50 %

VII 별과 우주

01 별

학습 내용 Check

2권 109쪽	1 작아	2 연주 시차	3 1
2권 112쪽	1 별까지의 거리	2 100, 2.5	3 크
2권 113쪽	1 표면 온도	2 파란	3 노란

탐구 확인 문제 2권 114쪽

1 (1) ○ (2) ○ (3) × (4) ○ **2** ③

1 (1) 오른쪽 눈과 왼쪽 눈을 번갈아 감고 보았을 때 연필 끝이 보이는 방향의 차이는 시차이다.
(2) 팔을 굽히거나 펴는 것은 물체까지의 거리를 다르게 하기 위한 것이다.
(3) 시차는 물체까지의 거리가 가까울수록 크게 나타나므로 반비례 관계가 있다.
(4) 같은 원리로 별을 6개월 간격으로 관측해 보면 별의 연주 시차를 알 수 있고, 연주 시차를 알면 별까지의 거리를 구할 수 있다.

2 ㄱ. 연주 시차는 6개월 간격으로 별을 관측했을 때 나타나는 시차의 $\frac{1}{2}$로, 지구 공전의 증거가 된다.
ㄴ. 이 실험에서 관측자의 두 눈은 지구, 연필은 별에 비유된다. 따라서 양쪽 눈의 위치는 6개월 간격으로 별을 관측한 지구의 위치에 해당한다.
ㄷ. 별까지의 거리가 멀수록 연주 시차가 작다. 따라서 태양을 제외하고 지구에서 가장 가까운 별의 연주 시차가 약 0.76″이므로, 다른 별들의 연주 시차는 모두 0.76″보다 작게 관측될 것이다.

개념 확인 문제 2권 118쪽~120쪽

01 ④ **02** ② **03** ⑤ **04** ② **05** ④
06 ⑤ **07** ④ **08** ⑤ **09** ② **10** ⑤
11 ③ **12** ④ **13** ④

01 ㄱ. 문제의 실험은 물체까지의 거리와 시차의 관계를 알아보기 위한 것으로, 두 눈과 연필 끝이 이루는 각이 시차에 해당한다.
ㄴ. 시차는 물체까지의 거리에 반비례한다. 따라서 팔을 쭉 펴면 팔을 굽혔을 때보다 두 눈에서 연필까지의 거리가 멀어지므로, 연필 끝의 위치는 2와 6보다 안쪽에서 보일 것이다.
ㄷ. 문제의 실험에서 관측자의 두 눈은 지구, 연필은 별에 비유할 수 있다.

02 ㄱ. 연주 시차는 지구의 자전과는 관련이 없으며, 지구가 공전하지 않는 경우에는 생기지 않으므로 지구 공전의 증거가 된다.
ㄴ. 연주 시차는 별의 시차의 $\frac{1}{2}$에 해당하며, 지구로부터 별까지의 거리에 반비례한다.
ㄷ. 별까지의 거리(pc)$=\frac{1}{\text{연주 시차}('')}$이므로 연주 시차가 1″인 별까지의 거리는 1 pc이다.

03 자료 분석하기

지구
별 S의 시차
태양
0.2″
별 S
천구

ㄱ. 6개월 간격으로 관측한 별 S의 시차가 0.2″이므로, 연주 시차는 0.1″이다.
ㄴ. 별까지의 거리(pc)$=\frac{1}{\text{연주 시차}('')}$이다. 따라서 별 S의 연주 시차가 0.1″이므로, 별까지의 거리는 $\frac{1}{0.1''}=10\,\text{pc}$이다.
ㄷ. 연주 시차와 별까지의 거리는 반비례 관계이므로, 별 S보다 멀리 있는 별은 연주 시차가 0.1″보다 작을 것이다.

04 ㄱ. 6개월 간격으로 관측했을 때 위치가 변하지 않은 별 B와 비교해 보면 별 A는 6개월 동안 $0.06''+0.04''=0.1''$만큼 이동하였다. 이 값이 시차이며, 시차의 $\frac{1}{2}$인 0.05″가 별 A의 연주 시차이다.
ㄴ. 지구에서 별 A까지의 거리는 $\frac{1}{0.05''}=20\,\text{pc}$이다.
ㄷ. 별 B는 지구의 공전과 관계없이 위치가 변하지 않았는데, 이는 지구로부터의 거리가 매우 멀기 때문이다.

05 별에서 거리가 2배, 3배로 멀어지면 별빛을 받는 넓이는 2^2배, 3^2배로 넓어지고, 같은 넓이에서 받는 빛의 양은 $\frac{1}{2^2}$, $\frac{1}{3^2}$로 줄어든다. 즉, 우리 눈에 보이는 별의 밝기(l)는 별까지 거리(r)의 제곱에 반비례한다. $\rightarrow l \propto \frac{1}{r^2}$

06 ① 등급의 숫자가 작을수록 밝은 별이고, 등급의 숫자가 클수록 어두운 별이다.
② 1등급 간의 밝기 차이는 약 2.5배이며, 등급이 낮을수록 밝은 별이다. 따라서 2등급인 별은 3등급인 별보다 약 2.5배 밝게 보인다.
③ 5등급 간의 밝기 차이는 약 100배이며, 등급이 낮을수록 밝은 별이다. 따라서 1등급인 별은 6등급인 별보다 5등급 작으므로 약 100배 밝게 보인다.
④, ⑤ 절대 등급은 모든 별이 10 pc의 거리에 있다고 가정했을 때의 별의 밝기를 나타낸 것이다. 따라서 절대 등급을 이용하여 별의 실제 밝기를 비교할 수 있다.

07 어떤 별까지의 거리가 현재보다 10배 멀어지면 별의 밝기는 원래의 $\frac{1}{100}$로 어두워진다. 따라서 100배의 밝기 차는 5등급 차이가 나므로, -2등급으로 보이는 별의 겉보기 등급은 -2등급$+5$등급$=3$등급이 된다.

08 자료 분석하기

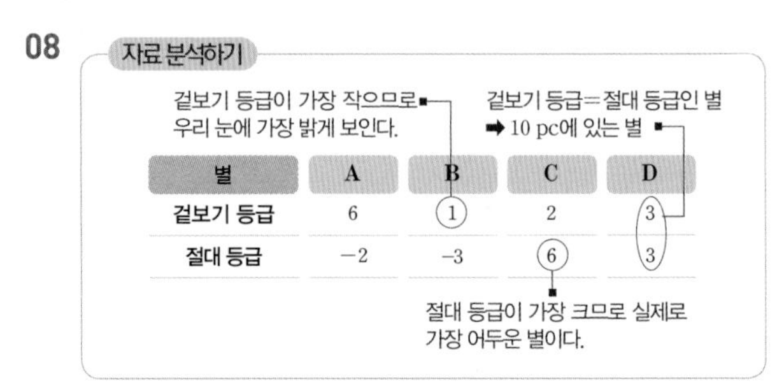

별	A	B	C	D
겉보기 등급	6	1	2	3
절대 등급	−2	−3	6	3

ㄱ. 별 B는 겉보기 등급이 1등급이고, 별 A는 겉보기 등급이 6등급이다. 5등급 간의 밝기 차이는 약 100배이므로, 1등급인 별 B가 6등급인 별 A보다 100배 밝게 보인다.
ㄴ. 별의 실제 밝기는 절대 등급으로 비교한다. 실제로 가장 어두운 별은 절대 등급이 가장 큰 별 C이다.
ㄷ. 겉보기 등급과 절대 등급이 같은 별 D까지의 거리는 10 pc이다.

09 ㄱ. 가장 밝게 보이는 별은 겉보기 등급이 가장 작은 별 B이다.
ㄴ. 별 B는 10 pc의 거리에 있으므로 겉보기 등급과 절대 등급이 같다. 따라서 별 B의 절대 등급은 2등급이다.
ㄷ. 별 C는 10 pc보다 멀리 있으므로 절대 등급이 겉보기 등급인 3등급보다 작다.

10 자료 분석하기

겉보기 등급>절대 등급 ➡ 10 pc보다 멀리 있는 별

겉보기 등급=절대 등급 ➡ 10 pc에 있는 별

겉보기 등급<절대 등급 ➡ 10 pc보다 가까이 있는 별

ㄱ. 별 A는 겉보기 등급이 4등급이고, 절대 등급이 2등급이다. 따라서 별 A는 겉보기 등급이 절대 등급보다 크므로 10 pc보다 멀리 있는 별이다.

ㄴ. 별 B와 D는 모두 겉보기 등급과 절대 등급이 같으므로 별까지의 거리가 10 pc으로 같다.

ㄷ. 별의 실제 밝기는 절대 등급으로 비교한다. 별 B의 절대 등급은 1등급이고, 별 C의 절대 등급은 5등급이다. 등급 차가 4등급일 때는 약 40배의 밝기 차가 나며, 등급이 작을수록 밝은 별이므로, 별 B는 별 C보다 실제 밝기가 약 40배 밝다.

11 ㄱ. 별은 표면 온도가 높을수록 파란색을 띠고, 청백색 → 흰색 → 황백색 → 노란색 → 주황색 → 붉은색을 띨수록 별의 표면 온도가 낮아진다.

ㄴ. 태양은 표면 온도가 약 6000 K이므로 노란색을 띤다.

ㄷ. 표면 온도가 같으면 별의 색은 거리에 관계없이 동일하게 나타난다.

12 별은 표면 온도가 높을수록 파란색을 띠고, 청백색 → 흰색 → 황백색 → 노란색 → 주황색 → 붉은색을 띨수록 별의 표면 온도가 낮아진다. 따라서 표면 온도가 가장 높은 것은 (다) 파란색을 띠는 민타카이고, 두 번째로 높은 것은 (가) 흰색을 띠는 직녀성이며, 표면 온도가 가장 낮은 것은 (라) 붉은색을 띠는 안타레스이다.

13 자료 분석하기

구분	별 A	별 B
겉보기 등급	−1	4
절대 등급	2	−5
색	파란색	붉은색
연주 시차(″)	0.2	0.05

우리 눈에 더 밝게 보인다. / 실제로 더 밝다. / 표면 온도가 더 높다. / 거리가 더 멀다.

ㄱ. 겉보기 등급이 작을수록 맨눈으로 보이는 밝기가 더 밝다. 따라서 별 A가 별 B보다 겉보기 등급이 작으므로, 별 A가 우리 눈에 더 밝게 보인다.

ㄴ. 절대 등급이 작을수록 실제 밝기가 더 밝다. 따라서 별 A가 별 B보다 절대 등급이 크므로, 별 B가 실제로 더 밝은 별이다.

ㄷ. 표면 온도가 높을수록 파란색을 띠고, 표면 온도가 낮을수록 붉은색을 띤다. 따라서 별 A가 별 B보다 표면 온도가 높다.

ㄹ. 연주 시차와 별까지의 거리는 반비례 관계가 있다. 따라서 별 B가 별 A보다 연주 시차가 작으므로 별까지의 거리가 더 멀다.

실력 강화 문제

2권 121쪽

01 ② **02** ⑤ **03** ⑤ **04** ⑤

01 ㄱ, ㄷ, ㄹ. 별의 색과 표면 온도, 절대 등급은 거리가 달라져도 변하지 않는다.

ㄴ. 별까지의 거리가 멀어지면 연주 시차는 작아지고, 가까워지면 연주 시차는 커진다.

ㅁ. 별까지의 거리가 멀어지면 겉보기 등급은 커지고, 가까워지면 겉보기 등급은 작아진다.

02 ㄱ. 별 A는 10 pc의 거리에 있으므로 절대 등급은 겉보기 등급과 같은 0등급이다.

ㄴ. 겉보기 등급이 0등급인 별 A까지의 거리가 달라졌을 때 겉보기 등급이 5등급이 되었다. 5등급 간의 밝기 차이는 약 100배이며, 별의 밝기는 거리의 제곱에 반비례하므로, 별 A까지의 거리는 원래의 10배로 멀어졌다. 따라서 A′일 때 거리는 100 pc이다.

ㄷ. 별의 색은 거리에 따라 변하지 않고 표면 온도에 따라 달라진다.

03 ㄱ. 별 A는 연주 시차가 0.1″보다 크므로 10 pc보다 가까이 있는 별이다. 따라서 10 pc보다 가까이 있는 별은 겉보기 등급이 절대 등급보다 작으므로, 별 A의 겉보기 등급은 5.8등급보다 작다.

ㄴ. 별 B는 연주 시차가 0.1″보다 작으므로 10 pc보다 멀리 있는 별이다. 10 pc보다 멀리 있는 별은 겉보기 등급이 절대 등급보다 크므로, 별 B의 절대 등급은 2.5등급보다 작다. 따라서 절대 등급은 별 B가 C보다 작다.

ㄷ. 별 C는 겉보기 등급과 절대 등급이 같으므로 10 pc의 거리에 있으며, 연주 시차는 0.1″이다. 따라서 연주 시차는 별 A가 C보다 크다.
ㄹ. 표면 온도는 청백색 → 노란색 → 주황색으로 갈수록 낮아지므로 표면 온도가 가장 높은 별은 B이다.

04 ㄱ. 별 A는 겉보기 등급(5등급)이 절대 등급(0등급)보다 크므로 10 pc보다 멀리 있는 별이다. 따라서 별 A의 연주 시차는 0.1″보다 작다.
ㄴ. 별 A는 10 pc보다 멀리 있는 별이고, 별 B는 겉보기 등급(5등급)과 절대 등급(5등급)이 같으므로 10 pc의 거리에 있는 별이다. 따라서 지구로부터의 거리는 별 A가 B보다 멀다.
ㄷ. 별 A와 B는 겉보기 등급이 같으므로 밝기가 비슷하게 나타난다. 또한, 표면 온도가 약 9000 K인 별 A는 흰색으로 보이고, 표면 온도가 약 3000 K인 별 B는 붉은색으로 보인다. 즉, 별 A와 B는 밝기보다 색으로 구별하기 쉽다.

서술형 문제

2권 122쪽~123쪽

1 공전하는 지구에서 거리가 가까운 별을 6개월 간격으로 관측하면 멀리 있는 배경별에 대하여 위치가 변한다.

모범 답안 연필은 연주 시차가 나타나는 별, 양쪽 눈은 6개월 간격의 지구 위치, 배경은 지구로부터의 거리가 매우 멀어 연주 시차가 관측되지 않는 배경별에 해당한다.

채점 기준	배점
연필, 양쪽 눈, 배경을 모두 옳게 설명한 경우	100 %
연필, 양쪽 눈, 배경 중 두 가지만 옳게 설명한 경우	50 %
연필, 양쪽 눈, 배경 중 한 가지만 옳게 설명한 경우	30 %

2 (1) 지구에서 비교적 가까운 거리에 있는 별을 6개월 간격으로 관측하면 멀리 있는 배경별에 대해 이동한 것처럼 관측된다.
(2) 위치가 변하지 않은 별 B와 비교해 보면 별 A는 6개월 동안 0.07″+0.03″=0.1″만큼 이동하였다. 이 값이 시차이고, 시차의 $\frac{1}{2}$인 0.05″가 별 A의 연주 시차이다.

모범 답안 (1) 별 A는 거리가 가까워서 시차가 나타나고, 별 B는 거리가 매우 멀어서 시차가 거의 나타나지 않기 때문이다.
(2) 별 A의 시차는 0.1″이고 연주 시차는 0.05″이므로, 별까지의 거리는 $\frac{1}{0.05''}$=20 pc이다.

	채점 기준	배점
(1)	시차의 발생 유무를 거리의 관계로 옳게 설명한 경우	40 %
(2)	시차와 연주 시차를 구하고, 별까지의 거리를 구한 경우	60 %
	시차와 연주 시차를 언급하지 않고 바로 별까지의 거리만 구한 경우	30 %

3 우리 눈에 보이는 별의 밝기에 영향을 주는 요인은 별이 방출하는 에너지양과 별까지의 거리이다.

모범 답안 방출하는 에너지양이 같을 때는 지구로부터의 거리가 가까울수록 밝게 보인다. 별까지의 거리가 같을 때는 방출하는 에너지양이 많은 별일수록 밝게 보인다.

채점 기준	배점
별까지의 거리와 별이 방출하는 에너지양에 따라 별의 밝기가 달라진다고 옳게 설명한 경우	100 %
별까지의 거리와 별이 방출하는 에너지양 중 한 가지만 언급하여 옳게 설명한 경우	50 %

4 (1) 5등급 간의 밝기 차이는 약 100배이며, 등급이 낮을수록 밝은 별이다.
(2) 겉보기 등급이 1등급인 어떤 별이 10000개가 모여 있으면 이 집단의 밝기는 1등급인 별 한 개에 비해 10000(≒2.5^{10})배 밝다.

모범 답안 (1) 5등급인 별 A는 0등급인 별 B보다 5등급 크므로 별 B가 A보다 100배 밝게 보인다.
(2) 10000배 밝기 차는 10등급 차이가 나므로, 이 집단의 겉보기 등급은 1등급−10등급=−9등급이다. 따라서 −9등급의 별 한 개와 밝기가 같다.

	채점 기준	배점
(1)	별 A보다 별 B가 100배 밝게 보인다고 옳게 설명한 경우	50 %
	'100배'를 언급하지 않고 단순히 A가 B보다 어둡다거나 A보다 B가 밝다고 설명한 경우	10 %
(2)	−9등급의 별 한 개와 밝기가 같다고 옳게 설명한 경우	50 %

5 (1) 별의 밝기는 거리의 제곱에 반비례한다.
(2) 1등급 간의 밝기 차는 약 2.5배이다. 절대 등급은 별을 10 pc의 거리에 두었을 때의 겉보기 등급과 같다.

모범 답안 (1) 4 pc에 있는 별을 10 pc으로 옮기면 거리가 2.5배 멀어지므로 밝기는 원래의 $\frac{1}{(2.5)^2}$로 감소한다.
(2) 별을 10 pc으로 옮기면 밝기가 $\frac{1}{(2.5)^2}$로 감소하므로, 이 별의 겉보기 등급은 2등급이 커진 4등급이 된다. 따라서 이 별의 절대 등급은 4등급이다.

	채점 기준	배점
(1)	원래의 $\frac{1}{(2.5)^2}$로 감소한다(또는 어두워진다)고 옳게 설명한 경우	50 %
	값을 언급하지 않고 단순히 어두워진다고 설명한 경우	10 %
(2)	구하는 과정을 설명하고 절대 등급을 옳게 구한 경우	50 %
	구하는 과정을 설명하지 않고 절대 등급만 쓴 경우	20 %

6 (겉보기 등급−절대 등급) 값이 작을수록 지구로부터의 거리가 가까운 별이다.

- 시리우스: (겉보기 등급−절대 등급)=−1.5등급−1.4등급=−2.9등급
- 직녀성: (겉보기 등급−절대 등급)=0.0등급−0.5등급=−0.5등급
- 프로키온: (겉보기 등급−절대 등급)=0.3등급−2.6등급=−2.3등급
- 안타레스: (겉보기 등급−절대 등급)=1.0등급−(−4.5등급)=5.5등급

모범 답안 지구에서 거리가 가장 가까운 별은 (겉보기 등급−절대 등급) 값이 가장 작은 시리우스이고, 지구에서 거리가 가장 먼 별은 (겉보기 등급−절대 등급) 값이 가장 큰 안타레스이다.

채점 기준	배점
지구에서 거리가 가장 가까운 별과 가장 먼 별을 모두 옳게 설명한 경우	100 %
지구에서 거리가 가장 가까운 별과 가장 먼 별 중 한 가지만 옳게 설명한 경우	50 %
판단한 까닭은 설명하지 않고 가장 가까운 별과 가장 먼 별만 고른 경우	30 %

7 문제의 별은 겉보기 등급이 절대 등급보다 크므로 10 pc보다 멀리 있는 별이다. 따라서 이 별을 10 pc으로 옮기면 원래보다 별이 밝게 보인다. 한편, 별의 절대 등급은 거리에 따라 변하지 않는 값이며, 별의 색은 표면 온도가 변하지 않으면 거리가 달라져도 같은 색으로 보인다.

모범 답안 겉보기 등급은 작아지고, 절대 등급과 색은 변하지 않는다.

채점 기준	배점
겉보기 등급, 절대 등급, 색의 변화를 모두 옳게 설명한 경우	100 %
겉보기 등급, 절대 등급, 색의 변화 중 두 가지만 옳게 설명한 경우	60 %
겉보기 등급, 절대 등급, 색의 변화 중 한 가지만 옳게 설명한 경우	30 %

8 별은 표면 온도가 높을수록 파란색을 띠고, 청백색 → 흰색 → 황백색 → 노란색 → 주황색 → 붉은색을 띨수록 별의 표면 온도가 낮아진다.

모범 답안 리겔, 리겔은 청백색으로 보이고, 베텔게우스는 붉은색으로 보이기 때문이다.

채점 기준	배점
표면 온도가 더 높은 별(리겔)을 고르고, 별의 표면 온도를 색으로 옳게 비교한 경우	100 %
표면 온도가 더 높은 별(리겔)만 고른 경우	30 %

02 우주

학습 내용 Check

2권 126쪽	1 우리은하	2 막대	3 30000, 8500
	4 암흑 성운	5 구상 성단	
2권 127쪽	1 외부 은하	2 대폭발(빅뱅)	
2권 129쪽	1 우주 탐사	2 인공위성	3 우주

개념 확인 문제

2권 132쪽~133쪽

01 ③ **02** ① **03** ① **04** ③ **05** ④
06 ⑤ **07** ① **08** ④

01 ㄱ. 우리은하를 위에서 보면 중심부에 막대 모양의 구조가 있고 막대 끝에 나선팔이 휘감겨 있다.
ㄴ. 우리은하를 옆에서 보면 중심부가 부풀어 있는 납작한 원반 모양이다.
ㄷ. 태양계는 우리은하의 중심에서 약 8500 pc 떨어진 나선팔에 위치해 있다.

02 자료 분석하기

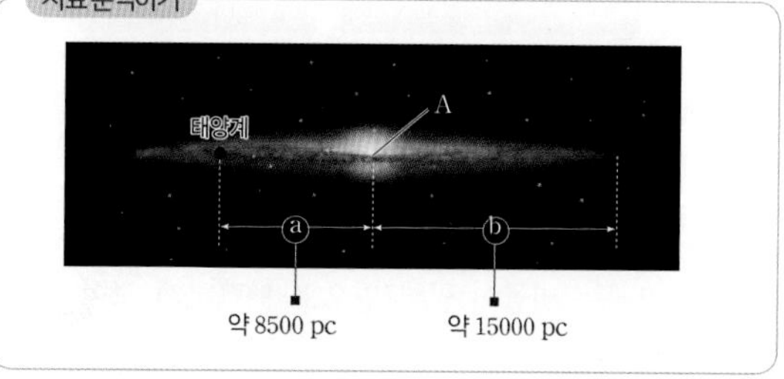

ㄱ. 우리은하를 옆에서 보면 중심부가 부풀어 있는 납작한 원반 모양이다.

ㄴ. 태양계는 우리은하의 중심에서 약 8500 pc 떨어진 나선팔에 위치해 있다. 따라서 a는 8500 pc이다. 한편, 우리은하의 지름은 약 30000 pc이다. 따라서 우리은하의 반지름인 b는 약 15000 pc이다.

ㄷ. A는 우리은하의 중심부이다. 우리은하의 중심부와 원반을 둘러싼 구형의 공간(헤일로)에는 주로 구상 성단이 분포한다. 산개 성단은 주로 우리은하의 나선팔에 분포한다.

03 ㄱ. 별과 별 사이의 넓은 공간에는 가스와 티끌 등이 퍼져 있는데, 이를 성간 물질이라고 한다.

ㄴ. 성운은 성간 물질이 밀집되어 구름처럼 보이는 것이고, 많은 별들이 모여 무리를 이루는 것은 성단이다.

ㄷ. 수십~수만 개의 별들이 엉성하게 흩어져 있는 천체는 산개 성단이다. 구상 성단은 수만~수십만 개의 별들이 공 모양으로 빽빽하게 모여 있는 성단이다.

04 (가)는 방출 성운인 장미 성운이고, (나)는 암흑 성운인 말머리성운이다.

ㄱ. 방출 성운은 성간 물질이 주변의 별빛을 흡수하여 가열되면서 스스로 빛을 내는 것이다. 주위의 별빛을 반사하여 밝게 보이는 것은 반사 성운이다.

ㄴ. (나)의 검은 부분은 성간 물질이 많이 모여 있어 별빛을 차단하기 때문에 검은 구름처럼 보인다.

ㄷ. 별과 함께 성단, 성운, 성간 물질로 이루어진 거대한 천체를 은하라고 하며, 은하 중에서 태양계를 포함하고 있는 은하를 우리은하라고 한다. (가) 방출 성운과 (나) 암흑 성운은 우리은하를 구성하는 천체이다.

05 자료 분석하기

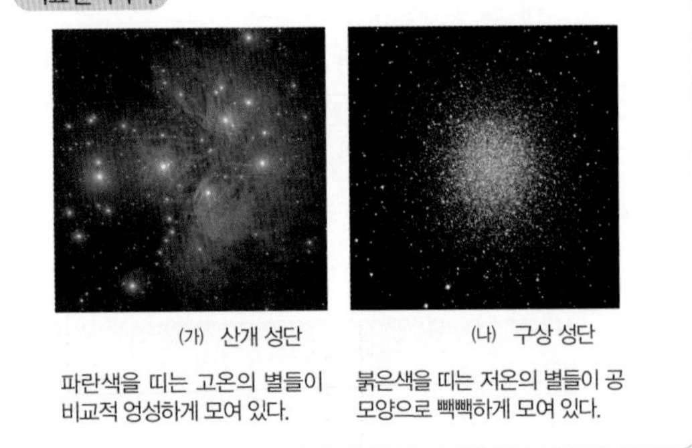

(가) 산개 성단 — 파란색을 띠는 고온의 별들이 비교적 엉성하게 모여 있다.

(나) 구상 성단 — 붉은색을 띠는 저온의 별들이 공 모양으로 빽빽하게 모여 있다.

ㄱ. (가)는 별들이 비교적 엉성하게 모여 있는 산개 성단이고, (나)는 별들이 공 모양으로 빽빽하게 모여 있는 구상 성단이다.

ㄴ. (나) 구상 성단은 주로 우리은하의 중심부와 원반을 둘러싼 구형의 공간(헤일로)에 분포한다.

ㄷ. (가) 산개 성단은 주로 파란색을 띠는 고온의 별들로 이루어져 있고, (나) 구상 성단은 주로 붉은색을 띠는 저온의 별들로 이루어져 있다.

06 ㄱ, ㄴ. 붙임딱지는 풍선 표면에 고정되어 있으므로 풍선이 부풀어 오르면 붙임딱지 사이의 거리는 멀어진다. 이때 붙임딱지 사이의 거리가 멀수록 더 멀어진다.

ㄷ. 풍선의 표면을 우주, 붙임딱지를 은하라고 한다면, 풍선 표면이 팽창할수록 붙임딱지 사이의 간격이 멀어지듯이 우주가 팽창할수록 은하 사이의 거리는 멀어진다.

07 ㄱ. 우주 탐사는 우주를 이해하고자 우주를 탐색하고 조사하는 활동으로, 우주에 대한 인류의 호기심을 해결하기 위해 시작되었다.

ㄴ. 지상에서는 광학 망원경이나 전파 망원경을 이용하여 우주를 탐사한다.

ㄷ. 우리나라의 우주 개발은 다른 나라에 비해 상대적으로 늦게 시작되었다. 그러나 현재는 과학 연구, 통신, 기상 관측 등의 분야에서 인공위성이 실용화되어 있고, 장기적인 계획 아래 진행되고 있다. 2009년에는 나로 우주 센터를 건설하여 2013년에 나로호 로켓을 발사하기도 하였다.

08 ㄱ. 미지의 세계에 대한 인류의 호기심으로 시작된 우주 탐사를 통해 인류는 태양계와 우주의 정보를 얻고, 우리가 살고 있는 지구를 더 깊게 이해할 수 있게 되었다.

ㄴ. 인공위성은 일기 예보, 방송 통신, 지도 검색 등에 이용되어 우리 생활을 편리하게 해 준다.

ㄷ. 우주 탐사를 위해 개발된 과학기술은 우리 생활에 유용하게 이용되기도 한다.

실력 강화 문제

2권 134쪽

01 ① **02** ④ **03** ④ **04** ④

01 ㄱ. 천상열차분야지도를 보면 뿌옇게 나타나 있는 휘어진 띠가 있는데, 이것은 밤하늘의 은하수를 표현한 것이다.

ㄴ. 은하수는 우리은하에 속한 지구에서 우리은하의 일부를 바라본 모습이다.

ㄷ. 우리나라에서 여름철에는 밤하늘이 우리은하의 중심부를 향하므로 은하수가 폭이 넓고 뚜렷하게 보이고, 겨울

철에는 밤하늘이 우리은하의 바깥쪽을 향하므로 은하수가 희미하게 보인다.

02 ㄱ. (가)는 방출 성운, (나)는 암흑 성운의 형성 원리를 나타낸 것이다.
ㄴ. (가) 방출 성운은 성간 물질이 주변의 별빛을 흡수하여 가열되면서 스스로 빛을 내는 성운으로 밝은 성운이다. (나) 암흑 성운은 성간 물질이 뒤쪽의 별빛을 가로막거나 빛을 흡수하여 어둡게 보이는 성운이다.
ㄷ. (나) 암흑 성운의 대표적인 예로 오리온자리의 말머리 성운이 있다.

03 ㄱ. 문제의 그림을 보면 우주가 팽창함에 따라 각 은하들 사이의 거리가 멀어짐을 알 수 있다.
ㄴ. A, B, C 은하 중 어떤 은하에서 보더라도 은하들은 서로 멀어진다. 따라서 팽창하는 우주의 중심은 없다.
ㄷ. 현재 우주가 팽창한다는 사실을 바탕으로 시간을 거꾸로 돌린다고 가정하면, 과거로 갈수록 우주는 점점 작아지다가 결국 한 점에 모일 것이다. 이처럼 우주는 모든 물질과 에너지가 모인 한 점에서 대폭발로 시작하였으며 지금도 계속 팽창하고 있다는 이론을 대폭발 우주론이라고 한다.

04 (가) 우리나라는 2013년에 나로호 로켓을 발사하였다.
(나) 1957년에 스푸트니크 1호가 발사된 이후 경쟁적으로 우주 탐사가 시작되었다.
(다) 1969년에 아폴로 11호가 인류 최초로 달에 착륙하였다.
(라) 1990년에 허블 우주 망원경을 쏘아 올렸으며, 이를 이용하여 우주를 관측하였다.
따라서 먼저 일어난 사건부터 순서대로 나열하면 (나)-(다)-(라)-(가)이다.

서술형 문제

2권 135쪽

1 우리은하의 원반부를 적외선으로 찍으면 밝게 나타나는데, 가시광선으로 찍으면 검은 영역이 나타난다.

모범 답안 성간 물질이 많이 분포하여 뒤에서 오는 빛을 흡수하기 때문이다.

채점 기준	배점
성간 물질이 빛을 흡수하기 때문이라고 옳게 설명한 경우	100 %
성간 물질이 있기 때문이라고만 설명한 경우	70 %

2 태양계는 우리은하의 중심에서 약 8500 pc 떨어진 나선팔에 위치해 있다.

모범 답안 우리은하는 중심부가 부풀어 있는 납작한 원반 모양이며 태양계의 위치는 우리은하의 중심에서 떨어져 있다. 따라서 여름철에는 우리은하의 중심부를 보게 되므로 은하수가 더 크고 밝게 보이고, 겨울철에는 우리은하의 바깥쪽을 보게 되므로 은하수가 희미하게 보인다.

채점 기준	배점
우리은하의 모양, 태양계의 위치, 여름철과 겨울철에 은하수가 다르게 보이는 까닭을 모두 옳게 설명한 경우	100 %
우리은하의 모양, 태양계의 위치 중 한 가지만 연관 지어 여름철과 겨울철에 은하수가 다르게 보이는 까닭을 설명한 경우	60 %
우리은하의 모양, 태양계의 위치를 연관 짓지 않고 여름철과 겨울철에 은하수가 다르게 보이는 까닭만 설명한 경우	30 %

3 구상 성단은 수만~수십만 개의 별들이 공 모양으로 빽빽하게 모여 있는 성단이고, 산개 성단은 수십~수만 개의 별들이 비교적 엉성하게 모여 있는 성단이다.

모범 답안 (가)는 구상 성단이고, (나)는 산개 성단이다. 구상 성단은 주로 붉은색을 띠는 저온의 별들로 이루어져 있고, 산개 성단은 주로 파란색을 띠는 고온의 별들로 이루어져 있다.

채점 기준	배점
(가)와 (나) 성단의 종류를 각각 쓰고, 성단을 이루고 있는 별의 특징을 두 가지 모두 옳게 설명한 경우	100 %
(가)와 (나) 성단의 종류를 각각 쓰고, 성단을 이루고 있는 별의 특징을 한 가지만 옳게 설명한 경우	70 %
성단을 이루고 있는 별의 특징만 옳게 설명한 경우	50 %
(가)와 (나) 성단의 종류만 옳게 쓴 경우	30 %

4 우주는 특별한 중심 없이 모든 방향으로 팽창하고 있다. 우주가 팽창하기 때문에 은하들은 서로 멀어지고 있으며, 멀리 있는 은하일수록 더 빨리 멀어진다.

모범 답안 (1) 우주가 팽창하기 때문에 대부분의 은하들은 서로 멀어지고 있으며, 멀리 있는 은하일수록 은하 사이의 거리가 더 멀어진다.
(2) 우주가 팽창하면 부피가 증가하기 때문에 밀도가 감소한다.

채점 기준		배점
(1)	대부분의 외부 은하들이 서로 멀어지고 있으며, 멀리 있는 은하일수록 더 빨리 멀어진다는 내용을 언급한 경우	50 %
	은하 사이의 거리가 멀어진다는 내용만 있는 경우	20 %
(2)	부피가 증가하여 밀도가 감소한다고 옳게 설명한 경우	50 %

최상위권 도전 문제

2권 136쪽~139쪽

1 ③	2 ③	3 ④	4 ⑤	5 ③
6 ④	7 ①	8 ⑤		

1 ㄱ. 연주 시차는 6개월 간격으로 별을 관측했을 때 나타나는 시차의 $\frac{1}{2}$이다. 따라서 별 A의 연주 시차는 0.4″이고, 별 B의 연주 시차는 0.1″이다.

ㄴ. 별까지의 거리(pc)$=\frac{1}{\text{연주 시차}(″)}$이므로, 별 A까지의 거리는 $\frac{1}{0.4″}=2.5$ pc이고, 별 B까지의 거리는 $\frac{1}{0.1″}=10$ pc이다. 따라서 지구에서 별까지의 거리는 별 B가 A보다 4배 더 멀다.

ㄷ. 별 B가 A보다 4배 멀리 있으므로, 별 A는 B보다 16배 밝게 보이고, 16배 밝기 차이는 3등급 차이가 난다. 따라서 별 B는 10 pc의 거리에 있으므로 겉보기 등급이 절대 등급과 같은 1등급이고, 별 A의 겉보기 등급은 B의 겉보기 등급보다 3등급 작은 −2등급이 된다.

2 자료 분석하기

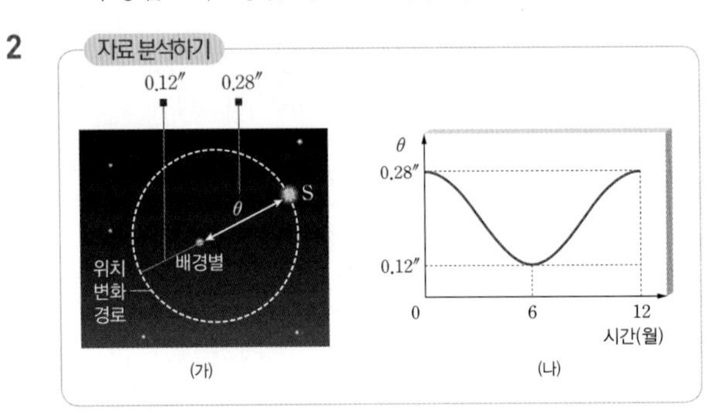

(가) (나)

ㄱ. 가까운 별들이 1년을 주기로 원운동 하는 것처럼 관측되는 것은 지구가 공전하기 때문이다.

ㄴ. 별 S의 연주 시차는 6개월 동안 별이 움직인 각거리의 $\frac{1}{2}$이므로, 별 S의 연주 시차는 $\frac{(0.28″+0.12″)}{2}=0.2″$이다. 따라서 별 S까지의 거리는 $\frac{1}{0.2″}=5$ pc이다.

ㄷ. θ값이 달라지는 까닭은 별이 지구의 공전 궤도면에 대하여 수직인 곳에 있지 않기 때문이다.

3 ㄱ. 별이 가장 밝을 때의 겉보기 등급은 6등급이고, 가장 어두울 때의 겉보기 등급은 8등급이다. 등급 차이가 2등급이므로 밝기 차이는 약 6.3배이다.

ㄴ. 그래프의 기울기는 b~c 구간이 a~b 구간보다 더 급하므로 시간에 따른 밝기 변화는 a~b 구간보다 b~c 구간에서 더 크다.

ㄷ. 이 별은 평균 겉보기 등급이 7등급이므로 절대 등급(2등급)보다 크다. 따라서 이 별은 10 pc보다 멀리 있는 별이다.

4 ㄱ. 우리나라에서 여름철에는 밤하늘이 우리은하의 중심부를 향하므로 은하수가 폭이 넓고 뚜렷하게 보이고, 겨울철에는 밤하늘이 우리은하의 바깥쪽을 향하므로 은하수가 희미하게 보인다. 따라서 (가)는 여름철 은하수이고, (나)는 겨울철 은하수이다.

ㄴ. 우리은하의 중심은 궁수자리 방향 부근에 있다. 따라서 여름철에는 태양이 궁수자리의 반대쪽에 위치하므로, 밤하늘이 우리은하의 중심부를 향하게 된다.

ㄷ. 우리은하는 중심부가 부풀어 있는 납작한 원반 모양이며 태양계의 위치는 우리은하의 중심에서 떨어져 있다. 따라서 계절에 따라 밤하늘의 방향이 달라지므로 은하수의 모습이 다르게 보인다.

5 A는 주로 파란색을 띠고 나이가 적은 별들로 이루어져 있으므로 산개 성단이고, B는 주로 붉은색을 띠고 나이가 많은 별들로 이루어져 있으므로 구상 성단이다.

ㄱ. 산개 성단은 수십~수만 개의 별들이 엉성하게 흩어져 있는 성단이다.

ㄴ. 산개 성단은 파란색을 띠는 고온의 별들로 이루어져 있다.

ㄷ. 산개 성단(A)은 주로 우리은하의 나선팔에 분포하고, 구상 성단(B)은 주로 우리은하의 중심부와 원반을 둘러싼 구형의 공간(헤일로)에 분포한다.

6 (가)는 토성, (나)는 말머리성운, (다)는 막대 나선 은하이다.

ㄱ. (가) 토성은 태양계 행성 중 하나이다.

ㄴ. 성운은 성간 물질이 많이 모여 구름처럼 보이는 것으로, 우리은하 내에서 주로 나선팔에 분포한다.

ㄷ. 우리은하는 중심부에 막대 모양의 구조가 있고 막대 끝에 나선팔이 휘감겨 있다. 우리은하를 모양에 따라 분류하면 (다)와 같은 막대 나선 은하에 포함된다.

7 ㄱ. (가)에서 별이 지구와 가까워지면 청색 편이가 나타나고, 별이 지구와 멀어지면 적색 편이가 나타난다. 따라서 우주가 팽창하면 은하 사이의 거리가 서로 멀어지므로 대부분의 은하에서 적색 편이가 나타난다.

ㄴ. 팽창하는 우주에서 멀리 있는 은하일수록 더 빨리 멀어지므로 적색 편이가 더 크게 나타난다.

ㄷ. 팽창하는 우주에서는 은하들의 이동 방향과 속도는 서로 다르다.

8 ㄱ. (가)는 전파 망원경으로 지상에서 관측하고, (나)는 허블 우주 망원경으로 지구 밖의 우주 공간에 떠서 관측한다.
ㄴ. 전파 망원경은 우주 공간에 있는 천체로부터 복사되는 전파를 관측하기 위한 장치이다. 보통 광학 망원경이 천체가 내뿜는 가시광선(빛)을 반사경으로 모아 천체를 관측하는 반면, 전파 망원경은 기존의 광학 망원경으로는 잡을 수 없는 우주 전파를 잡아 컴퓨터로 영상을 재구성한다.
ㄷ. 우주 망원경은 지구 밖의 우주에서 천체를 관측하므로 지구 대기의 영향을 받지 않아 지상에서 관측하는 것보다 선명한 상을 얻을 수 있다.

창의·사고력 향상 문제

2권 141쪽~143쪽

1 문제 해결 가이드 평행선에서 엇각의 관계를 이용한다.
• 배경별은 매우 멀리 있기 때문에 별빛이 지구에 평행하게 들어온다는 점 •• 배경별의 별빛과 나란하게 별 S를 지나는 직선을 그려 보면 엇각의 관계에 의해 ∠ASB는 (a+b)라는 점을 이용하여 설명한다.

모범 답안 배경별은 매우 멀리 있으므로 별빛은 지구에 평행하게 들어온다고 가정한다. 별 S의 연주 시차는 $\frac{a+b}{2}$이므로 별 S까지의 거리는 $\frac{2}{a+b}$이다.

채점 기준	배점
필요한 가정을 옳게 설명하고 별 S까지의 거리를 옳게 나타낸 경우	100 %
필요한 가정과 별 S까지의 거리 중 한 가지만 옳게 설명한 경우	50 %

2 문제 해결 가이드 두 별의 연주 시차는 다음과 같은 과정으로 구한다.
• 표에서 (겉보기 등급－절대 등급) 값을 구하고 •• 그림에서 (겉보기 등급－절대 등급) 값으로부터 별까지의 거리를 구한 후 ••• 거리와 연주 시차의 관계를 적용하여 연주 시차를 구한다.

모범 답안 (1) 별 A의 (겉보기 등급－절대 등급) 값이 3.5이므로 별까지의 거리는 50 pc이고, 연주 시차는 0.02″이다.
(2) B, (겉보기 등급－절대 등급) 값이 클수록 별까지의 거리가 멀고, 연주 시차가 작다. 별 A의 (겉보기 등급－절대 등급) 값은 3.5이고, 별 B의 (겉보기 등급－절대 등급) 값은 －1.7이므로, 연주 시차는 B가 A보다 크다.

	채점 기준	배점
(1)	거리와 연주 시차를 모두 옳게 구한 경우	50 %
	거리와 연주 시차 중 한 가지만 옳게 구한 경우	25 %
(2)	연주 시차가 더 큰 별을 고르고, 까닭을 옳게 설명한 경우	50 %
	까닭만 옳게 설명한 경우	25 %
	연주 시차가 더 큰 별만 옳게 고른 경우	10 %

3 문제 해결 가이드 은하수의 정의, 우리은하의 모양, 우리은하에서 태양계의 위치를 고려하여 설명한다.
• 은하수는 우리은하에 속한 지구에서 우리은하를 바라본 모습이라는 점 •• 우리은하는 중심부가 볼록한 원반 모양이라는 점 ••• 태양계는 우리은하의 중심에서 약 8500 pc 떨어진 나선팔에 위치해 있다는 점 •••• 북반구의 여름철에는 밤하늘이 우리은하의 중심부를 향하고, 겨울철에는 밤하늘이 우리은하의 중심부 반대쪽을 향한다는 점을 고려하여 설명한다.

모범 답안 (1) 계절에 관계없이 은하수가 모든 방향에서 고르고 일정하게 관측될 것이다.
(2) 우리은하의 중심 쪽을 보게 되는 계절(북반구의 여름철)에는 은하수의 폭이 넓고 밝게 보이고, 우리은하의 중심 반대쪽을 보게 되는 계절(북반구의 겨울철)에는 희미하게 관측될 것이다.

	채점 기준	배점
(1)	모든 방향에서 고르고 일정하게 보인다고 옳게 설명한 경우	40 %
(2)	여름철에 은하수의 폭이 넓고 밝게 보이고, 겨울철에 희미하게 보인다고 옳게 설명한 경우	60 %
	계절에 따라 다르게 보인다고만 설명한 경우	30 %

4 문제 해결 가이드 말머리성운은 암흑 성운임을 고려하여 설명한다.
• 성운은 성간 물질이 많이 모여 구름처럼 보이는 것이라는 점 •• 말머리성운과 같은 암흑 성운은 뒤에서 오는 빛을 흡수하여 어둡게 보이는 것이라는 점 ••• 은하수에서 군데군데 어둡게 보이는 부분은 암흑 성운의 원리와 같다는 점을 설명한다.

모범 답안 (1) 말머리성운을 이루고 있는 것은 성간 물질이다.
(2) 은하수를 보면 군데군데 검은 부분이 나타나는데, 이는 성간 물질이 뒤쪽에서 오는 별빛을 가로막기 때문이다.

채점 기준		배점
(1)	'성간 물질'이라고 옳게 쓴 경우	30 %
(2)	성간 물질이 뒤쪽에서 오는 별빛을 가로막기 때문이라고 옳게 설명한 경우	70 %
	자세한 설명 없이 암흑 성운이 어둡게 보이는 것과 같은 원리라고 쓴 경우	30 %

5 문제 해결 가이드 팽창하는 우주에서는 대부분의 은하가 후퇴하며, 멀리 있는 은하일수록 후퇴 속도가 크다는 것을 고려하여 설명한다.

• 팽창하는 우주의 중심은 없다는 점 • • 어떤 은하를 기준으로 해도 모든 은하가 후퇴하고 먼 은하일수록 후퇴 속도가 빠르다는 것은 우주가 팽창하고 있다는 것을 의미한다는 점을 고려하여 설명한다.

모범 답안 (1) 은하 C에서 볼 때 은하 A는 오른쪽으로 200 km/s의 속도로 후퇴하고 있고, 은하 B는 오른쪽으로 300 km/s의 속도로 후퇴하고 있다.
(2) 주어진 자료에서 어떤 은하를 기준으로 해도 모든 은하는 후퇴하는 것으로 나타나는데, 이는 우주가 팽창하고 있다는 증거이다.

채점 기준		배점
(1)	은하 C에서 본 은하 A, B의 후퇴 속도를 모두 옳게 설명한 경우	50 %
	은하 C에서 본 은하 A, B의 후퇴 속도를 한 가지만 옳게 설명한 경우	25 %
(2)	우주가 팽창하고 있음을 증명할 수 있는 까닭을 옳게 설명한 경우	50 %

6 문제 해결 가이드 우주 환경은 중력이 평형을 이루고 있으며, 지구와 다르게 대기가 없다는 점을 고려하여 설명한다.

• 중력이 평형을 이루고 있다는 것은 힘이 한쪽 방향으로만 작용하지 않고 모든 방향으로 같은 힘이 작용함을 의미한다는 점 • • 대기가 없으면 대류와 같은 대기의 움직임이 없다는 점을 고려하여 설명한다.

모범 답안 (가) 우주에서는 중력이 평형을 이루고 있기 때문에 액체가 가라앉지 않고 완벽한 구형을 이룬다. 즉, 우주는 구형 물체를 제작하는 데 매우 유리한 환경이다.
(나) 우주에는 대기가 없기 때문에 공기 입자에 의한 흡수와 산란 및 반사가 일어나지 않는다. 따라서 우주선에 망원경을 부착하여 천체를 관측하면 지구에서 관측하는 것보다 정밀하고 정확하게 관측할 수 있다.

채점 기준	배점
(가)와 (나)가 우주의 어떤 환경을 이용한 것인지 모두 옳게 설명한 경우	100 %
(가)와 (나) 중에서 한 가지만 옳게 설명한 경우	50 %

VIII 과학기술과 인류 문명

01 과학기술과 인류 문명

학습 내용 Check

2권 149쪽	1 불	2 태양 중심설
	3 증기 기관	
2권 150쪽	1 과학기술	2 공학적 설계
2권 151쪽	1 나노 기술	2 지능 정보 기술

개념 확인 문제

2권 152~153쪽

01 ① **02** ㄱ, ㄴ **03** ㉠ 증기 기관 ㉡ 산업 혁명
04 ① **05** ㉠ 전자기 유도 ㉡ 발전기 **06** ②
07 공학적 설계 **08** ① **09** ③ **10** ②, ④

01 (가) 인류는 불을 스스로 피우고, 불을 이용하여 추위를 막거나 어둠을 밝히고, 동물을 쫓고, 음식을 가열하여 먹기 시작하면서 생존에 유리해졌다.
(나) 토기를 만드는 데는 흙을 반죽하여 모양을 빚어 불에 구우면 단단해지는 과학 원리를 이용하였다.
(다) 철광석으로부터 철을 얻는 것이 구리와 주석을 혼합하여 청동을 얻는 것보다 어려웠기 때문에 철이 청동보다 나중에 이용되었다.

02 (가) 우주의 중심이 태양이라는 태양 중심설은 망원경을 이용한 천체 관측 결과로 입증되었다. 이를 통해 우주관이 변화하였으며, 이 과정에서 경험 중심의 과학적 사고를 중시하게 되었다.
(나) 세포 발견 이후 인간을 비롯한 생물체를 작은 세포가 모여서 이루어진 존재로 인식하게 되었다.
(다) 만유인력 법칙과 운동 법칙의 발견으로 천체와 우리 주변 물체의 운동을 이해하고, 예측할 수 있게 되었다.

03 증기 기관은 기관의 외부에서 연료를 연소시켜 물을 끓여 수증기가 되도록 한 후, 이 수증기의 힘으로 기계를 움직이게 하는 장치이다. 증기 기관은 여러 가지 기계, 기차, 배 등의 동력원으로 사용되어 산업 혁명이 일어나는 바탕이 되었다.

04 ① 인쇄술의 발달로 대량의 지식과 정보를 쉽게 접할 수 있게 됨에 따라 종교의 영향에서 벗어나 인간 중심으로 세상을 보게 되었다. 또한, 자연에 관한 책이 많이 출판되어 근대 과학 발전의 토대가 되었다.

05 코일 근처에서 자석을 움직이면 코일에 전류가 흐르게 되는 현상을 전자기 유도 현상이라고 한다. 전자기 유도 현상을 이용하여 전기 에너지를 생산하는 장치를 발전기라고 한다.

06 ② 정보 통신 기술을 활용한 다양한 전자 기기가 개발되고, 다양한 사물이 인터넷으로 연결되어 우리의 생활은 더욱 편리해졌다.

07 과학 원리나 기술을 이용하여 기존의 제품을 개선하거나 새로운 제품, 시스템을 개발하는 일련의 창의적인 과정을 공학적 설계라고 한다.

08 ① 나노 기술은 물질을 나노미터 크기로 작게 하여 다양한 소재나 제품을 만드는 기술로, 제품의 소형화, 경량화가 가능해진다.

09 ㄱ, ㄴ. ㉠(제초제에 내성이 있는 콩)과 ㉡(바이타민 A를 강화한 쌀)은 유전자 재조합 기술을 활용하여 만든 유전자 변형 생물(LMO)이다.
ㄷ. 물질이 나노미터 크기로 작아지면 새로운 성질이 나타나는 것을 이용하여 물질을 나노미터 크기로 작게 하여 다양한 소재나 제품을 만드는 기술은 나노 기술이다.

10 ② 과학기술 발달로 앞으로의 사회는 과학기술의 영향력이 점점 커질 것으로 예상된다.
④ 과학기술 발달은 우리의 생활을 편리하고 풍요롭게 하는 긍정적인 면 외에도 환경 문제나 윤리 문제를 일으키는 등의 부정적인 면도 있으므로 이에 대한 대비가 필요하다.

실력 강화 문제

2권 154쪽

01 ⑤ **02** ③ **03** ① **04** ①

01 ㄱ. 철은 매우 단단하므로 철을 이용한 농기구의 사용은 농업 생산량 증가에 기여하였다.
ㄴ. 암모니아는 질소와 수소를 인공적으로 반응시켜 대량 합성할 수 있게 되었다.
ㄷ. 암모니아는 질소 비료의 원료로, 암모니아를 대량 합성하는 기술을 이용하여 질소 비료를 만들어 농업에 사용하게 되면서 식량 생산량이 증가하게 되었다.

02 ㄱ. 물을 끓여 수증기를 얻은 후 수증기의 힘으로 기계를 움직이게 하는 장치를 증기 기관이라고 한다.
ㄴ. 증기 기관에서 일어나는 에너지 전환은 연료의 화학 에너지 → 수증기의 열에너지 → 기계의 역학적 에너지이다.
ㄷ. 증기 기관을 이용한 기계가 발명되어 대량 생산이 이루어지면서 공업 중심의 산업 혁명이 시작되었다.

03 ㄱ. 과학 원리나 기술을 이용하여 기존의 제품을 개선하거나 새로운 제품, 시스템을 개발하는 과정을 공학적 설계라고 한다.
ㄴ. 공학적 설계 과정은 한 번의 과정으로 완성되는 것이 아니라 평가를 통해 설계 과정을 반복하여 가장 적합한 결과물을 만들어 내는 과정이다.
ㄷ. 공학적 설계 과정은 일반적으로 문제점 인식 및 목표 설정하기 → 정보 수집하기 → 다양한 해결책 탐색하기 → 해결책 분석 및 결정하기 → 설계도 작성하기 → 제품 제작하기 → (㉠ 평가 및 개선하기)의 순서로 이루어진다.

04 (가) 원자나 분자를 결합시켜 나노미터 수준의 미세한 물질을 새로 만들거나 기존의 물질을 변형시키는 기술은 나노 기술이다.
(나) 의료 로봇을 이용하여 외부에서 입체 영상을 보면서 로봇 팔을 섬세하게 움직이며 수술할 수 있다.

서술형 문제

2권 155쪽

1 태양 중심설은 코페르니쿠스가 주장한 것으로, 지구를 비롯한 다른 행성들이 태양을 중심으로 돌고 있다는 것이다. 갈릴레이는 망원경을 이용하여 천체를 관측하여 태양 중심설이 옳음을 입증하였다.

모범 답안 지구가 천체의 중심이 아니라 태양이 천체의 중심이라는 우주관으로 변하게 하였으며, 경험 중심의 과학적 사고를 중시하게 되었다.

채점 기준	배점
우주관의 변화와 과학적 사고 중시를 모두 포함하여 옳게 설명한 경우	100 %
우주관의 변화 또는 과학적 사고 중시 중 한 가지만 옳게 설명한 경우	50 %

2 증기 기관이 산업에 쓰이는 기계와 기차나 배 등의 동력원으로 쓰이게 되면서 산업과 사회에 큰 변화를 가져왔으며,

이를 산업 혁명이라고 한다.

모범 답안 증기 기관차와 증기선을 이용하여 많은 사람이나 물건을 먼 거리까지 빠르게 이동할 수 있게 되었으며, 이는 산업과 사회를 변화시켰다.

채점 기준	배점
사람이나 물건을 멀리까지 빠르게 이동할 수 있었다는 것과 산업과 사회에 변화를 가져왔다는 것을 모두 포함하여 옳게 설명한 경우	100 %
사람이나 물건을 멀리까지 빠르게 이동할 수 있었다는 것 또는 산업과 사회에 변화를 가져왔다는 것 중 한 가지만 옳게 설명한 경우	50 %

3 연잎에 떨어진 물은 둥근 물방울 모양으로 굴러 떨어지므로 연잎은 물에 젖지 않는다. 이는 연잎의 표면이 나노미터 수준의 미세한 돌기들로 채워져 있기 때문이다. 이와 같은 효과가 나타나도록 나노 기술을 적용하여 방수 기능이나 오염 방지 기능이 있는 섬유, 물을 뿌리면 오염 물질이 제거되는 페인트, 빛의 투과성을 변화시킬 수 있는 스마트 유리 등을 만든다.

모범 답안 나노 기술, 물질이 나노미터 크기로 작아지면 새로운 특성을 갖게 되는 것을 이용하여 다양한 소재나 제품을 만드는 기술이다.

채점 기준	배점
나노 기술을 쓰고, 나노 기술을 옳게 설명한 경우	100 %
나노 기술은 옳게 썼으나 나노 기술에 대한 설명이 미흡한 경우	50 %

4 인공 지능 기술은 인간의 뇌 구조에 대한 지식을 바탕으로 컴퓨터나 로봇 등이 인간과 같이 사고하고, 학습하고, 의사결정을 할 수 있도록 하는 기술이다. 빅 데이터 기술은 매우 빠른 속도로 생산되고 있는 많은 양의 데이터를 실시간으로 분석하여 의미 있는 정보를 추출하는 기술이다. 인공 지능 기술과 빅 데이터 기술을 바탕으로 한 지능 정보 기술은 산업과 사회 전반에 큰 변화를 가져오고 있다.

모범 답안 ㉠ 인공 지능 기술, ㉡ 지능 정보 기술, 사람과 사물과 정보를 연결하여 기술과 사회의 융합을 가속화하고, 과학기술의 영향력이 더 커지는 사회로 이끌 것이다.

채점 기준	배점
㉠, ㉡을 각각 옳게 쓰고, 기술과 사회의 융합을 빠르게 한다거나 과학기술의 영향력이 더 커질 것이라는 내용 중 한 가지 이상을 포함하여 옳게 설명한 경우	100 %
㉠, ㉡은 모두 옳게 썼으나 지능 정보 기술이 미치는 영향에 대한 설명이 미흡한 경우	50 %
㉠이나 ㉡ 중 한 가지만 옳게 쓰고 지능 정보 기술이 미치는 영향에 대한 설명이 미흡한 경우	20 %